新 潮 文 庫

スタンド・バイ・ミー

―恐怖の四季　秋冬編―

スティーヴン・キング
山 田 順 子 訳

新 潮 社 版

3818

はじめに

わたしがしょっちゅう受ける質問（なんなら、黒丸つきでナンバー・ワンだといってもいい）は、〝いったいどこからアイディアを得るのか〟というものだが、次点にくるのは、まちがいなくこれだ。〝あなたが書きたいのはホラー小説だけなのか？〟わたしがそんなことはないと答えたとき、質問者は安心したような顔をしたのか、失望したのか、わたしにはどちらとも言えない表情をする。

処女作『キャリー』を出版する直前に、わたしは編集者のビル・トンプソンから手紙をもらい、アンコールに応《こた》えてどんなものを出すか（最初の本が出版される前に次の本のことを考えるというのは、読者諸氏には奇妙に思われるだろうが、小説本における出版前のスケジュールは、映画におけるフィルム撮影後上映《ポストプロダクション》までのスケジュールと同じ意味をもっているために、その時点で、『キャリー』にはもう長い時間――約一年――がかかっていたのだ）、考えはじめる時期がきたと知らされた。わたしは急いでビルに原稿を二本送った。一本は『Blaze』、もう一本は『Second Coming』だった。前者は『キャリー』を書きあげた直後、デスクの引き出しでその草稿が熟しているさいちゅうの、六カ月のあいだに書きあげた作品だ。後者は『キャリー』がカメのようにじりじりと出版というゴールに向かって進んでいる、一年かそこいらのあいだに書いたものだ。

『Blaze』は、体の大きな、知能の遅れた犯罪者が金持ちの子どもを誘拐《ゆうかい》して、身《み》の代金《しろきん》をとろうとたくらみ、あかんぼうをさらってしまう……が、その子に夢中になってしまう、というメロドラマだ。『Second Coming』は、メイン州のある小さな町が吸血鬼《ヴァンパイヤ》に襲われるというメロドラマ。『Second Coming』は『ドラキュラ』の、『Blaze』はスタインベックの『二十日鼠《はつかねずみ》と人間』の、文字どおりイミテーションでしかなかった。

この二作をひとまとめにした大きな包み（『Blaze』はミルク代の請求書の裏にタイプしたページが何枚かあったし、『Second Coming』の原稿には、三カ月前のニュー・イヤー・イブのパーティで誰《だれ》かがブラック・ラベルをこぼしたため、ビールの匂《にお》いがぷんぷんしていた）が届いたとき、さぞかしビルはめんくらったことだろう——花束をもらうことを夢に見ているところへ、夫が出かけていって温室を買ったことを知った妻と同じだったにちがいない。この二本の原稿を合わせると、シングル・スペースでおよそ五百五十枚はあった。

ビルは二週間かけて――編集者をひと皮むくと聖人がみつかる――原稿を二本とも読み、わたしは『キャリー』の出版を祝ってメイン州からニューヨークへ出かけ（一九七四年の四月のことだ……ジョン・レノンはまだ生きていたし、ニクソンは大統領の椅子《いす》にしがみついていたし、当の本人である若僧はひげに初めて白髪《しらが》をみつけていた）、ビルとわたしは次の本をどちらにすべきか、それとも、二作とも次の本にすべきではないか、を話しあった。

わたしが二日間ニューヨークに滞在しているあいだ、わたしたちは三、四回、その問題を話しあった。最終決定が下されたのは、交差点、パーク・アベニューと46ストリートとが交わるところだった。ビルとわたしは信号が変わるのを待ちながら、なんというのか知らないが、おかしげなトンネル――パン・ナム・ビルにまっすぐに通じているモグラの穴のようなやつ――に吸いこまれていくタクシーの列を眺《なが》めていた。ビルが言った。「わたしは『Second Coming』にすべきだと思う」

よかろう。わたしもそちらの方が気に入っていた――だが、ビルの口調にはなにやら妙に渋いものがあり、わたしは思わずきっと彼の顔を見て、問題はなんなのだと訊《き》いた。「ただね、念力でものを動かせる少女の本の次に、ヴァンパイヤの本を出せば、あんたはあるタイプのレッテルを貼《は》られてしまうよ」

「あるタイプ?」わたしは心底驚いていた。ヴァンパイヤと念力《テレキネシス》のあいだに、いわゆる類似性があるとは、とうてい考えられなかったからだ。

「ホラー作家として」ビルはさらに渋い口調で言った。

「ああ」わたしは心からほっとした。「そういうことか!」

「何年か待つことだ」ビルは言った。「そうすれば、〝そういうことか〟ですましていられるかどうか、わかるだろうよ」

「ビル」わたしはおかしかった。「アメリカではホラー小説だけを書いて、食っていける作家はいないよ。ラブクラフトはプロビデンスで餓《う》え死《じ》にした。ブロックはホラー小説をあきらめて、サスペンスとアンノウン・タイプのパロディーに転向した。『エクソシスト』は一発かぎりの打ちあげ花火だった。きみこそ、わかるだろうよ」

信号が変わった。ビルはわたしの肩をぽんとたたいた。「きみは絶対に成功すると思うよ。だが、きみにクソと靴墨《くつずみ》の区別がつくとは、わたしには思えない」

わたしよりもビルの方が真実を突いていた。アメリカでホラー小説だけを書いて、食っていける作家になれることが判明したのだ。『Second Coming』は『呪《のろ》われた町』に改題され、いい線をいった。『呪われた町』が出版された頃《ころ》には、わたしは家族とともにコロラド州に住んでいて、悪霊《あくりょう》のとりついたホテルの話を書いていた。ニューヨークに行き、ジャスパーの店というバー(巨大な煙色のネコがジューク・ボックスを占領している店だ。どんな曲があるのか見ようと思ったら、その雄ネコを持ちあげなくてはならない)で、夜っぴてビルにプロットを話した。話が終わる頃には、ビルはバーボンのグラスを中に両肘《りょうひじ》をつき、ひどい偏頭痛に苦しむ人のように、両手に顔を埋《うず》めていた。

「気に入らないんだな」わたしは言った。

「すごく気に入った」ビルはうつろな声で返事をした。

「それじゃ、どこが悪い?」

「最初は念力少女、お次はヴァンパイヤ、そして今度は悪霊のとりついたホテルと、テレパシー能力のある少年。あんたはレッテルを貼られちまう」

今度はわたしも前よりは少しばかり真剣に考えこんだ――そして、これまでにホラー作家というレッテルを貼られた作家たち、何年にもわたってわたしに多大の楽しみを与えてくれた作家たちのことを考えた――ラブクラフト、クラーク・アシュトン・スミス、フランク・ベルナップ・ロング、フリッツ・ライバー、ロバート・ブロック、リチャード・マシスン、そしてシャーリイ・ジャクソン(そう、彼女でさえ、異色作家に入れられている)。わたしは、ネコがジューク・ボックスの上で眠り、隣の席では編集者が頭をかかえこんでいる、そのジャスパーの店で、もっと悪い仲間と同席することもありうるのだ、と悟った。たとえば、わたしがジョセフ・ヘラーのような〝重きをなす〟作家になり、七年ごとぐらいに一作発表するようになるとか、ジョン・ガードナーのように〝才きわだった〟作家となり、インテリたち（自然食品を食し、リア・バンパーに〈ジーン・マッカーシーを大統領に〉という文字が薄れてはいるが読み取れるステッカーを貼った、旧型のサーブを乗りまわしている人々）のために、難解な作品を書くこともありうるのだ。

「いいじゃないか、ビル」わたしは言った。「世間が望むのなら、ホラー作家になろう。それでけっこうだよ」

わたしたちは二度と論議することはなかった。ビルはあいかわらず編集をしているし、わたしはあいかわらずホラー小説を書いているし、二人とも精神分析を受けずにすんでいる。じつにいい関係だ。

というわけで、わたしはレッテルを貼られているが、少しも気にしていない――つまるところ、そのレッテルに忠実な作品を書いているのだから……だが、わたしが書きたいのはホラー小説だけなのだろうか？　これからページをめくるみなさんには、そうではないことがおわかりになるだろう……が、『マンハッタンの奇譚《きたん》クラブ』だけではなく、残りの作品にも、ホラーの要素を読みとれるだろう――『スタンド・バイ・ミー』の中のヒルのくだりは気味が悪いし、『ゴールデンボーイ』の中の夢のイメージも同様だ。遅かれ早かれ、神のみぞ知る理由で、わたしの意識はその方向にもどっていくようだ。

本書におさめられているやや長めの中編小説はどれも、長編を一冊しあげた直後に書いたものだ――まるで、大仕事を終えても、手ごろな長さの中編を一本ふくらませるだけのガスが、タンクに残っているようなあんばいだ。『スタンド・バイ・ミー』は本書の中でいちばん早くに書いた作品で、『呪われた町』の直後に。『ゴールデンボーイ』は『シャイニング』脱稿後の二週間に（『ゴールデンボーイ』のあと三カ月は、なにも書かなかった。へたばってしまったのだ）。『刑務所のリタ・ヘイワース』は、『デッド・ゾーン』完成直後に。『マンハッタンの奇譚クラブ』は本書の中でいちばん新しく、『ファイアスターター』のすぐあとに書いた。

＊原書には四作の中編が入っているが、本書にはそのうち秋冬の二編を収録。

もうひとつつけ加えるとするならば、どの作品もちがう家で書いたというおまけがある。四作のうち三作はメイン州の三軒の家で、残り一作はコロラド州のボールダーの家で、書いたものだ。

どの作品も、この本に収録されるまではどこにも発表しなかった。出版社に持ちこんだことは一度もない作品ばかりだ。なぜかって？　どれも二万五千語から三万五千語どまりだったからだ——正確な数字ではないが、ほぼ当を得たところだと思う。これは言っておかなければなるまい。二万五千語から三万五千語という語数は、どんなに心臓の強い作家でさえ、動揺させられる数だ。長編と短編とを区別する明確な限定というものはない——少なくとも語数の上では、ない——し、また、あってはならぬものだと思う。しかし、作家は二万語に近くなると、短編の域を越えはじめたことを知る。同様に、四万語を過ぎると、長編の域に入ったことを知る。この厳然とした二つの領域にはさまれた中間の領域では、境界というものが明確にされていない。が、ある時点で、作家は自分がおそろしい領域に近づいたことにはっと気づき、長めの中編《ノベラ》（わたしの好みとしては、多少気取っているが〈中編小説《ノベレット》〉ともいう）とよばれる、文字どおり無秩序なバナナ共和国に足を踏み入れてしまったことを知る。

文学的な意味でいえば、ノベラにはなんら不都合な点はない。サーカスにフリークたちがいても、べつに不思議ではないが、サーカス以外の場所で、そういう人たちに会うことはめったにない。問題となるのは、すばらしいノベラが、伝統的に〝ジャンル・マーケット〟（これは品のいい言いかただ。下品だが、もっと正確には〝ゲットー・マーケット〟と言える）でしか売れないという点にある。できのいいミステリーの短編なら『エラリー・クイーンズ・ミステリー・マガジン』や、『マイク・シェインズ・ミステリー・マガジン』に売れるし、できのいいSFの短編なら『アメージング』や、『アナログ』に売れるだろうし、もしかすると『オムニ』や『F＆SF』にさえ売れるかもしれない。皮肉なことに、できのいいホラーの短編が売れるのも、そういう市場なのだ。『F＆SF』しかり。『トワイライト・ゾーン』しかり。また、チャールズ・L・グラント編集、ダブルデイ社刊行の『シャドウ』シリーズのような、オリジナル恐怖小説の多彩なアンソロジーもある。

しかし中編小説となると、〝主流〟（〝ジャンル〟と同じぐらいゆううつなことば）ということばで片づけられてしまうのがおちだ……売り物になる可能性があるかぎり、作家はトラブルの山に埋もれてしまうことになる。二万五千語から三万五千語の原稿を、なさけない目でにらみ、ビールの栓《せん》を抜く。頭の中では、なまりの強い、むやみに愛想《あいそ》のいい声がこう呼びかけているように思われる。〝ごきげんいかが、だんな！リボルシオン航空の旅はどうだったねえ？　きげんよさそうでないの！　ノベラ国にようきたな！　ここで楽しい思いができるともさ！　安い葉巻、どうだね？　ぞくぞくするような写真もあるだで！　シニョール、さ、さ、入んなせえ！　だんなの小説はここで長い、ながーいあいだ……どうしたね？　ワッハッハッハ！〟

ゆううつだ。

昔（作家は当時を悼《いた》む）は、そういう話のための市場がちゃんとあった——『ザ・サタデイ・イブニング・ポスト』や、『コリアー』や、『ジ・アメリカン・マーキュリイ』というような魔法の雑誌があった。小説——長いものも短いものも——は、ここでもあそこでも目玉商品だった。しかも、作品が長すぎて一号だけで掲載しきれないときには、三回、五回、九回に分けて連載された。小説を〝要約〟するとか、〝抄録〟するとか、そういう言語道断な考えかたは、まだ知られていなかった（『プレイボーイ』と『コスモポリタン』の両誌が、このいまわしいやりかたを、有害きわまりない技術にまで変えてしまった。小説一本分をたったの二十分で読める！　というわけだ）し、必要なだけのスペースがさかれていた。新しい『ポスト』がくることになっていて、それに予告されていたブラッドベリの新しい短編が載っているから、あるいは、最新のクラレンス・ブッディントン・ケランド・シリーズの最終回が載っているから、一日じゅう郵便配達を待ちこがれていたことを思い出せるのは、わたしひとりなのだろうか。

（待ちこがれる気持があまりにも強かったため、わたしはひっかけのカモにされた。

やっとのことで、肩に革カバンをさげ、ショート・パンツの夏の制服に、日除《ひよ》け帽をかぶった郵便配達のおじさんが元気よく歩いてくる姿をみつけると、わたしはトイレに行く用が切迫しているような、足を片方ずつはねあげるようなかっこうで、小径《こみち》の端まで迎えに行った。心臓が喉《のど》からとびだしそうな気分だった。郵便屋さんは残酷な、というよりはむしろ、おもしろがっているような笑みを見せ、わたしに電気代の請求書を渡してくれた。それだけ。心臓はいっきょに靴《くつ》の中にまで沈みこんでしまう。すると、郵便屋さんは不憫《ふびん》に思い、ようやく『ポスト』をくれるのだ。表紙にアイゼンハワーの笑顔の絵が、ノーマン・ロックウェルの筆で描かれていた。ピーター・マーティンによるソフィア・ローレンの記事。パット・ニクソンによる〝彼はすばらしい男性だ〟という、そう、お察しのとおり、夫、リチャードに関する記事。そして、小説。長いの、短いのがいろいろ取りそろえられ、ケランド・シリーズの最終回も載っていた。ありがたや！）

そしてそれはめったにないことではなかった。なんと、毎週、そうだったのだ！『ポスト』が届く日こそ、わたしは東海岸全域でいちばん幸せな少年だっただろう。

現在でも長い小説を載せている雑誌がある——『アトランティック・マンスリー』と、『ニューヨーカー』、この二誌は、三万語の小説をものした（〝になってしまった〟

とは言いたくない。それだと〝まちがってそうなってしまった〟みたいではないか）作家の出版事情を、特に同情的にみてきてくれている。しかし、このどちらの雑誌も、わたしの作品は受け容《い》れてくれない。わたしの作品が素朴《そぼく》で、文学的とはいえず、ときには（これを認めるのは心が痛むが）まぎれもなく不粋だからだ。

ある程度までは、まさにそういう特性が、わたしの小説の成功をになっていると考えられる——決してほめられることではないかもしれないが。わたしの作品の大部分のものは、ふつうの人々のための素朴な作品、マクドナルドのビッグ・マックと、フライド・ポテトの大と同じ文学的価値のものなのだ。わたしだとて優雅な文体を認めることができるし、それに応えることもできるが、わたし自身の作品に使うのはむずかしいし、不可能だともわかっている（わたしの作品にでてくる中年に達した作家というような主人公たちは、〝ものすごい〟から〝存在しない〟に至るまでの範囲に入る文体をもつ、強い小説家だ。シオドア・ドライサーや、フランク・ノリスが好みだというやつばかりなのだ）。作家の技巧から優雅さというものをさし引くと、頑丈《がんじょう》な片足だけで立っていることがわかる。その一本の足が相当な重みとなる。結果として、わたしはつねに、相当な重みを与えようと、できるかぎり懸命に挑戦《ちょうせん》してきた。べつのことばで言えば、サラブレッドのように走ることができないとわかっても、頭脳を回転させることはできる（外野席から声があがる。〝どんな頭脳だね、キング？〟と。ハハハ、じつにおかしいよ、きみ、さっさとあっちへ行ってくれ）。

以上のことをすべてひっくるめて、中編をものしたわたしは、当惑しきった状態にいた。これまでの作品で、キングは望みさえすれば洗濯《せんたく》もののリストでさえ出版できる（この八年というもの、キングはまさにそうしてきた、と主張する批評家がいる）、と言われるところまできたが、四作とも、短編として発表するには長すぎるし、長編というには短かすぎるという理由で、発表することができずにいた。

〝シ、シニョーラ、わかったよ！　靴をぬぎなって。安いラムはどうかね？　じきにメディコール・リボルシオン・スティール・バンドがやってきて、カリプソをがんがん演《や》ってくれらあね！　いいもんが好きなんだろ、そうだろうとも！　で、暇もあるってね、シニョール！　暇があるのは、だんなの作品が、きっと——

——ここで長いあいだお蔵になるってんだろう、うん、うん、すごいね、きみね、どこかよそへ行って、かいらいの帝国主義的民主主義国を打倒してこないか？〟

というわけで、わたしのハードカバーを出しているバイキング社と、ペーパーバックを出しているニュー・アメリカン・ライブラリー社なら、型破りの脱獄の話や、相互寄生という基盤の上に成り立った、陰惨な関係に閉じこめられている老人と少年の話、発見の旅に出かける田舎町の四人組の少年たちの話、そして、なにがあろうとも子どもに生を与えようと決心する若い女性に関する、とっぴなホラー・ストーリー（あるいは、これはクラブではない奇妙なクラブの話かもしれない）の詰まった本を、出版したいと思うだろう。わたしは最終的にそう判断した。出版社はオーケーと言ってくれた。これが、ノベラの領域というバナナ共和国から、この四本の長い短編を救い出したてんまつだ。

読者のみなさんに、いい、いいもんだと気に入っていただければうれしい。

これを切りあげる前に、レッテルを貼られた作家の体験談をもうひとつ。

一年ほど前、わたしは編集者と話をしていた。いや、ビル・トンプソンとではなく、新顔の編集者で、アラン・ウィリアムズという名のじつにいい男のことだ。アランは頭がよくて、ウイットにとみ、有能なのだが、ニュー・ジャージーのどこかで、いつも陪審員としての義務をはたしている男だ。

「愛すべき『クージョ』」アランは言う（正真正銘のとぼけた滑稽《こっけい》な話である長編の、編集作業がちょうど終わったときのことだ）。「次の本をどうするか、もう考えていますか？」

既視感。以前にもこんな会話をしたことがあった。

「ああ、まあね」わたしは答える。「ちょっとあたためてるものがあって――」

「聞かせてくださいよ」

「中編ばかり四本集めた本というのは、どうだろう？　ほぼ、というより全部がふつうの小説なんだけどね。きみ、どう思う？」

「中編か」アランは話のわかる男だが、その声には、リボルシオン航空のあやしげなバナナ共和国行きのチケットを二枚、賞品にもらってしまった、という気持が表われていた。「つまり、長めの短編ってことですね？」

「うん、そういうことだ。その本を『それぞれの季節』というタイトルにすれば、読者もそれがヴァンパイヤや、悪霊《あくりょう》にとりつかれたホテルのようなものだとは思わないだろう」

「次のはヴァンパイヤものの予定なんですか？」アランは期待をこめて訊《き》く。

「いや、ちがうだろう。ね、どう思うね、アラン」

「悪霊にとりつかれたホテルかな？」

「ちがう、それはもう書いた。『それぞれの季節』だよ、アラン。いい響きだと思わないかい？」

「すばらしくいい響きですよ、スティーブ」アランはそう言って、ため息をつく。リボルシオン航空の最新型の飛行機（ロッキード・トライスター）の三等席に腰をおろし、前方のシートの背の上をゴキブリがせわしげに走っていくのをみつけた、話のわかる男のため息だ。

「きみが気に入ってくれるといいんだが」

「どうでしょうね。その中にホラーの短編を入れるわけにはいきませんか？　一本だけでも？　そうすれば……たとえば恐怖の四季とかに？」

わたしはサンドラ・スタンスフィールドとドクター・マッキャロンの〝呼吸法〟のことを思い、かすかに――ほんのかすかに――笑う。「たぶん、なにか急いで書きあげられると思うよ」

「すごい！　で、新しい長編の件ですが――」

「悪霊にとりつかれた車というのは、どうだね？」

「やった！」アランは叫ぶ。これでわたしはアランを幸せな人間として、編集会議――あるいはイースト・ラーウェイの陪審義務――に帰してやった、という気になれる。わたしもまた、幸せだ――悪霊にとりつかれた車の話はとても気に入っているし、これで、暗くなってから道路を急いで渡ろうとする人々を、大勢不安にさせることができると思う。

だが、この本におさめられたどの作品も、わたしはとても気に入っているし、心のどこかで、これから先もずっと愛していくと思う。願わくは、読者諸氏よ、みなさんにも気に入ってもらえますように。どの作品も、よくできた小説なら必ず与えてくれるものをそなえている——いっときのあいだ、みなさんの心にある現実の重荷を忘れさせ、今まで行ったことのない場所へつれていってくれるはずだ。それはもっとも喜ばれる魔法の力だ。

オーケー。お別れしよう。またふたたび会えるまで、頭を胴体から離さないようにして、いい本をたくさん読み、有能で、幸せな人間でいてほしい。

愛をこめて幸福を祈りつつ
スティーヴン・キング

一九八二年一月四日
メイン州バンゴアにて

語る者ではなく、語られる話こそ

目次

〝金もろくすっぽ使わずに、汚ないまねをしちまったぜ〟
——AC/DC

〝裏の情報網からその話を聞いたよ〟
——ノーマン・ホイットフィールド

〝あれもこれも、なにもかも水に流し、すべての思いを忘れてしまおう〟
——フロベール

スタンド・バイ・ミー

――恐怖の四季　秋冬編――

スタンド・バイ・ミー

——The Body

——秋の目覚め——

ジョージ・マクロードに

1

なににもまして重要だというものごとは、なににもまして口に出して言いにくいものだ。それはまた恥ずかしいことでもある。なぜならば、ことばというものは、ものごとの重要性を減少させてしまうからだ——ことばはものごとを縮小させてしまい、頭の中で考えているときには無限に思えることでも、いざ口に出してしまうと、実物大の広がりしかなくなってしまう。だが、本当はそれ以上のものだ。そうではないだろうか？　なににもまして重要だというものごとは、胸の中に秘密が埋もれている、その近くに在るものだ。敵がこっそりと盗みだしたがっている宝のありかを示す目印のように。もしかすると、自分でもなにを言ったのかわからないままに、あるいは、ほとんど泣かんばかりに話をしながら、自分はなぜこんなことを重要だと考えていたのだろうと疑問に思いつつ、打ち明けてしまうかもしれない。その結果は、人々の名状しがたい奇妙なまなざし、という高い代価を払うことにしかなるまい。それは最悪だとわたしは思う。秘密というものは、語り手が不足しているからではなく、聞きとれる耳が不足しているからこそ、ひめやかに埋もれたままでいるのだ。

わたしが初めて人間の死体を見たのは、やがて十三歳になるという十二歳のときだった。一九六〇年代の出来事だ。はるか昔のことだ……わたしにとっては、それほど長い年月がたったとは思えないときもあるが。特に、死体の開いた目に雹《ひょう》が降っている夢を見て、目ざめてしまう夜中などには。

2

キャッスル・ロックの使用されていない駐車場の上に、大きく枝を張った楡《にれ》の木がある。わたしたちはその木に樹上の小屋をもっていた。今日《こんにち》では、その駐車場には引っ越し会社が建ち、大きな楡の木はなくなってしまった。進歩だ。樹上の小屋は、名前こそなかったが、一種の社交クラブだった。メンバーは五人か六人で、他《ほか》にもときどき顔を見せる悪《わる》仲間がいた。カード・ゲームをするときや、新しいメンバーが必要になったときには、そういう連中を木に上げてやった。ゲームは主としてブラックジャックで、セント単位で遊び、上限は五セントだった。だが、どんぴしゃりのブラックジャックと、手札五枚で勝った場合は二倍、手札六枚で勝った場合は三倍の賭け金《かきん》がもらえる。もっとも、そんな枚数を引くだけのくそ度胸があるのは、テディだけだったが。

樹上の小屋の側面は、カービン・ロードのマッキー建築建材商店の裏にある廃材の山から失敬してきた厚板で張ってある。割れ目や節穴がたくさんあったが、トイレットペーパーやペーパータオルをつめこんでふさいだ。屋根はゴミ捨て場でみつけた掘り出し物、波形のブリキの板だ。ゴミ捨て場の管理人が飼っている犬は、本当に子どもを食う怪物だという話なので、わたしたちはブリキ板を運び出すあいだ、ずっと肩越しにうしろを見ていたものだ。ブリキ板をみつけたその同じ日に、スクリーン・ドアが捨ててあるのもみつけた。ハエ除《よ》けにはもってこいだが、猛烈な錆《さ》びかただった――つまり、その錆びかたは度を越していたということだ。一日のどの時間でもいい、そのスクリーン・ドアから外を見ると、いつでも日没時のように見えた。

カード・ゲームをする以外にも、このクラブは煙草《たばこ》を喫《す》うにも、ヌード雑誌を見るにも、もってこいの場所だった。小屋には底に〝キャメル〟と銘うってあるでこぼこのブリキの灰皿《はいざら》が半ダースあったのをはじめとして、割れ目だらけの壁板にはヌード写真が何枚も貼《は》ってあったし、使い古したバイシクルのカードが二十組か三十組はあった（これはテディが、キャッスル・ロック文房具店を営んでいるおじさんから、譲り受けたものだ——ある日、おじさんはテディにどんなゲームをやっているのかと訊《き》いた。テディがクリベッジのトーナメントだと答えると、おじさんはそれなら妥当だと思ったらしい）。それに、プラスチックのポーカー・チップがワン・セットと、貧乏ゆすり以外にすることがなにもないときに、ぱらぱらとめくってみるための古い『マスター・ディテクティブ』誌がひと山。また、わたしたちは床の下に二十×三十インチの秘密の物入れをつくり、たまにどの子かのおやじが、みんな仲良くまともにやっているかどうか確かめようと検分に来た際に、今言ったような品々を隠すのに使った。雨の日にクラブの中にいるのは、ジャマイカのスチール・ドラムの中にいるのと同じようなものだった……が、その夏は雨が一滴も降らなかった。

一九〇七年以来のもっとも乾燥した、もっとも暑い夏——新聞ではそう報じ、労働者の日《レイバー・デイ》と、新学年の始業の日に先立つ週末でもある金曜日は、野原のアキノキリンソウや、本通りからはずれた裏道のわきの排水溝《はいすいこう》でさえ、からからに乾き、干あがっていた。その年は、誰《だれ》の庭にもなんの収穫もなく、キャッスル・ロック・レッド&《アンド》ホワイト店内に、はでに陳列された貯蔵用品は少しも売れず、ほこりをかぶっていた。その夏は、なにかを貯蔵しておこうという者はひとりもいなかった。例外はタンポポ酒ぐらいのものだっただろう。

その金曜日の朝、わたしはテディとクリスといっしょに、クラブにいて、おたがいに学校が始まる日が近づくことをぼやき、カード・ゲームに興じ、古くさい地方まわりのセールスマンのジョークや、フランス人のジョークをとばしあっていた。フランス人が裏庭に来たのが、どうしてわかるか？　ゴミ缶《かん》が空になり、犬がはらんじまうからさ。テディは気を悪くしているという顔をしようとしたが、なに、彼こそがまっ先に、聞いたばかりの話をジョークにしてしまう張本人なのだ。ただし彼のジョークでは、フランス人がポーランド人に置きかえてあったが。

楡の木は心地よい陰をつくってくれたが、わたしたちはシャツが汗まみれにならないよう、とっくにぬいでしまっていた。やっていたのは、これまでに考案されたカード・ゲームの中でも、いちばんかったるいスリー・ペニー・スキャットというゲームだったが、あんまり暑くて、もっと複雑なことはなにも考えられなかったのだ。八月半ばまでは、かなりまともな寄せ集めの野球チームを結成していたのに、やがて仲間はばらばらになってしまった。暑すぎるのだ。

わたしは場代を置き、スペードを集めはじめた。十三から始めて、八がきて二十一になったが、そのあとはどうにもならなかった。クリスがノックした。わたしは最後の札を引いたが、手は変わらなかった。

「二十九」クリスはダイヤのカードを広げた。

「二十二」テディはうんざりした顔で言った。

「ついてねえの」わたしはカードを伏せたままテーブルに放《ほう》り投げた。

「ゴーディは負けた、ゴーディは打ちのめされて、ドアから出ていった」テディははやしたて、テディ・デュシャン特許笑いというやつをやらかした——腐った板からゆっくりと錆びた釘《くぎ》を抜くときのような、ギィーッという笑い声だ。そう、テディは変な子だった。わたしたちはみんなそれを知っていた。わたしたち同様、テディもまたもうじき十三歳になるのだが、ぶあついメガネと補聴器が、ときどき彼を老人のように見せることがある。他の子どもたちはしょっちゅう路上で、テディに煙草をたかろうとするのだが、彼のシャツがふくらんでいるのは、補聴器のバッテリーのせいにすぎなかった。

　メガネをかけ、いつも肉色のイヤホンを耳にねじこんでいるのに、テディはよく目が見えず、しばしば人の話を聞きまちがえた。野球をするときには、レフトのクリスとライトのビル・グリアとの後方、フェンス近くにテディを置かなければならない。

そして、そんなに遠くまでボールを飛ばすやつがいないことを祈るだけだ。もしヒットがあったあとでは、見えても見えなくても、テディがふきげんになるからだ。ときどきテディにまともにボールが当たることがある。意識をとりもどしたテディは、全速力で樹上の小屋近くのフェンスの中に走りこんでしまう。そしてごろんと寝ころび、たっぷり五分間は白眼《しろめ》をむいたままでいるのだ。それはちょっと恐ろしい光景だった。やがてテディは起きあがり、血まみれの鼻に、額には大きな紫色のこぶをつくった顔で、あれはファウルだったと主張するのだ。

テディの視力は自然に悪くなったものだが、聴力の方は自然に悪くなったわけではない。当時、両耳が水差しの取っ手のように突き出る髪形が流行だったときに、テディはキャッスル・ロックで最初のビートルズ・カットにしていた——アメリカ人がビートルズのことを知るようになるより四年も前のことだ。テディは自分の耳が温めたロウのかたまりのように見えるために、ずっと耳を髪で隠していた。

テディが八歳のときのある日、彼が皿を割ったことで、父親は頭にきてしまった。そのとき母親はサウス・パリスの靴《くつ》工場に働きに行っていて、その事件を知ったときには、もうすべてが終わっていた。

テディの父親はテディをつかまえて、キッチンの奥の大きな薪《まき》ストーブのところに行くと、鋳鉄の火口《ほくち》受けに、テディの側頭を打ちつけた。十回、それがつづいた。そのあと父親はテディの髪をつかんで立たせ、反対側の側頭部にも同じ仕打ちをした。そして中央メイン総合救急病院に電話をかけ、息子を連れにきてくれと頼んだ。受話器を置くと、クロゼットから・四一〇の銃を取り出し、すわりこんで膝《ひざ》にショットガンをのせて、テレビの昼のドラマに見入った。隣のミセス・バロウズがテディのようすはどうか――悲鳴を聞いたのだ――尋ねにくると、テディの父親はショットガンの銃口を彼女に向けた。ミセス・バロウズは光速に近いはやさでデュシャン家からとびだし、自分の家に逃げこんで警察に電話をかけた。救急車が到着すると、ミスター・デュシャンは看護人たちを家の中に入れ、ストレッチャーにのせられたテディが、扉《とびら》の開いた古いビュイックの救急車に積みこまれるあいだ、自分は裏のポーチに出て張り番をつとめていた。

テディの父親は看護人たちに、くそったれの将校連中はこの地域一帯は異状なしと言っているが、ドイツの狙撃兵《そげきへい》たちはいたるところにいる、と説明した。看護人のひとりはテディの父親に、死守できると思うかと訊いた。テディの父親はいかめしく微笑し、必要ならば、フリジデアー冷蔵庫販売店が地獄になるまで死守する、と答えた。看護人が挙手の礼をとると、テディの父親はすばやく挙手の礼を返した。救急車が去って数分後に州警が到着し、ノーマン・デュシャンの任務を解いてやった。

ノーマン・デュシャンは一年にもわたって、ネコを撃ったり、郵便箱に火をつけたりというような奇矯《ききょう》なふるまいをしていた。残虐《ざんぎゃく》な行為のあと息子を見舞いに行ったミスター・デュシャンは、医師たちに簡単な問診を受けたのち、トーガスに送られた。退役軍人管理局の病院だ。軍人神経症《セクション・エイト》の者ならば、トーガスに行かなければならない。テディの父親はノルマンディ海岸に上陸して襲撃した。そしてそれがつねにテディの自慢の種だった。テディは父親にひどい仕打ちを受けながらも、父親を誇りにしていたし、毎週、母親といっしょに父親を見舞いに行っていた。

わたしたちの仲間のうちで、テディはいちばんの鈍《にぶ》ちんであり、とてつもないやつだった。想像できうるかぎりのとてつもない冒険に賭けては、うまくやりおおせてしまうのだ。彼の十八番は〝トラックかわし〟というものだった。一九六号線を走るトラックのまん前に走りこむゲームで、ときにはトラックが彼の体数インチのところをかすめることもあった。何人が心臓マヒを起こしたかは神のみぞ知りたもうことだろうが、テディ本人は通りすぎていくトラックのあおり風を受けて、服をはためかせながら大声で笑っていた。わたしたちはこわくてたまらなかった。テディの視力はお粗末なものだったために、コークびんの底のようなメガネをかけていようがいまいが、わたしたちはこわくてたまらなかった。

彼がトラックをよけそこなうのは、時間の問題にすぎないように思われた。だからテディになにか挑戦《ちょうせん》するときには、ずいぶんと気をつけなければならない。テディはどんな挑戦でも受けてしまうからだ。

「ゴーディは負けた、ギィーーッヒッヒヒ！」

「うるさい」わたしはテディとクリスが勝負をつづけているあいだ本でも読もうと、『マスター・ディテクティブ』誌を取りあげた。そして〈途中停止したエレベーターの中で、彼は美しい女子学生を踏み殺した〉というページをめくり、その記事に没頭した。

テディは手札を取りあげ、一瞥《いちべつ》すると言った。「ノックだ」

「くそったれの四つ目め！」クリスはわめいた。

「くそったれには千の目があるのさ」テディは重々しく答えた。クリスとわたしは同時に吹きだした。テディはなにがおかしくて笑っているのか不思議でならないというように、かすかに眉《まゆ》をしかめてわたしたちを見た。これは〝ネコには九つの生命《いのち》がある〟のもじりだ――テディはいつも〝くそったれには千の目がある〟というようなへんてこな言いまわしを、さらりと口にするのだが、聞いている方には、テディがおもしろいことを言うつもりだったのか、たまたまそういう言いまわしになったのか、よくわからない。かすかに眉をしかめて、笑いころげている連中を見ているテディの顔は、まるで〝おお神よ、今度はいったいなんだというのです？〟と言っているようだった。

テディの手はごくふつうの三十点だった――スペードのジャックとクイーンとキング。クリスの手は十六点で、彼の負け。

テディが独特のぶきっちょな手つきで、カードをシャッフルしはじめると、わたしは殺人事件の戦慄《せんりつ》の佳境に入った。ニューオリンズ出身の錯乱した水兵が、閉ざされた場所にがまんできなくて、ブリン・マール女子大の女子学生の体じゅうをむちゃくちゃに踏みつけているとき、誰かが楡の木にとりつけたはしごを、急いで登ってくる音が聞こえた。はねあげ戸の下をこぶしでノックしている。

「誰だ？」クリスが訊いた。

「バーンだ！」興奮して息を切らせている。

わたしははねあげ戸まで行き、かんぬきをはずした。戸が勢いよく開き、仲間のバーン・テシオがあがってきた。びっしょり汗をかき、彼のアイドルであるロックンロール歌手のボビー・ライデルを完璧《かんぺき》にまねて、いつもはきれいにくしを入れてある髪が、乱れてもつれ、小さくて丸い頭にぴったりはりついていた。

「やれやれ」バーンはあえぎながら言った。「ちょっと待って聞いてくれ」

「聞くって、なにを？」わたしは訊いた。

「息をつかせてくれよ。家からずっと走ってきたんだ」

「家からずっと走ってきたんだ」テディがリトル・アンソニーばりのうすきみの悪い裏声でくり返した。「すまんとひとこと言いたくて——」

「おまえは引っこんでろ」バーンはきめつけた。

「引っこんでくたばっちまえ、フレッド」テディはあざやかに言い返した。

「家からずっと走ってきたって？」クリスは信じられないという声をだした。「うへえ、おまえは頭がおかしいんだ」バーンの家はグランド通りを二マイルも行ったところにある。「外は四十二、三度はあるだろうに」

「それだけの価値があるんだよ」バーンは言った。「すげえんだ。おまえたちは信じないだろうなあ。嘘《うそ》じゃないんだぞ」バーンは嘘ではない証拠を見せようと、汗ばんだ額をぴしゃっとたたいた。

「わかった。なんだい？」クリスが訊いた。

「みんな、今夜外出できるか？」バーンは熱心に、興奮しきった顔でわたしたちをみつめた。その目は汗でよごれた黒い輪の中にはめこまれた干しブドウのようだ。「つまりだな、家の人に今夜、おれんちの裏庭でテントを張ってすごすって、言えるかと訊いてるんだよ」

「ああ、できると思う」クリスは新しいカードを引き、それに目をやった。「けど、おれのおやじはきげんの悪いさいちゅうでね。飲んだくれてんだ」

「ぜったい来いよ。嘘じゃないんだぜ。おまえたちは信じないだろうな。来られるかい、ゴーディ?」

「たぶんね」

そういう類《たぐい》のことなら、わたしにはたいていのことができた——実際、その夏のわたしは、〝見えない子〟同様だったのだから。四月に、兄貴のデニスがジープの事故で死んだ。新兵として勤務していたジョージア州のフォート・ベニングでのことだ。兄貴は連れといっしょにPXに向かう途中、陸軍のトラックにはねとばされたのだ。兄貴は即死し、連れの男は昏睡《こんすい》に陥ったまま現在に至っている。その週が明けると、兄貴のデニスは二十二歳になるはずだった。わたしはすでにキャッスル・グリーンのダリーの店で、兄貴に送るバースデイ・カードを選んであった。

その知らせを聞いたとき、わたしは泣いた。葬式のときはもっと泣いた。デニスが死んでしまったなど、信じられなかった。わたしの頭にこつんとげんこつをくらわせたり、ゴムのクモでわたしをおどかしたり、泣かせたり、ころんで両膝に血をにじませているときにキスをして、〝泣くのはやめなよ、いい子だから〟と耳もとでささやいてくれた――わたしにとって大事な人が死んでしまったなどとは、どうしても信じられなかった……だが、わたしの両親は魂がぬけてしまったようになった。わたしにとって、デニスはよく知っている人以上のものではなかった。くわしく言えば、デニスはわたしより十歳も上だったし、彼には彼の友人やクラスメートがいた。わたしたちは何年も同じテーブルでめしを食ったし、ときにはデニスはわたしの友になり、ときにはいじめっ子になったりもしたが、たいていの場合、わたしにとっては年上の男にすぎなかった。デニスは死ぬ前の一年間、二、三日の休暇以外は、家に帰ってきていなかった。しかも、わたしたち兄弟は似てなかった。自分の流した涙はほとんど父親と母親のためだった、とわたしが気づいたのは、その夏が終わってしばらくたってからだった。それは、両親、あるいはわたしのためには、大いによかった。

「いったいなにをごちゃごちゃ言ってんだよ、バーン?」テディが訊いた。

「ノック」クリスが言った。

「ええっ!」テディはあわてた声をだし、バーンのことはすっかり頭から追い出してしまった。「くそったれの嘘つきめ!　初手の札のまんまでそろってるはずがない。

おまえにそんな手は配らなかったぞ」

クリスは作り笑いをうかべた。「カードを引きなよ、くそったれ」

テディはバイシクルのカードの山のいちばん上のカードに手をのばした。クリスは背後の棚《たな》のウィンストンのパックに手をのばした。わたしはかがんで探偵《たんてい》雑誌を拾いあげようとした。

バーン・テシオは言った。「おまえたち、死体を見に行きたかないか?」

全員の動きがとまった。

3

もちろん、わたしたちはみんな、その話はラジオで聞いていた。やはりゴミ捨て場から拾ってきた、ひび割れの入ったケースつきのフィルコ・ラジオは、いつもつけっぱなしになっていた。ダイアルをルイストンのWLAMに合わせていたので、大ヒット曲や一流のなつメロがじゃんじゃん流れていた。たとえば、ジャック・スコットの〝ホワット・イン・ザ・ワールズ・カム・オーバー・ユー〟とか、トロイ・ションデルの〝ディス・タイム〟とか、エルビス・プレスリーの〝キング・クリオール〟とか、ロイ・オービソンの〝オンリー・ザ・ロンリー〟とか。ニュースの時間になると、わたしたちは心の中のスイッチを〝無音〟に切り替えてしまう。ニュースといえば、ケネディにニクソン、金門島に馬祖島、ミサイル・ギャップがどうの、結局のところカストロはくそったれだとわかった、等々、うれしくなるぐらいつまらない話ばっかりだった。だが〝レイ・ブラワー〟事件の話には、少しばかり身を入れて耳をかたむけた。わたしたちと同い年の少年のことだったからだ。

レイ・ブラワー少年は、キャッスル・ロックの東四十マイルかそこいらの町、チェンバーレインの生まれだった。バーンがグランド・ストリートを二マイルも駆けて、クラブハウスにとびこんできた日より三日前に、レイ・ブラワーは母親のつぼを一個手に、ブルーベリー摘みに出かけた。暗くなったのにレイ少年は帰らず、ブラワー家の人々は郡保安官に電話をかけた。捜索が始まった――最初は少年の家の近辺、やがて、モットン、ダラム、パウナルという周辺の町にも手が広げられた。誰《だれ》もが――警官、保安官代理、猟区管理人、有志の人々――捜索に加わった。ラジオを聞いていると、あわれな少年が生きて発見されることはあるまい、結局捜索は無為に終わるだろう、と思われた。少年は砂利採取場の斜面をころがり落ちたのかもしれないし、小川にはまって溺《おぼ》れたかもしれない。とすると、十年後にどこかのハンターが少年の白骨をみつけることになるだろう。すでに捜索隊はチェンバーレインのいくつもの池や、モットン貯水池をさらいはじめていた。

今日《こんにち》では、メイン州南西部でそういうことは起こりえない。大部分の地域が郊外住宅地として開発され、ポートランドやルイストンを囲んでいるベッドタウンは、巨大なイカの足のように、四方八方に広がっているからだ。森はあいかわらず残っていて、ホワイト山脈に向かって西へ行こうとする者には、前よりも厄介《やっかい》な存在となっているものの、くびをしゃんとのばして、一直線に一定の方角に向かって五マイルも歩けば、二車線のアスファルト道路にちゃんと出られる。だが一九六〇年には、チェンバーレインとキャッスル・ロックのあいだの一帯は、まだ開発されていなかったし、第二次世界大戦以前から木が伐採されていない地域がたくさんあった。当時は森の中に入りこんで方角を見失い、そのまま死んでしまうことは、まだ、あった。

4

その朝、バーン・テシオはポーチの下にもぐりこんで、地面を掘っていた。わたしたちはその行為をちゃんと理解できるが、読者のかたがたのために、ここでちょっと紙面をさいて説明しておく方がいいだろう。テディ・デュシャンの場合は半ば盲目に近いという理由のためにすぎないが、バーン・テシオもまた〈カレッジ・ボウル〉を観《み》るためにこれっぽっちも時間をさこうとはしない変わり種の少年だった。そのうちにわかるが、バーンの兄のビリーは、バーンに輪をかけたバカなのだ。だがまず初めに、なぜバーンがポーチの下を掘っていたのか、その理由を話さなければなるまい。

四年前、バーンが八歳のとき、彼はテシオ家の長い正面ポーチの下に、一セント銅貨がいっぱい詰まったクォートびんを埋めた。バーンはポーチの下の暗がりを自分の〝洞窟《どうくつ》〟と呼んでいた。海賊ごっこをしていて、一セント銅貨入りのびんが宝物というわけだ――バーンといっしょに海賊ごっこをするのなら、それを埋もれた宝とは呼ばずに〝略奪品〟と呼ばなければならない。ともかく、バーンは一セント銅貨がいっぱい詰まったびんを、穴の中に納め、床下に何年も吹き積もっていた枯れ葉まじりの土をかけて埋めた。宝のありかを示す地図を作り、自分の部屋にがらくたといっしょにしまいこんだ。そして一カ月かそこいらのあいだ、すっかり忘れてしまっていた。

そして、映画を観に行くかなにかで、ふところがさびしいのに気づくと、バーンはその一セント銅貨のことを思い出し、地図を探すことにした。だがそれまでのあいだに、母親が二、三度、彼の部屋を掃除して、古い宿題や、キャンディのつつみ紙や、漫画雑誌や、ジョークの本などを没収してしまっていた。ある朝、母親は料理用の火をおこすのに、没収品をたきつけにして燃してしまい、バーンの宝の地図は煙と化して、キッチンの煙突を昇っていってしまったのだ。

あるいはそうではないかと、バーンは推測していた。

バーンは記憶をたよりに埋蔵場所をみつけようと、ポーチの下の地面を掘った。幸運の女神はほほえまなかった。その地点の右も左も掘った。やはりだめだった。その日はあきらめたが、彼の試練が始まり、それ以来ずっとつづいている。四年間だ。四年間。ばかみたいじゃないか？　笑っていいのやら、泣けばいいのやら、わかりやしない。

それはバーンにとって強迫観念のようなものとなった。テシオ家の正面ポーチは家の正面の端から端まで、つまり、縦およそ四十フィート、幅七フィートの広さがある。バーンはその広さの地面をほぼ一インチ角で、二回（いや三回かもしれない）掘り返したが、一セントも出てこなかった。バーンの頭の中では、一セント銅貨の数がだんだんだん増えていった。たまたま最初にクリスとわたしがその話を聞いたときには、三ドル分ぐらいの銅貨だった。一年後、それは五倍にはねあがり、最近ではだいたいバーンの骨折りぐあいによって、十倍までのあたりを上下している。

　わたしたちはことあるごとに、わたしたちには自明の理――ビリーがびんのことを知っていて掘り出してしまったのだ――を、バーンに納得させようとした。バーンはアラブ人がユダヤ人を憎むごとくビリーを憎んでいたが、わたしたちの説を信じようとはしなかった。たぶん、機会さえ与えられれば、兄のビリーを万引きの罪で死刑という評決に、喜んで一票を投じたことだろう。バーンはビリーに単刀直入に訊《き》いてみることも拒否した。ビリーに笑われ、〝もちろんおれがいただいたのさ、あほうな仔《こ》ネコちゃん、びんには二十ドルばかしあったけど、一セント余さず使っちまったぜ〟と言われるのが、こわかったのだろう。そのかわり、ふっと気持が動くと（たいていビリーの姿が見えないときだ）、バーンは銅貨を求めてポーチの下を掘りまくった。そしていつもジーンズを泥《どろ》だらけにして、髪には枯れ葉をくっつけ、両手は空っぽのままポーチの下からはいだしてきた。わたしたちはどこか意地の悪いからかいかたをしたし、バーンに〝ペニー《一セント》〟というあだなをつけた。ペニー・テシオだ。そのバーンがニュースをもって息せききってクラブに現われたのだから、わたしはてっきり、彼がついに銅貨探しに成功して、びんを掘り出しただけではなく、見せに来たのだと思った。

その朝バーンは家族の誰《だれ》よりも早く起き、コーンフレークスを食べると、外に出て、ガレージに取りつけてあるバスケット・ボールのリングにシュートをして遊んでいた。所在ないのと、幽霊以外に相手もいないのとで、また銅貨探しの穴掘りをすることにした。バーンがポーチの下にもぐりこんだとき、上でスクリーン・ドアがばたんと音をたてた。バーンはもの音をたてないように、その場にじっとしていた。父親なら、出ていくつもりだった。だが兄のビリーなら、ビリーと悪《わる》仲間のチャーリー・ホーガンとがいなくなってしまうまで、その場を動かずにいるつもりだった。

ポーチに二組の足音がして、チャーリー・ホーガンの震え、ぐちるような声がした。

「ビリー、いったいぜんたい、おれたちどうすりゃいいんだ?」

チャーリー・ホーガンのそんな声（チャーリーは町でも指折りのタフな少年だった）を聞いたとたん、バーンは思わず耳の穴をかっぽじって耳をそばだてたそうだ。なんといってもチャーリーはエース・メリルや、アイボール・チェンバーズとつきあっているのだし、そういう不良仲間とつきあっていれば、タフにならざるをえないのだ。

「なんもしない」ビリーが答えた。「おれたちにはそれっきゃできない。なんもしないってことだ」

「なんかしなきゃなんねえよ」チャーリーとビリーはポーチに腰をおろした。バーンがうずくまっている場所の近くだった。「おめえ、あいつを見なかったのか？」

バーンは思いきって、少しばかり階段の近くまで這《は》っていった。うまい話が聞けるとばかりに、実際によだれを垂らしていた。そのときバーンが考えたのは、ビリーとチャーリーがしたたかに酔って、誰かを車ではねとばしたのではないか、ということだった。バーンは枯れ葉の音をたてないように、慎重に移動していった。もし彼がポーチの床下で話を盗み聞きしていたと二人にわかったら、あとに残されたバーンはミンチ肉と化してしまい、ケンネルのドッグフードの缶《かん》に入れてやるしかなくなってしまうだろう。

「おれたちにゃ、関係ねえよ」ビリー・テシオは言った。「あのガキは死んじまってんだから、あいつにも関係ねえさ。あいつがみつかったとしても、それがなんだってんだ？　おれは関係ねえ」

「あれはラジオで放送してたガキだった」チャーリーは言った。「ぜったいまちがいねえ。ブロッカーだか、ブロウアーだか、フラワーだか、なんかそんな名前だ。くそったれの列車に轢《ひ》かれちまったにちがいねえ」

「うん」マッチをする音。バーンのところから、砂利道にマッチの燃えさしがはじきとばされたのが見えた。煙草《たばこ》の匂《にお》いがしてきた。「おれも見た。おまえ、吐いちまったな」

返事はなく、チャーリー・ホーガンが恥という感情波を発しているのが、バーンにも伝わってきた。

「それに、女の子たちは見なかった」しばらくしてビリーが言った。「幸運だったぜ」音から察するに、ビリーは元気を出させようとチャーリーの背中をたたいたらしい。「女たちは、ここからポートランドまでしゃべりっぱなしだった。それに、おれたちは大急ぎであそこを離れた。あいつらがなにか妙なものに気づいたと思うか？」

「いいや」チャーリーは答えた。「どっちみち、マリーは墓地を通って、バック・ハーロウ街道に出るのは好きじゃないんだ。彼女、幽霊がこわいんだ」チャーリーの声はまたもや、おびえたぐちっぽい調子に変わった。「ちくしょう、きのうの夜、車なんかかっぱらわなきゃよかったのによ！　予定どおり映画を観に行ってりゃあな！」

チャーリーとビリーは、マリー・ドウティとベバリー・トーマスという名の二人のブス女とつきあっていた。この二人みたいにみっともない女には、カーニバルの見世物ぐらいでしかお目にかかれないだろう――吹き出物だらけだし、上くちびるにひげは生えているし、なにもかもひどい。ときどきこの四人（ファジィ・ブラコウィックやエース・メリルがガールフレンドづれで加わると六人か八人）は、ルイストンの駐車場から車を無断借用して、赤ワインのワイルド・アイリッシュ・ローズを二、三本に、ジンジャーエールを半ダースばかり積みこむと、郊外の方にドライブとしゃれこむのだ。そしてキャッスル・ビューや、ハーロウや、シャイロウあたりのどこかで、女の子とカー・セックスにおよび、赤ワインとジンジャーエールをまぜたパープル・ジーザーズを飲み、また女の子といちゃつく。そのあと、車は家の近くに置き去りにしてしまう。ときどきクリスが言うように、猿山《さるやま》の中での安っぽいスリルというわけだ。猿たちはまだ一度も捕まったことはないが、バーンはそうなることを心から願っている。日曜日に少年院にビリーを訪ねる、という図が、バーンはすっかり気に入っていた。

「もしおまわりに言ったりすれば、おれたちがどうやってハーロウまで行ったたか、知りたがるにきまってる」ビリーは言った。「おれたちは誰も車なんか持っちゃいねえ。口はしっかり閉じておくのが利口ってもんよ。そうすりゃ、おまわりだって、おれたちに指一本触れるわけにゃいかねえんだ」

「匿名《とくめい》で電話をかけるって手がある」チャーリーは言った。

「そんな電話、逆探知されちまわあ」ビリーの声は不気味だった。「テレビの〝ハイウェイ・パトロール〟で見たんだ。〝捜査線《ドラグネット》〟でもやってた」

「ああ、そうだな」チャーリーは情けなさそうだ。「くそっ。エースがいっしょだったらな。おまわりにエースの車に乗ってたって言えるのに」

「だが、いっしょじゃなかった」

「うん」吐息。「おめえの言うとおりだ」砂利道に煙草の吸いさしがはじきとばされた。「おれたち、足跡をたどってったんだよな？　他《ほか》の道は歩けなかったんだよな？　でもって、おれはおニューのＰ・Ｆ・フライヤーズにげろを吐いちまった」チャーリーの声が少し沈んだ。「あんなとこにガキがころがってるなんて、わかりっこねえよな？　おめえ、あのガキを見たかい、ビリー？」

「おれは見た」砂利道の煙草の吸いさしが二本になった。「エースが起きてるかどうか、見に行こう。ちょっとばかし酒がほしい」

「やつに話すのか？」

「チャーリー、おれたちは誰にも、、、話さない。絶対に、誰にも。わかったか？」

「わかった。ちくしょう、あのくそったれのダッジなんか、かっぱらわなきゃよかった」

「おい、泣きごとはやめて行こうぜ」

膝《ひざ》のところでしぼってある、ぴっちりした洗いざらしのジーンズと、サイド・バックルのついた土木技師用の黒いブーツにつつまれた四本の足が、階段を降りてきた。バーンは四つんばいの姿勢のまま凍りついた（〝ほんと、キンタマが縮みあがっちゃって、腹ん中にめりこんじまうかと思った〟とバーンはわたしたちに言ったものだ）。そして兄のビリーに彼がポーチの下にいることを感づかれ、引きずり出されて、半殺しの目に遭わされると思った――ビリーとチャーリー・ホーガンは技師用のブーツで、神の御心《みこころ》により突き出た耳に見合うだけのちょっぴりの脳しか入っていない頭を蹴《け》り、体じゅうを踏んづけるだろう。だが、二人はそのまま歩き去った。彼らが本当にいなくなったのが確かになると、バーンはポーチの下から這い出して、クラブまで走ったのだ。

5

「ほんとにラッキーだったな」わたしはバーンに言った。「殺されてしまうところだったじゃないか」

テディが言った。「バック・ハーロウ・ロードなら知ってる。川にぶつかったとこで行きどまりになってら。おれ、よくあそこまで魚釣《つ》りに行ってたんだ」

クリスがうなずいた。「前は橋が架かってたんだけど、洪水《こうずい》があったんだ。ずうっと昔のことだよ。今は線路があるだけ」

「子どもがチェンバーレインからハーロウまで、歩き通せるもんかなあ？」わたしはクリスに訊《き》いた。「二十マイルか三十マイルはあるよ」

「そうだね。その子、たまたま線路にぶつかって、ずっと線路をたどって歩いたんじゃないかな。線路についていけば森から出られると思ったのかもしれないし、いざとなったら列車を停止させることができると思ったのかもしれない。けど、今あそこを通っているのは貨物列車だけなんだ。デリーとブラウンズビルに行くグ《G》レート・

サウザン《S》・アンド《&》・ウェスタン《W》・メイン《M》鉄道だけで、それもそんなに本数は多くない。森をぬけるには、キャッスル・ロックまで、ずっと歩いてこなきゃならなかっただろう。暗くなってから、貨物が来たにちがいないね……で、エル・スマッコ」

　クリスはあやしげなスペイン語でそう言いながら、左の手のひらに右のこぶしを打ちあてて、鈍い音をたててみせた。一九六号線のパルプを積んだトラックを、間一髪の差でよける名人のテディは、なんとなくうれしそうな顔をしている。わたしは、その子が家からうんと離れたところで、死の恐怖におびえながらも、根気よくＧＳ＆ＷＭ鉄道の線路をたどっているのを想像すると、少し気分が悪くなった。頭上に突き出している木や、茂みなんかの中から、夜特有のいろいろな音が聞こえたので、その子は枕木《まくらぎ》の上を歩いていたのだろう……もしかすると、線路の下の暗渠《あんきょ》からも、いろいろな音が聞こえてきたかもしれない。そこに列車が走ってきた。列車の大きな前照灯に催眠術をかけられたみたいになって、線路から離れるのが手遅れになったのかもしれない。あるいは空腹で気が遠くなり、線路の上に倒れているところに、列車が来たのかもしれない。とにかく、事情はどうあれ、クリスがあっさり言ったとおりだ。最終的に、その子は列車と衝突してしまった。

「てなわけで、みんなそれを見に行きたいだろ?」バーンは興奮のあまり、トイレに行く必要があるみたいに、体をもぞもぞ動かした。

　わたしたちは全員、誰《だれ》ひとりなにも言わずに、じっとバーンをみつめていた。やがてクリスが手のカードを投げ出した。「あったりき！　なにを賭《か》けたっていいけどさ、おれたちの写真が新聞に出るぜ！」

「へ？」バーンは妙な声を出した。

「そっかな？」テディは例のきちがいじみた〝トラックかわし〟笑いをうかべた。

「いいかい」クリスはおんぼろのカード・テーブルに身をのりだした。「おれたちが死体をみつけて知らせるのさ！　ニュースに出るぜえ！」

「どうかな」バーンは明らかな前言撤回を行なった。「ビリーにおれがどこでネタを仕入れたか知られてしまう。おれ、めためたに殴られて死んじまうよ」

「いや、そうはいかない」わたしは言った。「なぜなら、その子を発見するのはぼくたちで、かっぱらった車に乗ってるビリーやチャーリー・ホーガンじゃないからだ。そうなれば、彼らだってもうくよくよ気に病む必要がなくなる。ひょっとすると、おまえにメダルをくれるかもしれないよ、ペニー」

「そうか？」バーンは虫歯だらけの歯を見せて、にやりと笑った。目がくらんでぼうっとしているような笑いだった。ビリーのあごにしたたかな一撃をくらわせるのと同じく、彼になんらかの行為を示すことで、感謝されると思うと、そんな笑いになってしまったようだ。

テディもにやにや笑っていた。それがしかめっつらに変わった。「あやや」

「なんだ?」バーンはまたもぞもぞしはじめた。テディの頭に、突然、ごく基本的な反対意見がうかんだのではないかと心配になったのだ……いや、テディの頭をどんな考えがよぎったのかが心配なのかもしれない。

「家族のことさ」テディは言った。「明日サウス・ハーロウで、おれたちがその子の死体を発見したら、夜のあいだ、バーンちの裏庭でキャンプなんかしなかったって、家族にわかっちまうぞ」

「うん」クリスはうなずいた。「おれたちがその子を探しにいったたって、ばれちまう」

「いや、わかりっこないよ」わたしは妙な気分だった——必ずうまくやってのけられるとわかっていたので、興奮とおびえと両方入りまじった気分だった。そのため熱っぽさと頭痛とに襲われた。手持ちぶさたなのをまぎらわそうと、わたしはバイシクルのカードを取り、ボックス・シャッフルを始めた。これとクリベッジのやりかたとは、兄貴のデニスにみっちり仕込まれたものだった。他《ほか》の子どもたちはボックス・シャッフルができるわたしをうらやましがり、知り合いの子たちみんなに、やって見せてくれと頼まれた……クリスだけは例外だった。わたしがそれをやって見せることはデニスを裏切るのと同じだ、ということ、わたしはみんなに分けてやれるほど、デニスの思い出をたくさんもっているわけではない、ということをクリスだけはわかっていてくれたのだろう。

ともあれ、わたしは言った。「ぼくたちはこれまでに何度も、バーンちの裏庭でキャンプごっこをやったから、あきてしまったんだと説明すればいい。だからハイキングに出て、森の中でキャンプすることにしたんだって。それに、どうせみんなぼくたちの発見したもののことで大騒ぎするに決まってるから、言いわけなんかしなくたってすむさ」

「どっちにしろ、おれはおやじにぶたれるな」クリスは言った。「ここんとこ、おやじ、ひどく機嫌《きげん》が悪いんだ」むっつりとくびを振る。「やれやれ、ぶたれてもしかたがないか」

「オーケー」テディが立ちあがった。まだ例のきちがいじみたにやにや笑いをうかべていて、今にも独特のかん高い、ひび割れた笑い声をひびかせそうな気配だ。「全員昼めし後に、バーンの家に集合。親には夕めしのこと、なんて言えばいい?」

クリスが言った。「おまえとおれとゴーディは、バーンのとこで食うって言やいいさ」

「で、おれはクリスんとこで食うっておふくろに言うよ」バーンが言った。

わたしたちの手に負えないような非常事態が起こるか、親同士が顔を合わせないかぎり、これでうまくいくはずだ。それにバーンの家にもクリスの家にも、電話がない。当時、たいていの家では、電話は贅沢品《ぜいたくひん》だとみなされていた。特につつましい暮らしの家ではそうだった。ぼくたちの仲間に上流階級の出の者は、ひとりもいなかった。

わたしの父は退職していた。バーンの父親は製粉所で働き、あいかわらず一九五二年型のディソートを乗りまわしていた。テディの母親はダンベリー・ストリートに家を持っていて、可能なときはいつでも下宿人をおいていた。この夏、下宿人はひとりもいなかった。六月からずっと、居間の窓に〈家具付きの部屋あります〉という札がかかっていた。また、クリスの父親はいつも多少なりとも〝機嫌が悪く〟、生活保護を打ち切られたり、受けたり――たいてい受けていた――しながら、エース・メリルのおやじさんのジュニア・メリルや、二、三人の飲んだくれといっしょに、スーキィの店にたむろしては酔っぱらっていた。

クリスは父親のことはあまり口にしなかったが、父親をひどく嫌《きら》っているのは、みんなが知っていた。クリスは二週間に一回かそこいら、頬《ほお》やくびや片方の目をはらしたり、日暮れどきと同じ色のあざを作ったりしていた。一度など、後頭部にぶかっこうな包帯を巻いて学校に来たこともある。またあるときは、足のけががひどくて歩けないために、母親が電話で病欠届けを出し、学校に姿を見せないこともあった。クリスは頭のいい、とても頭のいい少年だが、たびたび学校をさぼるので、町の長期欠席生徒調査官のミスター・ハリバートンが、フロント・ガラスの隅《すみ》に〈ヒッチハイカーお断わり〉のステッカーを貼《は》った、古い黒のシボレーを走らせて、しょっちゅうクリスの家を訪れていた。もしクリスが学校をさぼって家にいたら、バーティ（ミスター・ハリバートンのことをわたしたちはそう呼んでいた――もちろん陰でだが）につつかまり、学校に連れていかれて、一週間の居残りをさせられてしまう。だが、クリスが父親にむちゃくちゃに殴られたために家にいるとわかったときは、バーティはそのまま黙って帰り、非難のことばひとつ口にしようとはしなかった。およそ二十年あとになるまで、わたしはこの一対《つい》の優先事項を疑問に思ったことはなかった。

前の年、クリスは三日間の停学処分をくらった。クリスが当番になってミルクの代金を集めたとき、その金が消えてしまったのだ。クリスは甲斐性《かいしょう》のないチェンバーズ一族のひとりだったために、絶対に金には手を触れていないと誓ったのに、処分を受けなければならなかった。そのとき、ミスター・チェンバーズはクリスに、ひと晩入院させるほどの仕打ちをした。停学の話を聞いた父親は、クリスの鼻と右手首の骨をへし折ったのだ。確かにクリスはひどい家に生まれた。だから誰もがクリスも悪くなると思っていた……クリス自身も。彼の兄たちはみごとに町の人々の予想を裏切らなかった。長兄のフランクは十七歳のときに家出をして海軍に入り、あげくのはてにポーツマスで強姦《ごうかん》および暴行のかどで長い懲役刑に服している。次兄のリチャード（右目がおかしくてひくひく動くために、みんなにアイボールと呼ばれている）は、十年生でハイ・スクールを落ちこぼれ、チャーリーや、ビリー・テシオや、他の不良仲間たちとつるんで歩いている。

「うまくいくと思うよ」わたしはクリスに言った。「ジョンとマーティはどうする？」

ジョンとマーティのデスペイン兄弟も、やはりわたしたちのメンバーだ。

「まだいないよ」クリスは答えた。「月曜まで帰ってこない」

「ふうん、そいつは残念だね」

「そんじゃ決まりだな？」バーンはまだもぞもぞしていた。彼は一分たりとも会話が横道にそれるのが嫌いだった。

「決まりだ」クリスは答えた。「誰かスキャットをやりたいやつ、いるか？」

誰もやりたくなかった。興奮していてカード・ゲームどころではなかったのだ。わたしたちは樹上の小屋を降り、フェンスをよじ登って空っぽの駐車場に入ると、しばらくのあいだバーンの絶縁用のブラックテープを巻いた古い野球のボールで、キャッチボールをやったが、これもやはりおもしろくなかった。みんな、列車に轢《ひ》かれたあのブラワーという子どものことや、どうやってその子をみつけるか、その子はどうなっているかといったことしか頭になかった。十時をまわると、わたしたちはそれぞれの親を丸めこみに、家へ帰った。

6

わたしが家に帰ったのは十一時十五分だった。途中ドラッグ・ストアに立ち寄って、ペーパーバックの棚《たな》をのぞいてきたのだ。ジョン・D・マクドナルドの新作が本の棚に入荷しているかどうか、二日おきに確かめていた。二十五セント持っていたので、もし入荷していたら買って帰るつもりだった。だが棚には古い作品しかなかったし、そのほとんどはもう六回も読んでいた。

家に帰ると車が見えなかった。それで母が婦人会の友人何人かと、ボストンにコンサートを聞きにいっていることを思い出した。母は大の音楽会好きだ。だからどうだというのだ？　彼女の秘蔵っ子は死んでしまい、母にはなにか気持をまぎらすものが必要だった。少し酷な言いかたかもしれない。しかしその場にいれば、わたしがそう感じていた理由がわかってもらえると思う。

父は裏庭で日照りにやられてしまった畑に、ホースで水をまいていた。父のふさぎこんだ顔からでは、それがむだな行為だということが読み取れないのなら、畑を見ればいい。もろく粉っぽい灰色の土。土の中にあるものは、コーン以外はすべて死んでしまっているだろう。コーンも食べられる雌穂《しすい》は一本も育たなかった。父は畑にどういうふうに水をやればいいか知らないと言った。それは母性的本能を必要とするか、あるいは誰《だれ》にもできないのか、どちらかなのだろう。父は一カ所にばかり水をやって、そこの植物を水責めにしていた。隣の畝《うね》では、植物が渇《かわ》いて死にかけている。ほどほどに水をやる、ということができない。しかし父はめったにそのことを口にしなかった。父は四月に息子を失い、八月に庭を失った。そのどちらのことをも口にしたくないというのなら、それは父の特権だと思う。わたしは父が他《ほか》のどんなことについても話すのをやめてしまったのだ、とみなすだけだ。それは民主主義を尊重するということとは、まるで異なっていた。

「やあ、とうさん」わたしは父の傍《そば》に行った。そしてドラッグ・ストアで買ったロロ・キャンディをさしだした。「ひとつどう？」

「やあ、ゴードン。いや、いらんよ」父は見込みのない灰色の土に、水をまきつづけた。

「友達といっしょに、今夜バーン・テシオの家の裏庭でキャンプしていい？」

「友達って？」

「バーン。テディ・デュシャン。それに、たぶん、クリスも」

クリスのことで、きっとなにか言われるとわたしは覚悟していた――クリスは悪い仲間で、樽《たる》の底の腐ったリンゴ、手癖の悪い子、不良少年予備軍。

だが父はため息をついただけだった。「いいだろう」

「すごい！　ありがとう！」

わたしが家の中に駆け込んで、テレビでなにをやっているか見てみようと背を向けたとたん、父に呼びとめられた。「おまえがいっしょに過ごしたい仲間ってのは、その連中だけなのかね、ゴードン」

わたしは父の顔をみつめ、言い合いに備えて気を引きしめたが、その朝の父は言い合いをするつもりはないようだった。言い合いをするつもりでいてくれた方がずっとよかったと、今にしてわたしは思う。父の肩はがっくり落ちていた。死にかけた庭に向いたきり、わたしの方を見ようとはしない父の顔は、まるで生気がなかった。その目が不自然にきらめいているのは、涙のせいにちがいない。

「ああ、とうさん、みんないいやつ――」

「むろんそうだろうよ。泥棒《どろぼう》がひとりに、低能がふたり。わしの息子にはごりっぱな仲間さ」

「バーン・テシオは低能じゃないよ」テディに関してはなんとも弁護しにくい。

「十二歳にもなって、まだ五年生じゃないか。それに、あのときあの子は寝ぼうした。次の朝日曜版がきたときは、漫画のページを読むのに一時間半もかかっていた」

　父が不公平ではないために、かえってわたしはいらいらした。父はときどき見かけるわたしの友人たちすべてを、主に家に出入りしているときの態度から判断するやりかたで、バーンを判断しているのだ。ただし、彼の判断はまちがっている。また、父がクリスを泥棒よばわりするときはいつも、わたしは腹を立てた。なぜなら、父はクリスのことをぜんぜん知らないからだ。わたしは父にそう言ってやりたかったが、父を怒らせたりしたら、家に足どめをくってしまう。それに、どちらにしろ、今の父は本気で怒っているわけではない。ときどき夕食のテーブルで、誰もが食欲をなくしてしまうほど大声でどなることがあるが、そんな怒りかたとはちがう。今の父は寂しげで、疲れてくたびれきっているようだ。父は六十三歳。わたしの祖父といってもいい年だった。

母は五十五歳――母もまた、若くはない。父と母は結婚するとすぐに、家族をつくろうとした。母は妊娠したが、流産してしまった。さらに二回流産し、医者に出産予定日まで身ごもっていることはできないと言われた。わたしは両親のどちらかに小言をもらうたびに、話の断片や、ことばのはしばしから、そういうことをすべて知った。両親はわたしに神から特別に授かった子なのだと思わせたかったようだが、わたし自身は母が四十二歳の、髪に白いものがまじりだした頃《ころ》にはらまれたことを、それほどすばらしい幸運だとは思わなかった。自分の幸運を認めることはできなかったし、母のたいへんな苦痛と犠牲的行為とを認めることもできなかった。

母が医者に子どもはもてないと宣告された五年あとに、デニスを妊娠した。妊娠八カ月で、デニスは死にそうになって生まれた。たった八ポンドのあかんぼうだった――母がちゃんと予定日までデニスを腹にもっていたら、十五ポンドはあっただろうと、父はよく言ったものだ。医者はこう言った。そう、ときに自然は人間の裏をかいたりするが、あなたがたのお子さんは、この子ひとりだけでしょう。神にこの子を授かったことを感謝し、満足しなさい、と。そして十年後、母はわたしを身ごもった。母はわたしを予定日まで腹にもっていただけではなく、医者はわたしを鉗子《かんし》で引っぱりださなければならなかった。こんなむちゃくちゃな家族があるだろうか？　文句を言うわけではないが、わたしはポンコツになりかけた両親の子として、この世に生を受け、たったひとりの兄は、わたしのおむつが取れるより早く、広い児童公園でリーグ野球をやっていたのだ。

わたしの父と母のような夫婦の場合、神からの授かりものはひとりで充分だった。べつに、両親に冷たい扱いを受けたと言う気はないし、事実、両親にぶたれたことはなかったが、彼らにとって、このわたしは大いなる番狂わせだった。人間は四十代に入ってしまうと、二十代のときのように、思いがけない番狂わせを好んだりはしない。わたしが生まれたあと、母は〝ザ・バンド＝エイド〟と呼ばれる婦人会に参加するようになった。母としては神からの授かりものがもう絶対にないことを、百パーセント確実にしたかったのだろう。わたしはカレッジにいたとき、未熟児で生まれずにすんだことによって、あらゆる点で人に負けないことがわかった……おそらく父は、わたしの友人のバーンが漫画『ビートル・ベイリー』の会話に、十分間も頭をひねっているのを見たとき、わたしに対して危惧《きぐ》をもったことと思うが。

これは無視されることについての問題なのだ。わたしはハイ・スクールで『見えない人間』という小説の感想文を書くまで、その問題を明確に把握《はあく》できなかった。ミス・ハーディにその本の感想文を書くと約束したときは、全身に包帯を巻いた男に関するSFや、フォスター・グランツ——映画ではクロード・レインズが演じていた——の話のようなものだと思っていた。それがまったくちがう内容だとわかると、わたしは本を返そうとしたが、ミス・ハーディは許してくれようとはしなかった。読み終わったときは、本当に読んでよかったと思った。この『見えない人間』というのは、黒人のことなのだ。人々は主人公が失敗をしでかさないかぎり、彼には注意を払わない。彼という人間の体を透かして、向こう側を見ている。彼が話しても、誰も返事をしない。主人公は黒い幽霊と同じだ。いったん話に引きこまれると、わたしはその本をジョン・D・マクドナルドのもののように、むさぼり読んだ。なぜなら、作者ラルフ・エリスンはこのわたしのことを書いていたからだ。わが家の夕食のテーブルで、ストライクをいくつとったのか尋ねられるのはデニーだったし、サディ・ホプキンスのダンスに誰を誘ったか訊《き》かれるのもデニーだったし、いっしょに見た車について男同士の話をしたいと言われるのもデニーだった。わたしが言う。〝バターを取って〟。父が言う。〝デニー、おまえ、本当に軍隊に入りたいのかね？〟　わたし、〝誰かバターを取ってよ、ねえ〟。母がデニーに街のセールに出ているペンドルトンのシャツを一枚、買ってほしいかどうか訊く。結局わたしは自分でバターを取る。わたしが九歳のときのある夜の出来事をご紹介しよう。わたしは言った。〝そのくそったれジャガイモを取ってくれない？〟母は言った。〝デニー、今日、グレイスおばさんから電話があって、おまえとゴードンは元気かって訊いてらしたよ〟。

デニスがキャッスル・ロック・ハイ・スクールを優等で卒業した夜、わたしは仮病をつかって家に残った。そしてスティーブ・ダラボントのいちばん上の兄さんのロイスに頼んで、ワイルド・アイリッシュ・ローズをひとびん買ってきてもらい、ボトル半分飲んだのはいいが、真夜中にベッドに吐いてしまった。

そんな家庭環境の中では、兄貴を憎むか、あるいは、どうしようもなく崇拝するか、どちらかしかないだろう――少なくとも、カレッジの心理学ではそう教えている。てやんでえ、だろ？　しかし、わたしに関して言えるかぎりでは、わたしはデニスにそのどちらの感情ももたなかった。わたしたち兄弟はめったに口論もしなかったし、殴り合いなど一度もしなかった。そんなことがある方がおかしい。十四歳の少年に、四歳の弟を殴るような理由があるだろうか？　それに両親はいつもデニスに、小さな弟の面倒をみることを、ほとんど負担にならない程度にしつけていたから、他の家の年上の子どもが、年下の子どもを恨むようなまねは、デニスにかぎって一度もなかった。デニスがわたしをどこかに連れていくときは、それは彼自身の自由な意志から発した行為であり、それはまたわたしにとって思い出せるかぎりで、いちばん幸せなときでもあった。

「おい、ラチャンス、その小さいの、誰なんだい?」

「おれの弟さ。口に気をつけたがいいぜ、デイビス。こいつにぶんなぐられるぞ。ゴーディはタフなんだ」

曇った日にほんのいっとき太陽の光が洩《も》れるような感じだった。巨大で、背の高い人々がわたしのまわりを取り囲む。みんなとても大きくて、年が上だ。

「よう、ぼうず! このしょうもないやつが、本当におまえの兄貴なのかい?」

わたしははにかんでうなずく。

「おまえの兄貴はくそったれだろ、え?」

わたしがもう一度うなずくと、デニスをはじめ全員が、げらげらと声をあげて笑った。そしてデニスは勢いよく両手を二回打ち合わせて言った。「おい、いっちょう練習するか? それとも、女の子みたいにここにぼんやり突っ立ってるか?」

みんなはいっせいにポジションに散らばる。インフィールドではすでに速いスピードで、ボールがいききしている。

「ゴーディ、あそこのベンチにすわってるんだよ。おとなしくしてな。みんなの邪魔をしちゃだめだ」

　わたしは〝あそこのベンチ〟にすわる。いい子にしている。気持のいい夏の雲の下で、わたしは信じられないほど自分が小さいと思う。わたしは兄がボールを投げているのを見守る。わたしは誰の邪魔もしない。

だが、そんなことはそうたびたびはなかった。

ときどきデニスが寝る前に本を読んでくれたが、それは母に読んでもらうより、ずっとよかった。母が読んでくれるのは『おだんごぱん』とか、『三匹のこぶた』など、ちゃんとした話だったが、デニスのは『青ひげ』や『切り裂きジャック』のようなものだった。また、デニスは『三びきのやぎのがらがらどん』の変形版をもっていて、その版では、本来はやぎたちに負けてしまう橋の下のトロールが、最後に勝っていた。また、前述したように、デニスはクリベッジのやりかたと、ボックス・シャッフルを教えてくれた。たいしたことではなくても、自分で獲得できるものを獲得するのは、たいしたことではないだろうか。

　長ずるに従って、デニスに対するわたしの愛情は、ごくふつうのクリスチャンが神に対して抱いている畏敬《いけい》の念にも似た、静謐《せいひつ》な畏敬の念へと変わった。デニスが死んだとき、わたしは穏やかなショックを受け、静かに悲しんだ。それは『タイム』誌が〝神は死んだ〟と言うときに、ごくふつうのクリスチャンが感じるにちがいない思いと同じだろう。こういう言いかたにしてみよう。ラジオで『ボナンザ』のダン・ブロッカーの死を聞いたときと同じように、わたしはデニーの死を悲しんだ、と。二人ともわたしにはおなじみだった。もっとも、デニーはテレビで再放送がかかることはなかったが。

デニーはアメリカ国旗におおわれた棺《ひつぎ》に入れられて埋葬された（棺が地中に降ろされる寸前に、それ――棺ではなく、もちろん、国旗――ははずされ、三角帽の形に折りたたまれて、わたしの母に渡された）。両親はばらばらに崩れてしまった。両親がそれぞれもとの状態にもどるには、数カ月という月日では足りなかった。二人がもとの状態にもどったといえるのかどうか、わたしにはわからない。ハンプティ・ダンプティ夫妻。一度こわれたら二度ともとにもどらない……。わたしの部屋よりひとつ手前のデニーの部屋は、仮死の状態におかれた。仮死、あるいはタイム・ワープの状態といおうか。壁にはアイビィ・リーグ・カレッジのペナントが貼《は》ってあるし、デニーのデート相手の女の子たちの写真は、鏡の枠《わく》にはさんだままになっている。その鏡の前で、デニーは何時間もかけて、髪をエルビス・プレスリーのようなダックテイル・スタイルにまとめようと、手や櫛《くし》を使って苦労したようだ。机の上には『トルー』誌と『スポーツ・イラストレイテッド』誌が山積みとなっていた。時がたつにつれて、雑誌の日づけがどんどん古色蒼然《こしょくそうぜん》としてくるように見えた。まるで、いやにセンチメンタルな映画に出てくる品を見ているようだった。だが、わたしは少しもセンチメンタルな気分になれなかった。ただ、こわかった。わたしは必要がないかぎり、デニーの部屋には入らなかった。ドアのうしろや、ベッドの下や、クロゼットの中に、デニーがいるような気がしてならなかったからだ。わたしがいちばんこわかったのはクロゼットで、母の要望で、デニーの絵ハガキのアルバムや、写真の入った靴箱《くつばこ》を取りにやらされたりすると、わたしはゆっくり開くドアの前で、恐怖のあまり根が生えたように突っ立っている自分の姿を想像したものだ。暗がりに青ざめ血だらけになったデニーが、頭の横っちょがぐしゃりとつぶれ、シャツに、灰色の筋の入った血と脳のかたまりが乾いてこびりついたデニーが、立っているところを想像してしまう。デニーの両手があがり、血まみれの両手がかぎ爪《づめ》のように曲がり、しわがれた声で呼びかける光景を想像してしまう。デニーは言う。〝おまえが死ねばよかったのだ、ゴードン。おまえだったらよかったのに〟と。

7

ゴードン・ラチャンス作『スタッド・シティ』より
一九七〇年秋『グリーンスパン・クォータリィ』誌四十五号初出。転載許可受諾済み

三月。

窓辺に立ち、ガラスを上下に仕切っている棚《たな》に両肘《りょうひじ》をつき、腕を重ねているチコは、素裸で、吐く息でガラスを曇らせながら外を見ている。腹のあたりに風が吹きつけている。右下のガラスがはまっていない。そこにボール紙の切れっぱしをあてがってふさいである。

「チコ」

彼はふりむかない。女は二度呼びかけようとはしない。ガラス窓に、彼のベッドにすわり、重力にさからって毛布を引きあげている女が、亡霊のように映って見えている。女の目の化粧がにじんで目の下まで深くくぼんで見える。

チコは女の影から目をそらし、窓の外をながめる。雨が降っている。ところどころ残っていた雪がぬかるみ、むきだしの地面がのぞいている。去年の枯れた草、プラスチックの玩具《がんぐ》（ビリーのだ）、錆《さ》びた熊手《くまで》が見える。チコの兄ジョニイのダッジがブロックの上に置かれ、タイヤのない車輪が義足のように突き出ている。ジョニイといっしょに、ジョニイの古いトランジスタ・ラジオから流れてくるルイストンのWLAMのヒット曲や、なつかしのメロディを聞きながら、ダッジと取り組んでいたときのことを、チコは思い出す――ジョニイは二口ばかり、チコにビールをくれるだろう。そしてこう言う。〝この車は速いんだ。ゲーツ・フォールズからキャッスル・ロックまでの道路を走ってる車は、全部ぬいちまうんだぞ。このおじょうさんにあのハーストのシフターを取りつけるまで、待ってろよ！〟。

だが、それはあの頃《ころ》のことだし、今はこのざまだ。

ジョニイのダッジの向こうにはハイウェイ十四号線が走り、ポートランドとニューハンプシャーの南部までのびているし、トーマストンで左折して国道一号線に入れば、カナダの北部までまっしぐらだ。

「スタッド・シティだな」チコはガラス窓に言う。煙草《たばこ》を吸う。

「なあに？」

「なんでもないよ、ベイビー」

「チコ?」困っている声だ。父親が帰ってくる前に、シーツを替えておくべきだろう。彼女の血がついている。

「なんだい?」

「愛してるわ、チコ」

「わかってる」

汚ならしい三月。おまえは年をとった売春婦だな、とチコは思う。顔を雨にうたれ、汚ならしい、たるんだ乳房をゆらしている三月。

「ここはジョニイの部屋だった」ふいにチコは言う。

「誰《だれ》?」

「おれの兄貴」

「ああ。今どこにいるの?」

「軍隊さ」そうは言ったが、ジョニイはもう軍隊にはいない。去年の夏、ジョニイはオクスフォード・プレインズ・スピードウェイで働いていた。ジョニイがピット・エリアで、シボレーのチャージ・クラス・ストックカーの後部タイヤを交換しているところに、一台の車がコントロールを失い、インフィールドを横すべりして突っこんできた。数人の男たちがジョニイに大声で警告を発したが、ジョニイは聞いていなかった。ジョニイに向かって叫んだ男たちのひとりが、弟のチコだった。

「寒くないの？」女が訊《き》く。

「いいや。うん、足がね。少し」

そしてチコはふと考える。ああ、そうか。遅かれ早かれ、おれにも起こることが、ジョニイに起こったにすぎないんだ。とはいえ、あの光景がよみがえる。横すべりしながら猛スピードで走っているフォード・ムスタング。ヘインズの白いTシャツの背に、点々とくぼみを作っていた兄の背骨の節。ジョニイはうずくまって、シェビイの後部タイヤのひとつを引っぱっていた。暴走しているムスタングのタイヤのゴムが、はじけとぶのに気づくだけの時間は、宙ぶらりんになったマッフルが、インフィールドをこすって火花を散らせているのに気づくだけの時間は、あったはずだ。ジョニイが立ちあがろうとしたとき、ムスタングはジョニイに衝突した。そして、黄色い炎の絶叫。

そうだ、とチコは思う。死が遅くくることだってある。チコは祖父のことを考える。病院のにおい。便器を運ぶ若くきれいな看護婦。最期《さいご》のかぼそい呼吸。いい死にかたというのがあるのか？

チコは身ぶるいをすると、今度は神に疑問を向ける。首にかけた鎖につるしてある、聖クリストファーの小さな銀のメダルに、手を触れてみる。チコはカソリック信徒ではないし、本当はメキシコ人でもない。本名はエドワード・メイだが、彼の髪が黒く、それをブリルクリームでてかてかに固めて、うしろになでつけていることと、先の尖《とが》ったキューバン・ヒールのブーツをはいていることから、友人たちはみんな彼をチコと呼んでいる。カソリックではないが、彼はこのメダルを身につけている。ジョニイがこのメダルをつけていれば、暴走したムスタングもそれていったかもしれない。それは誰にもわからないことだ。

煙草を吸いながら窓の外をながめているチコの背後で、女がベッドから出る。気取った歩きかたですばやくチコに近づく。チコがふりむいて女の方を見るのを恐れているようでもある。女はチコの背に暖かい手を押しつける。チコの胸の横に女の胸がさわる。尻《しり》に女の腹が触れる。

「わあ、冷たい」

「そうだろうな」

「あたしを愛してる、チコ？」

「もちろんさ！」ぶっきらぼうに答えたあと、今度はもっとまじめに言う。「きみは処女だったね」

「それがなにか――」

「きみは初めてだった」

女の手が上にあがっていく。指がチコのうなじを這《は》う。「そう言ったでしょ?」

「つらかった?　痛くなかったかい?」

女は笑う。「いいえ。でも、こわかった」

二人は雨をみつめる。ハイウェイ十四号線を、新型のオールズモビルが水をはねかして走っていく。

「スタッド・シティだ」チコは言う。

「なあに?」

「あいつさ。あいつは活きのいい街《スタッド・シティ》へ行くんだ。活《い》きのいい車に乗って」

女が指を這わせていた個所にやさしくキスすると、チコはまるでハエを追うように、女を払いのける。

「どうしたの?」

チコは女の方を向く。女の目はちらりとチコのペニスにいき、またすばやくあがる。

女はあわてて手で彼女自身をおおうが、映画で見るようなまねをしなくてもいいのだということを思い出し、両手をわきに自然に垂らす。女の髪は黒く、肌《はだ》は冬の白、クリームの色だ。乳房は固く、腹はほんの少しやわらかすぎる。傷がひとつあり、チコにこれは映画ではないことを思い出させる。

「ジェーン？」

「なあに？」チコは自分の準備がととのうのを感じる。始まりではなく、準備完了だ。

「だいじょうぶだ。おれたちは友達さ」チコの目がゆっくりと女の体をたどり、ありとあらゆる個所に視線を刻みこんでいく。チコがふたたび女の顔を見ると、それは赤く染まっている。「きみを見せてもらってかまわないか？」

「あたし……いや。だめよ、チコ」

女はうしろにさがり、目を閉じてベッドにすわると、体をうしろに倒して足を広げる。チコは女のすべてを見る。筋肉、女の太腿《ふともも》の内側に秘められた小さな筋肉……それは抑えきれずにぴくぴくとうごめいている。それは女の張りきった円錘形の乳房や、カントのやわらかなピンクの真珠以上に、チコを急にたかぶらせる。ピエロのボゾがスプリングではねるように、チコの体に興奮のおののきが走る。愛というものは、詩人が言うように神聖なのかもしれないが、セックスというものは、愚かしいバネ仕掛けのピエロのボゾと同じだ。チコはそう思う。女たちはどうして、けたたましい笑い声をあげることなく、エレクトしたペニスを直視できるのだろう?

ふたたび雨が屋根を、窓を、ガラスのない下窓をふさいであるびしょぬれのボール紙を、激しく打つ。チコは片手を胸に押しあてる。一瞬、演説を始めようとする壇上のローマ人のようだ。手は冷たい。チコはその手をわきに降ろす。

「目を開けて。おれたちは友達だって、さっき言っただろ」

従順に女は目を開ける。チコをみつめる。目の色が、今は紫色がかっている。窓をつたう雨の水滴が、女の顔に、くびに、胸に、さざ波のような模様をつくっている。ベッドにのびのびと横たわり、腹が小気味よく引きしまっている。今の彼女はパーフェクトだ。

「ねえ」女は言う。「ねえ、チコ、とっても変な感じ」女の体に震えが走る。無意識に爪先《つまさき》を巻いている。チコの目に女の足の甲が映る。足の甲はピンクだ。「チコ、ね、チコ」

チコは女の方に足を踏み出す。体は震え、目は大きくみひらかれている。女がなにか、ひとこと口ばしるが、なんと言ったのかチコにはわからない。今は訊《き》き返すときではない。ほんの一瞬、チコは女の前で小腰をかがめ、眉根《まゆね》を寄せて床をみつめ、精神を集中し、女の膝《ひざ》の上に手を触れる。体内に満ちてくるたかぶりを測る。その力は思考を奪い、すばらしく心地よい。チコはもう少し待つ。

ベッド・テーブルの上の目覚し時計が小さく時を刻んでいる音が、唯一《ゆいいつ》の音だ。真鍮《しんちゅう》製の脚のついたテーブルの上には、『スパイダーマン』の漫画雑誌がひと山積まれている。女の息づかいがだんだん速くなる。筋肉をなめらかに動かして、チコは勢いよく上にあがり、前に進んだ。始まる。前のときよりいい。外では、雨が雪を洗い流している。

三十分後、チコはうとうとしている女を揺り起こす。「行動開始だ。おやじとバージニアがもうすぐ帰ってくる」

女は腕の時計を見て起きあがる。今度は自分を隠そうともしない。全体の雰囲気《ふんいき》――体のことば――が、変わってしまった。まだ熟しきってはいない（たぶん、本人はそう信じているだろう）し、靴《くつ》のひもを結ぶ以上に複雑なことを学んだわけでもないのに、それでもやはり雰囲気が変わっている。チコがうなずくと、女はおずおずと微笑を返してくる。チコはベッド・テーブルの煙草《たばこ》に手をのばす。女がパンティをはいているあいだ、チコは古い、珍しい歌の一行を思い出している。〝おれが撃つまで遊びつづけろよ、相棒……おまえの仲間たちと〟。ロルフ・ハリスの『タイ・ミー・カンガルー・ダウン』だ。チコはにやりと笑う。かつてジョニイがよくうたっていた歌だ。こういうふうに終わる。〝あいつが死んだら皮をなめすさ、クライド、そいつを小屋につるすんだ〟。

女はブラのホックをとめ、ブラウスのボタンをかけはじめている。「なにをにやにやしてるの、チコ？」

「べつに」

「ファスナーをあげてくれる？」

裸のまま、チコは女に近づき、ファスナーをあげてやる。女の頬《ほお》にキスをする。

「なんならバスルームに行って、顔を直してこいよ。ただし、時間がかかるのはごめんだ。いいね？」

女が優雅に廊下を歩いていくのを、チコは煙草を吸いながら見送る。背の高い――チコより高い――女で、バスルームの戸口をくぐるのに、ちょっと頭をかがめなければならない。チコはベッドの下からパンツを探しだす。クロゼット・ドアの内側につるしてある汚れ物入れにパンツを突っこみ、引き出しから新しいパンツを出す。それをはいて、ベッドのところにもどる途中、足がすべり、ボール紙からしみこんだ雨でぬれたところに倒れそうになる。

「くそっ」憤然とつぶやく。

部屋の中を見まわす。ジョニイが死ぬまでここはジョニイの部屋だった（いったい全体なんだっておれは、彼女にジョニイは軍隊にいるなんて言ってしまったんだろう。チコは我ながら不思議だ……少しばかり気持がおちつかない）。ファイバーボードの壁はごく薄く、天井まで全部それでおおわれているわけではないので、夜間、父親とバージニアがけんかをしているのがよく聞こえる。床はわずかに傾斜しているため、部屋のドアを開けておきたいなら、なにかで押さえておかなければならない——押さえるのを忘れると、こちらが背を向けたとたん、ドアはじわじわと閉まってしまう。部屋の奥の壁には『イージー・ライダー』のポスターが貼ってある——二人の男がアメリカを探しに出かけたが、どこにもアメリカはみつからなかった、という映画だ。ここでジョニイが寝起きしていた頃《ころ》は、この部屋はもっと生き生きしていた。チコにはそれがなぜなのか、どういうふうにそうだったのかは、わからない。ただ、それが事実だったとわかるだけだ。と同時に、他《ほか》にもわかることがある。この部屋はときどき夜になると、チコをおびえさせる。クロゼットのドアがぎいっと開き、ジョニイがそこに立っている。ジョニイの体は焼け焦《こ》げ、ねじれ、黒ずみ、ワックスから突き出た黄色い義歯は、半分溶けて、また固まっている。そのジョニイがこうささやくのだ。〝おれの部屋から出ていけ、チコ。それから、おれのダッジに手を触れたら、おまえを殺しちまうからな。わかったか？〟

わかったよ、兄貴。チコは胸の内で答える。

つかのま、チコはじっと立ちつくしたまま、女の血のしみがついたしわくちゃのシーツを見ていたが、すぐにすばやい手つきで、その上に毛布を広げる。ほら。これでどうだ。どんな感じだい、バージニア？　股《また》ぐらをつかまれるのは？　チコはズボンと技師用ブーツをはき、セーターを探す。

チコが鏡の前でなにもつけずに髪をとかしているところへ、女がトイレからもどってくる。とても品のいい女に見える。やわらかすぎる腹はジャンパーに隠れて見えない。女はベッドに目をやり、少し手を加える。毛布を広げただけだったベッドが、きちんとメイキングしたようになる。

「すごい」チコが言う。

女はちょっとてれくさそうに笑い、髪を耳のうしろにかきあげる。男の気をそそり、心に訴えるしぐさだ。

「行こう」

二人は廊下に出てリビング・ルームを通る。ジェーンはテレビの上においてある、スタジオで撮ったぼかし写真の前で立ちどまる。写真には父親とバージニア、ハイ・

スクール時代のジョニイ、グラマー・スクール時代のチコ、そして幼児のビリーが写っている——ジョニイはビリーを抱いている。みんな石のような微笑をうかべている……眠そうな、底の知れない表情のバージニア以外は。チコは憶《おぼ》えている。この写真は父親があの雌犬と結婚した一カ月後に撮ったものだ。

「あなたのおとうさんとおかあさん？」

「それはおやじ。彼女は義理の母のバージニア。行こう」

「まだこんなにおきれいなの？」ジェーンはそう訊きながら、自分のコートを取り、チコにウインドブレーカーを渡す。

「おやじはそう思ってるらしいな」

さしかけ小屋に入る。湿気が多く、すきま風のひどいところだ——がたがたの壁の割れ目から風がうなりをあげて吹きこんでくる。ここにはぼうずになった古いタイヤがひと山、チコが十歳のときに譲り受け、すぐにこわしてしまったジョニイの古い自転車、探偵《たんてい》雑誌の山、返却可能なペプシの空びん、油だらけのモノリシック・エンジン、ペーパーバックが一杯に詰まったオレンジの箱、ほこりっぽい緑色の草の上に立っている馬を型どおりに描いた古い絵、がある。

チコはジェーンに通り道を教えてやりながら外へ出る。意気消沈するほど絶え間なく、雨が降っている。チコの古いセダンは車道の水たまりの中にうずくまり、落胆しているように見える。たとえブロックの上に置かれ、フロント・ガラスが入るはずのところを、ビニールの切れはしでまにあわせてあるにしても、ジョニイのダッジの方がもっと品がある。チコの車はビュイックだ。塗りはさえず、点々と錆《さ》びの花が咲いている。フロントシートには褐色《かっしょく》の軍隊用毛布がかかっている。助手席のサン・バイザーには大きなバッジが留めてある。バッジにはこう書いてある。〈わたしは毎日それがほしい〉。バックシートには錆びたスタータ—の組み立て部分。雨があがったらこれを磨《みが》こう。チコは考える。ダッジにはめこんでみようか。やめようか。

ビュイックはかび臭いにおいがするし、エンジンがかかるまで、時間をかけてスタータ—を回さなければならない。

「バッテリ—のせいなの？」

「いまいましい雨のせいさ」チコはバックで車を路上に出すと、フロント・ガラスのワイパ—を始動させ、一瞬車をとめてわが家を見る。家はまったくぱっとしない、明るい緑がかった青に塗ってある。さしかけ小屋はおんぼろで今にも倒れそうだし、タ—ル紙とはがれかけたこけら板で建てられている。

ラジオがすさまじい音をたて、チコはすぐにそれを切って黙らせる。チコの額の奥で、日曜の午後の頭痛が起こりはじめている。グレインジ・ホール、自由志願消防署、ブラウニーの店の前を走り過ぎる。ブラウニーの店のハイ・テスト・ガソリン給油ポンプの側《そば》に、サリー・モリソンのサンダーバードがとまっている。チコは片手をあげてサリーにあいさつすると、ルイストン旧道に曲がる。

「あれ、誰？」

「サリー・モリソン」

「きれいな女《ひと》ね」どっちにもとれる意見だ。

チコは煙草がほしい気分になる。「彼女は二度結婚して、二度離婚した。目下のところ、町の慰安婦。もしきみがこのくそったれの小さな町に流れている噂《うわさ》を、半分でも信じるならね」

「若く見えるわ」

「若いんだ」

「あなた、あの女《ひと》と――」

チコは片手でジェーンの膝をなで、微笑する。「いや。兄貴はやったかもしれないけど、おれはやってない。だけど、サリーのことは好きだ。彼女は離婚手当をもらってるし、白くてでっかいTバードも持っているし、人になんと言われようと、ちっとも気にしてない」

長いドライブになりそうだ。右手にアンドロスコジン・リバーの灰色の川面《かわも》が見える。もう氷はきれいに溶けてしまっている。ジェーンは無口になり、もの思いにふけっている。ワイパーの規則正しい音が聞こえるだけだ。道路のくぼみにタイヤをとられ、車ががたがたと揺れると、もやがたちのぼる。夕方になれば、路面のくぼみというくぼみから霧が少しずつたちのぼり、ホール・リバー・ロード一帯をおおってしまうだろう。

オーバーンに入ると、チコは近道をしてミノット・アベニューを走る。四本の車線にはほとんど車の影もなく、周辺の家々は大きな荷物のように見える。ビニールの黄色いレインコートを着た少年が歩道を歩きながら、水たまりのひとつひとつを注意深く踏みこんでいる。

「がんばれよ」チコはやさしくつぶやく。

「え？」ジェーンが尋ねる。

「なんでもないよ、ベイビー。眠ってな」

ジェーンは少しばかりあやふやな笑い声をあげる。

ケストン・ストリートに入り、大きな荷物のような家のひとつに通じる私道に車を乗り入れる。チコはイグニションを切らない。

「家にお入りなさいよ。クッキーをごちそうするわ」

チコはくびを横に振る。「帰らなきゃいけないんだ」

「わかった」ジェーンはチコに抱きつき、キスをする。「生涯《しょうがい》でいちばんすばらしいときをくれて、どうもありがとう」

チコはぱっと笑顔をうかべる。顔がはれやかに輝く。魔法のようだ。「月曜日に会おうな、ジャネイ・ジェーン。友達だぜ、いいね?」

「わかってるでしょ」ジェーンはもう一度チコにキスする……が、チコの手がジャンパーの上から乳房をおしつつむと、ジェーンは体を離す。「だめよ。とうさんが見てるかもしれない」

チコはジェーンを放してやるが、笑みはほとんど消えている。ジェーンはすばやく車を降り、雨の中を裏口のドアまで走る。一瞬後、ジェーンの姿は家の中に消える。チコはひと息ついて煙草に火をつけ、私道から車をバックで出す。ビュイックはエンストを起こし、ふたたびエンジンがかかるまで、スターターは永遠にまわりつづけるかのような態《てい》を示す。家までは長い道のりだ。

家に帰りつくと、父親のステーション・ワゴンが車道にとまっているのがわかる。

チコはその横にビュイックをとめ、エンジンを切る。そのままチコは静かに、雨の音に耳をかたむける。スチール・ドラムの中にいるようだ。

家の中では、ビリーがテレビでカントリー・ウェスタンのカール・ストーマー・アンド・ヒズ・カントリー・バッカルーズを観《み》ている。チコの姿を見ると、ビリーは興奮してとびあがる。「エディ、ねえ、エディ、ピートおじちゃんがなんて言ったかわかる？　戦争でドイツの潜水艦を沈めたって、言ったんだよ！　こんどの土曜日、映画につれてってくれる？」

「さあね」チコはにやっと笑う。「一週間ずっと、毎晩夕めしの前に、おれの靴にキスするんならな」ビリーの髪を引っぱる。ビリーは不満の声をあげ、笑い、チコのむこうずねを蹴《け》とばす。

「やめなさい」サム・メイが部屋に入ってきてとめる。「二人ともやめるんだ。かあさんがけんかをどう思ってるか、二人とも知っているだろう」サム・メイはネクタイをゆるめ、シャツのいちばん上のボタンをはずす。皿《さら》に赤いホットドッグ・ソーセージが三本のっている。ソーセージを白パンにはさみ、サム・メイは古いマスタードをぬる。「今までどこにいたんだ、エディ？」

「ジェーンとこ」

バスルームで水の音がする。バージニアだ。チコは洗面台にジェーンの髪の毛とか、口紅とか、ヘアピンが残っていなかったかと思う。

「おまえもいっしょに来て、ピートおじさんとアンおばさんに会えばよかったのに」父親は言う。たった三口でホットドッグを片づけてしまう。「エディ、おまえ、この家じゃよそ者みたいになってるじゃないか。わしは気に入らんね。わしらがベッドと食い物を与えているあいだは、いかん」

「おあまりのベッド」チコは言う。「おあまりの食い物」

サムはさっと目をあげ、最初は傷ついた表情を、ついで怒りの表情をうかべる。口を開くと、フレンチ・マスタードで歯が黄色になっているのが見える。チコはなんとなく胸がむかつく。「その口だ。その憎らしい口。おまえはまだおとなじゃないんだぞ、くそ生意気な」

チコは肩をすくめ、父親の椅子《いす》の横にあるTVトレイにのったワンダー・ブレッドのかたまりから、パンを一片むしり取り、ケチャップを塗る。「どっちにしろ、三カ月以内に家を出ていくよ」

「いったいなんの話だ？」

「ジョニイの車を整備して、カリフォルニアに行く。仕事を探しに」

「ああ、そうか」父親は大柄《おおがら》な男で、動作がのろくさいほど大柄なのだが、バージニアと結婚してから小さくなったようだし、ジョニイが死んでからもっと小さくなったように、チコには思える。そしてチコの胸の中で、自分がジェーンに言ったことばが響いていた。〝兄貴はやったかもしれないけど、おれはやっていない〟。それにつづいてあの曲の歌詞が聞こえる。〝おまえの仲間と遊ぶがいいさ、相棒〟と。「あんな車じゃキャッスル・ロックまでも行けやしないぞ。ましてカリフォルニアへなんか、とてもとても」

「行けないと思うかい？　ま、あのポンコツに期待してくれよ」

一瞬父親はチコをみつめたあと、持っていたソーセージをチコに投げつける。ソーセージはチコの胸にあたり、マスタードがセーターや椅子の上に飛び散る。

「今度またそんなことを言ったら、おまえの鼻をへし折ってやるからな、のぼせガキめ」

チコはソーセージをつまみあげてながめる。フレンチ・マスタードを塗りたくった、安物の赤いソーセージ。かすかな日の光が広がる。チコはソーセージを父親に投げ返す。サムは立ちあがる。顔は古いレンガの色に染まり、こめかみのまん中に筋が立っている。膝《ひざ》にのせていたTVトレイが引っくり返る。ビリーはキッチンの戸口に立って二人を見守っている。自分用に持ってきたソーセージと豆の皿がかたむき、豆の汁が床に垂れる。ビリーの目はまん丸で、くちびるは震えている。テレビではカール・ストーマー・アンド・ヒズ・カントリー・バッカルーズが、ひどく早いテンポで〝ロング・ブラック・ベール〟を歌っている。

「できるだけのことをして、大事に育ててやったのに、唾《つば》を吐きかけられるのか」父親はだみ声で言う。「そうか。そんなものか」やたらと椅子の座席の上を手探りしていた手が、かじりかけのソーセージに行きあたる。サムはそれを切断された男根のように、しっかりと握りしめる。信じられないことに、彼はそれを食べはじめる……と同時に、泣きだす。「そうか、唾を吐きかけられるのか、そんなものか」

「なんだってあの女と結婚しなきゃならなかったんだよ！」チコは叫ぶ。だが、あとのことばは口に出さずにのみこまなければならない。〝とうさんがあの女と結婚しなかったら、ジョニイはまだ生きていたんだぞ〟。

「それはおまえなんかの知ったことではない！」サム・メイは涙をこぼしながらどなり返す。「それはわしの問題だ！」

「ふん！」チコも負けていない。「そうかね？　おれはあの女といっしょに暮らすしきゃないんだ！　おれとビリーは、あいつと暮らさなきゃならないんだぞ！　あいつしないといけないのを、見せつけられるんだ！　それに、あんたは知らないだろうが――」

「なんだ？」父親の声は急に低くなり、不気味な調子を帯びる。握りしめた手の中には、まだソーセージが残っていて、それが血まみれの骨つき肉のように見える。「わしがなにを知らないと？」

「あんたにはくそと靴《くつ》ずみの区別もつかないのさ」チコはもう少しで口から出そうになったことばに、我ながら肝を冷やしている。

「そこいらでやめた方がいいぞ」父親が言う。「でないと、いやというほどぶちのめしてやるからな、チコ」父親は心底から怒っているときしか、その名前で息子を呼ばない。

チコは父親に背を向ける。部屋の戸口にバージニアが立っているのが目に入る。神経質にスカートを引っぱりながら、バージニアは大きくて穏やかな褐色の目で、チコをみつめている。美しい目だ。目以外のところはそれほど美しくはないし、ひどく若づくりだが、その目だけはまだ何年も変わらないだろう。そう思うと、チコは吐き気のするような憎しみがよみがえってくるのを感じる。〝あいつが死んだら皮をなめさ、クライド、そいつを小屋につるすんだ〟。

「あの女はあんたを尻《しり》に敷いてるのに、あんたはそれに逆らうガッツも、もっちゃいないじゃないか！」

この叫び声は、ビリーにとってはついに耐えがたいものとなる――すさまじい恐怖の泣き声をあげ、ソーセージと豆ののった皿を落とし、両手で顔をおおう。豆の汁がビリーのよそいきの靴にこぼれ、じゅうたんの上に飛び散る。

サムは一歩、前に足を踏み出す。チコのあたかも〝そうさ、かかってこいよ、話をつけようじゃないか、なんだってぐずぐずしてるんだ？〟と言っているような、ぶっきらぼうな手まねを見ると、サムの足がとまる。二人が像のように立ちつくしているところへ、バージニアが口をはさむ――低く、目と同じように穏やかな声だ。

「エド、あなた、お部屋に女の子を連れこんだでしょ？　おとうさまやわたしがそのことをどう考えているか、承知のうえで」そしていかにも今思い出したというように言う。「娘さんがハンカチを忘れていたわ」

チコはバージニアをにらみつける。自分の気持を表わす方法がないというように、おまえなんか汚《けが》らわしいというように、おまえにまともに背中を撃たれたというように、おまえにうしろに回られ、知らぬまに膝腱《しっけん》を切られたというように、ぎらぎらした目でにらみつける。

穏やかな褐色の目はこう語っている。〝あなたがそうしたいのなら、わたしを傷つけることができるわ。彼が死ぬ前なにが起こっていたか、あなたが知っているのは、わたしにもわかっている。でも、あなたがわたしを傷つけることができるのは、その手段だけでしょう、チコ？　それも、あなたのおとうさまがそれを信じるかどうか次第よ。そして、もしおとうさまがそれを信じたら、おとうさまは死んでしまうわ〟。

父親がクマのように新しい手をくりだしてくる。「わしの家で女と寝たのか、このろくでなしめ」

「ことばに気をつけてくださいな、サム」バージニアは穏やかに言う。

「だからわしたちといっしょに来たくなかったんだな？　おまえが女と――その――」

「言っちまえよ！」チコは泣いている。「あの女の言いなりになんかなるなよ！　言えったら！　言いたいことを言えよ！」

「出ていけ」父親はくたびれきった声で言う。「おかあさんとわしにあやまる気になるまで、帰ってくるな」

「そんなことばを使うな！」チコは叫ぶ。「こんな雌犬をおれのおふくろだなんて言うな！　殺してやるぞ！」

「やめて、エディ！」ビリーが悲鳴をあげる。まだ両手で顔をおおっているので、ことばがくぐもってはっきりしない。「とうさんをどなるのはやめて！　やめて、お願いだよ！」

バージニアは戸口から動こうとしない。その穏やかな目はチコに向けられたままだ。サムはよろりと一歩うしろにさがり、膝の裏側を安楽椅子のへりに打ちつけてしまう。どさりと椅子にすわりこみ、毛むくじゃらな腕に目を落とす。「エディ、おまえの口からあんなことばが出てきたからには、おまえの顔を見ることもできんよ。おまえのせいでわしは気分が悪くなった」

「あの女のせいで気分が悪いんだよ！　なぜそれを認めないんだ？」

父親は返事をしない。依然としてチコを見ないようにして、TVトレイの上の皿からパンにはさんだソーセージを取り出す。同様に手探りでマスタードを探す。テレビではカール・ストーマー・エンド・ヒズ・カントリー・バッカルーズが、トラック運転手の歌をうたっている。〝おいらのトラックは古ぼけてるが、だからってこの娘《こ》が遅《とろ》いってことにはならねえんだ〟。カールは全メイン州西部の視聴者に語りかけている。

「この子、自分でもなにを言っているのかわからないのよ、サム」バージニアはおちついている。「この子の年じゃ、無理だわ。おとなになるのはむずかしいものよ」

バージニアはチコを非難している。これで終わりだ。

チコは背を向け、ドアの方を向いた。そのドアはまずさしかけ小屋に、ついで外のドアにつづいている。チコはドアを開け、バージニアをふり返る。バージニアはチコに名を呼ばれ、おちついたまなざしをチコに向ける。

「なんなの、エド?」

「シーツは血で汚れてる」チコは一瞬間をおく。「おれが彼女の体を開いたんだ」

バージニアの目にちらりと動くものがあるようだったが、たぶんそれはチコの願望にすぎないだろう。「もう行ってちょうだい、エド。ビリーがおびえてるわ」

チコは家を出る。ビュイックは始動したがらず、チコがあきらめて雨の中を歩いていこうかと思った矢先に、ようやくエンジンがかかる。チコは煙草《たばこ》に火をつけ、十四号線に出ると、クラッチを乱暴に踏みこみ、猛スピードでとばしたため、エンジンががたがた音をたてはじめる。ジェネレーターのライトが二度弱々しくまたたき、車は断続的にアイドリングしはじめる。ついにビュイックは、ゲーツ・フォールズに至る道を這《は》うようにしか進まなくなる。

チコはジョニイのダッジには最後の一瞥《いちべつ》もくれない。

ジョニイはゲーッ紡績工場で、堅実な職につくこともできたのだが、夜勤の仕事しかなかった。夜働くのは苦にならないし、プレインズより報酬もいい、とジョニイは言っていたが、彼らの父親は昼間の仕事だし、工場で夜働くということは、ジョニイは昼間、家に彼女といることを意味していた。彼女と二人っきりか、隣の部屋のチコと三人か……そして壁は薄かった。ジョニイは言った。〝おれにはやめられないし、彼女もやめさせようとはしないだろう。うん、おやじにどんな仕打ちをすることになるかは、わかってる。だけど……彼女はやめようとしないし、おれがやめられないのも同じなんだ……彼女はいつもおれを魅《ひ》きつける。おまえは彼女を見てきたから、おれの言う意味がわかるな。ビリーは幼すぎてわからないだろうが、おまえは彼女を見てきたから……〟。

そうだ。チコはあの女を見てきた。そしてジョニイはおやじに、ダッジの部品が安く手に入るからと言って、プレインズで働くようになった。そしてジョニイがタイヤの交換をしているときに、ムスタングが横すべりし、ちぎれかけたマフラーで火花をとばしながら、インフィールドを猛スピードで突っきってくる、という事態が起こった。義理の母がチコの兄を殺したのだ。だから、おれが撃つまで遊びつづけなよ、相棒、このくそったれのビュイックで活《い》きのいい街へ行ってくるからな。チコはゴムがどんな臭《にお》いがするか、ジョニイの背骨の節がまっ白なTシャツに、どんなふうに小さなくぼみの列を作るか、憶《おぼ》えている。しゃがんで働いていたジョニイが、立ちあがりかけたところへ、ムスタングが突っこんできて、ジョニイをシェビイとのあいだに押しつぶし、うつろな音が響いたかと思うと、シェビイがジャッキからはずれてずり落ち、目もくらむような黄色い炎があがり、すさまじいガソリンのにおいがした……。チコはすべて憶えている。

チコは両足でブレーキを踏み、タイヤをきしませ、エンジンをがたつかせて、セダンをびしょぬれの路肩《ろかた》にとめる。荒っぽくシートから身をのりだし、助手席のドアを開け、泥《どろ》と雪にまみれた地面に、黄色いへどを吐く。それを見ると、また吐き気をもよおし、考えただけで、今度は空《から》えずきに襲われる。車はエンストを起こしかけたが、チコはなんとか手なずける。ジェネレーターのライトが、しぶしぶ点滅したところで、エンジンをふかす。チコはすわったまま、悪寒《おかん》が去るのを待つ。車が追い越していく。白いフォードの新車が半解けの雪まじりの汚ない水を、はでに扇形にはねかして追い越していく。

「活きのいい街《スタッド・シティ》へ」チコはつぶやく。「活きのいい車で。いかしてるぜ」

くちびるに、喉《のど》の奥に、反吐《へど》の味が残り、鼻腔《びこう》ににおいがへばりついている。煙草はほしくない。ダニー・カーターがひと晩泊めてくれるだろう。明日はもっと先のことを決める時間がたっぷりある。チコは十四号線に車をもどし、車を走らせる。

8

まったくもって、うんざりするほどメロドラマティックな作品だ。そうだろう？　世間にはもっといい作品がひとつふたつ出ているし、わたしにもそれはわかっている――いや、十万か二十万、それぐらいはあるだろう。こういう作品は、ページごとに〝創作教室在学中の作品〟というスタンプを押しておくべきだ……少なくとも、ある程度は、まさにそういう作品なのだから。今のわたしには、かわいそうなほど独創性に欠け、いたいたしいほど未熟な作品に見える。スタイルはヘミングウェイ（ある理由で――最新流行の先端をいく――全体的に現在形を使ってあるところを除けば）だし、テーマはフォークナーだ。これ以上深刻になれるものだろうか？　もっと文学的になれるものだろうか？

しかしこの作品の仰々しさでさえ、これがきわめて経験に乏しい青二才（この『スタッド・シティ』を書いたとき、わたしはまだ二人の女の子とベッドを共にしただけで、そのひとりとの場合は完全な早漏だった——作品中のチコとはおおちがいだ）によって書かれた、きわめて性的傾向の強い小説だ、という事実を隠しきれていない。女性に対する姿勢は、敵意むきだしという線を通りこして、醜悪ぎりぎりの線までいっている——『スタッド・シティ』に登場する女性は二人ともふしだらな女として描かれ、三人目に至っては〝愛しているわ、チコ〟とか、〝家にお入りなさいよ、クッキーをごちそうするわ〟とかしか言わない、単純な生殖器にすぎない。一方、チコはマッチョ・タイプで、煙草《たばこ》をくゆらす労働者階級のヒーローであり、ブルース・スプリングスティーンのレコードの溝《みぞ》から、全体を見とおし、息づかいをものにできる男なのだ——もっとも、わたしがこの作品をカレッジの文芸誌に発表した当時は、スプリングスティーンは聞かれていなかったが（ちなみにこの作品は、『イメージ・オブ・ミー』という詩と、もっと程度の低い文章で書かれた、学生生活に関するエッセイとのあいだにはさまれて掲載された）。これはどの点から見ても、経験が不足していると同時に、自身というものをもっていない若者の作品といえる。

しかし、これはわたしが書いたものの中で、自分の作品だと思える最初の小説だった——五年間の試行錯誤のあとで、心から完全に自分のものだといえる最初の小説だった。処女作というものは、たとえ支柱を取り去ったとしても、一本立ちしていられるものだろう。醜悪だが生きている。今、これを読み返し、見せかけだけのタフさと仰々しさに、微笑を噛《か》み殺しながらも、活字が並んだ一行一行の背後に潜んでいるゴードン・ラチャンスの顔が見える。現在生きてものを書いているゴードン・ラチャンスより若い彼が見える。現在のゴードン・ラチャンスは、ベスト・セラーの作家というより理想主義者であり、自分の著書よりペーパーバックの契約書を吟味しがちだが、レイ・ブラワーという名の少年の死体を見に、仲間と出かけていったあの日の彼のように若くはない。輝きを失っていく過程の中で、半ばまで連れそってきた、あのゴードン・ラチャンス。

いや、これはいい作品とはいえない――作者が他の声にばかり熱心に耳をかたむけて、当然耳をかたむけるべき内なる声をおろそかにしているからだ。だが、わたしがフィクションの中で、自分の知っている場所を使い、自分の感じていることを書いたのは、この作品が初めてだった。また、数年というもの、わたしはものの見方がいやになるほど陽気だ、ということで悩んでいたのだが、それを新しい表現形式でおおうことに成功したのも初めてだった。つまり、無理に抑制する形式だ。まだ幼い頃《ころ》、気味が悪いほどきちんと保存されたデニーの部屋のクロゼットには、デニーがいるという考えがうかんでから、もう何年もたっていた。自分ではもう忘れてしまったと、心から信じていたことだろう。だが『スタッド・シティ』には、少し変形しているだけで、それが出てくる……だが、抑制されている。

わたしはこれをもっと変えたい、書き直したい、活気づけたい、という強い衝動に抵抗している――そして、この作品が気恥ずかしいものだとわかったために、その衝動はかなり強くなってきている。とはいえ、この作品には気に入っている点が多々ある。ついに髪に白いものがまじりはじめた後年のラチャンスに書き変えられては、安っぽくなってしまう点が多々あるのだ。たとえば、ジョニイの白いTシャツに見える背骨の影のイメージとか、ジェーンの裸身に模様をつける雨の水滴のイメージとか、そういう個所はそのままにしておく権利をもっている以上に、よくできていると思われる。

残念ながら、これは父と母の目に触れさせなかった最初の作品でもある。デニーの影が濃すぎる。キャッスル・ロックの描写が多すぎる。そしてなによりも、六〇年代の色が強すぎる。真実を知るということは、自分自身を、あるいは他人を切り刻むがゆえに、つねに血にまみれたショウがつきまとうものだ。

9

わたしの部屋は二階だが、室温は少なくとも摂氏三十七度はあったにちがいない。午後になれば、たとえ窓を全部開け放っても、摂氏四十三度ぐらいになるだろう。わたしは夜、この部屋で寝なくてすむのがとてもうれしかったし、これから出かける場所のことを思うと、またあらためて胸がわくわくしてきた。毛布を二枚、ぐるぐる巻きにして、古いベルトで縛る。現金をかき集めてみると、六十八セントあった。これで用意ができた。

家の表で空中にむなしい虹《にじ》を作りながら、そのかなたをながめている父と顔をあわせたくなかったので、裏の階段を降りた。

サマー・ストリートから、近道に空っぽの駐車場を通りぬけ、カービン・ストリートに出る——今はキャッスル・ロック電話局が建っているところだ。カービン・ストリートを樹上の小屋の方に向かって歩いていると、縁石のところに車がとまり、クリスがおりてきた。クリスは片手に古いボーイ・スカウト・パックを、もう一方の手に物干し用ロープで縛った二枚の巻き毛布をぶらさげている。

「ありがとう、おじさん」クリスは運転していた男に礼を言い、車が走り去ると、とことことわたしの方に駆けてきた。くびからさげているボーイ・スカウトの水筒が、片方のわきの下を通って、尻《しり》のあたりにぶつかって揺れている。クリスの目はきらきらしていた。

「ゴーディ！　これ、見たいか？」

「うん、見たい。なんだい？」

「その前に、こっちへ来いよ」クリスはブルー・ポイント食堂と、キャッスル・ロック・ドラッグ・ストアのあいだの狭い路地を指さした。

「なんだい、クリス？」

「来いって言っただろ！」

クリスが路地に駆けこんだあとを、ほんの一瞬遅れて（賢明な判断というやつを捨てるのに、それだけの時間がかかったのだ）わたしも走って追いかけた。食堂とドラッグ・ストアは平行に並んでいるというよりは、ごくわずかに斜めに接しているため、路地は奥へ行くほど狭くなっている。わたしたちは古新聞が吹きだまりのように集まっているところを踏み越え、割れたビールびんやソーダのびんが光っている危険な巣をまたいで路地の奥へ行った。クリスはブルー・ポイント食堂の裏へまわりこむと、巻き毛布を地面におろした。そこはゴミの缶《かん》が八つも九つも並んでいて、信じられないほどひどい臭《にお》いがしていた。

「うへっ！　クリス！　行こうぜ、息をつかせてくれよ！」

「手をくれよ」クリスは反射的に応じた。

「いやだよ、頼むからさ、ここじゃ息が――」

ことばは口の中でとぎれてしまい、わたしはゴミ缶の悪臭もなにもすっかり忘れてしまった。クリスはパックをおろし、ふたを開けて中に手を突っこんでいた。その手が、黒っぽい木の握りの大きなピストルをつかんで現われたのだ。

「おまえ、ローン・レンジャーがいい？　それともシスコ・キッド？」クリスはにやにや笑っている。

「いったいぜんたいなんてこった！　どこで手に入れたんだ？」

「おやじの引き出しから失敬してきた。・四五だぜ」

「ああ、わかってる」そうは言ったものの、もしかすると、・三八か・三五七かもしれなかった――ジョン・D・マクドナルドやエド・マクベインを全部読んではいても、まぢかで見たことのあるピストルといえば、バナーマン巡査が携帯している銃だけなのだ……とはいえ、子どもたちがどんなにホルスターから抜いて見せてくれと頼んでも、バナーマン巡査は決してうんとは言わないだろう。「おまえね、おやじさんにみつかったら、皮をはがれちまうぞ。そうでなくたって、おやじさん、きげんが悪いって、おまえ言ってたじゃないか」

クリスの目がくるっと踊った。「それよ。おやじにゃ絶対みつかりっこないんだ。おやじはいつもの飲んだくれたちと、ワインを七、八本持って、ハリソンとこに腰をおちつけてる。あのぶんじゃ、一週間は帰ってこないな。くそったれの飲んだくれめ」クリスのくちびるがひん曲がる。わたしたち悪童仲間の中で、クリスだけは、たとえでっかいキンタマを見せることはあっても、酒だけは一滴も飲もうとしなかった。自分でも、父親のようにどうしようもない大酒飲みのおとなには、絶対になりたくないと言っていた。一度、クリスはわたしにだけ、こっそり打ちあけたことがある。自分は酒を飲むのがこわいのだと――それはふたごのデスペイン兄弟が、父親のところからビールの六本入りパックをくすねてきて、ひと口も飲もうとしないクリスが、みんなにさんざんからかわれたあとのことだった。わたしにだけ打ちあけてくれたとき、クリスは父親がもはや酒のびんを手放せなくなっていること、長兄が強姦《ごうかん》事件を起こしたときは、乳首から酒が出てくるほど酔っていたこと、次兄のアイボールがいつもエース・メリルや、チャーリー・ホーガンや、ビリー・テシオと、ワインとジンジャーエールを混ぜたパープル・ジーザーズをがぶ飲みしていることも話してくれた。そしてクリスはわたしにこう訊《き》いた。一度でも酒を飲んだら、酒びんから離れていようと決心しているおれの勝ち目は、いったいどうなると思う？ と。わずか十二歳の少年がアル中予備軍になるかもしれないと恐れているのを、滑稽《こっけい》だと思う人もいるだろうが、当のクリスにとっては滑稽どころではなかった。とんでもない。クリスはその可能性について、じっくり考えた。その恐れには根拠があったのだ。

「実弾は？」

「全部で九発――箱の中にそれだけ入ってた。おやじのやつ、酔っぱらったときに缶でも撃ったんだと思いこむさ」

「装塡《そうてん》してあるのかい？」

「まさか！ おまえね、おれをなんだと思ってんの？」

とうとうわたしは銃を手に取った。手の中のずしりとした重みが気に入った。わたしは『麻薬密売人』の犯人を追いかける87分署のスティーブ・キャレラになった気分だった。あるいはやけっぱちになったジャンキーのみすぼらしいアパートに踏みこむ、マイヤー・マイヤーとクリングを掩護《えんご》しているスティーブ・キャレラか。わたしは悪臭を放っているゴミ缶のひとつに狙《ねら》いをつけ、引き金をしぼった。

バーン！

わたしの手の中で銃がはねあがった。銃口から火が吹いた。手首が折れてしまったかと思った。口からとびだしそうになった心臓がすばやくもとにもどり、震えながらその場にうずくまった。ゴミ缶の波形のついた金属の表面に、大きな穴があいている——邪悪な魔法のしわざだ。

「ひええっ！」わたしは悲鳴をあげた。

クリスは大笑いに笑っている——本当におもしろがっているのか、ヒステリックな恐怖のせいなのか、わたしにはわからない。「やった！　やった！　ゴーディがやった！」クリスは大声ではやしたてた。「おーい、ゴードン・ラチャンスがキャッスル・ロックを銃撃してるよーう！」

「うるさい！　逃げろ！」わたしはそう叫んでクリスのシャツをひっつかんだ。

わたしたちが走りだしたとたん、ブルー・ポイント食堂の裏口のドアがぱっと開き、白いレーヨンのウェイトレスの制服を着たフラーンシーン・タッパーが出てきた。

「誰《だれ》なのさ？　ここでカンシャク玉なんか投げてたのは誰なの？」

わたしたちは必死になって走り、ドラッグ・ストア、金物屋、それに骨董品《こっとうひん》やがらくたや十セント本を売っている〈エンポリウム・ガロリウム〉の裏を逃げていった。手にとげを刺されながら板塀《いたべい》を乗りこえ、ようやくカラン・ストリートにたどりついた。走っている途中、わたしは・四五をクリスに投げ返してやった。クリスは笑い死にしそうな状態だったが、ちゃんと銃を受けとめ、どうにかパックの中に突っこんで、ふたのスナップをひとつ留めるぐらいのことはやってのけた。カラン・ストリートの角を曲がり、カービン・ストリートに出ると、暑い中を走ったりして、みんなに疑惑の目を向けられないよう、走るのをやめて歩きだした。クリスはまだくすくす笑っている。

「おまえの顔、見せてやりたかったよ、ほーんと、なんともいえない顔してた。すっごくおもしろかったぜ。くそったれの優等生さんよ」クリスはくびを振り、太腿《ふともも》をぴしゃりと打ち、けらけら笑った。

「装塡してあるの、知ってたんだな？　この、ばかやろう！　厄介《やっかい》なことになる。おれ、タッパーのねえちゃんに見られてしまった」

「なに言ってんだい、彼女、あれは爆竹だと思ったさ。それに、あのデカパイ・タッパーが自分の鼻の先より向こうは見えないの、おまえだって知ってるだろ。メガネをかけると、うるわしーいお顔がだいなしになると思ってんだよ」クリスは片手を腰のくぼみにあて、尻《しり》をぐっと突き出すと、またげらげらと笑った。

「なら、いい。だけどあれは卑劣な引っかけだったぞ、クリス。ほんとに」

「まあまあ、ゴーディ」クリスはわたしの肩に手をおいた。「神かけて、おふくろの名にかけて、おれ、装塡されてるのは知らなかったんだ。おやじの引き出しから取ってきただけなんだから。いつも装塡はしてないんだ。おやじのやつ、あれを最後にさわったとき、ぐでんぐでんに酔ってたにちがいない」

「本当におまえが装塡したんじゃないんだな？」

「しませんでした」

「おまえが嘘《うそ》をついて、おふくろさんが地獄に落ちるとしても、おふくろさんの名にかけて誓うんだな？」

「誓います」クリスは十字を切り、唾《つば》を吐いた。その顔は少年聖歌隊員のように他意がなく、悔悛《かいしゅん》の意を表わしていた。しかし、わたしたちの樹上の小屋のある、使われていない駐車場まで行き、バーンとテディが巻き毛布の上にすわってわたしたちを待っているのを見ると、クリスはまたもや笑いだした。そして二人に顚末《てんまつ》を話してきかせた。みんなの大笑いがおさまったあと、テディはクリスになんだってピストルが必要だと思ったのか、と訊いた。

「べつに」クリスは答えた。「でもさ、クマを見かけないともかぎらないし、なんかそんなもんをさ。それに森の中で夜寝るのは、おっかないいんだぜ」

それにはみんなもうなずいた。わたしたちの仲間の中では、クリスがいちばん体が大きくて、いちばんタフなのだが、彼はいつも平気でそんなことをすんなり口にできた。その反対にテディは、暗闇《くらやみ》がこわいということをほんの少しでも表に出すぐらいなら、自分の尻をなめただろう。

「裏庭にテントを張ってきたかい?」テディはバーンに訊いた。

「うん。それから暗くなってからも、おれたちがテントの中にいると見えるように、懐中電灯を二本、つけっぱなしにしてきた」

「やるう!」わたしはバーンの背中をたたいた。彼にしては、それは本当に上出来の考えだったのだ。バーンは赤くなってにやっと笑った。

「じゃ、行こう」テディが言った。「もう十二時になっちまうぜ!」

クリスが立ちあがり、わたしたちは彼のまわりに集まった。

「ピーマンの畑を横切って、サニーのテキサコの側《そば》の家具置き場の裏を通る」クリスは説明した。「それからゴミ捨て場の横の線路に出て、鉄道の構脚《トレッスル》を渡ってハーロウに入る」

「どれぐらいの距離があると思う?」テディは訊いた。

クリスは肩をすくめた。「ハーロウは広いからな。少なくとも二十マイルは歩くことになる。そんなもんだろ、ゴーディ?」

「ああ。もしかすると三十マイルってこともあるね」

「たとえ三十マイルあるとしても、明日の午後までには向こうに着いてなきゃならない。女々しいやつがいなけりゃな」

「ここには女なんていないよ」すぐさまテディが応じた。

わたしたちは一瞬、たがいの顔を見た。

「いやだわあ」バーンが妙な声をだし、みんな大笑いとなった。

「行こうぜ、みんな」クリスは肩にパックをかついだ。

わたしたちはそろって、人も車もいない駐車場を出発した。クリスがほんの少し、みんなの先を歩いた。

10

ビーマンの畑を横切り、スラグの多い土手を苦労してよじのぼり、グレート・サウザン・アンド・ウェスタン・メイン鉄道の線路にたどりついた頃《ころ》には、わたしたちは全員シャツをぬいで、腰に縛りつけていた。みんなブタのように汗びっしょりだ。土手の上に立つと、わたしたちの目的地に向かってのびている線路が見おろせた。

いくつになっても、わたしはその瞬間のことを忘れないだろう。当時、仲間のうちで腕時計をもっているのはわたしだけだった――その前の前の年に、クロベリン・ブランド・サルブの売り出し用の景品として手に入れた、安物のタイメックスだ。そのタイメックスの針は二本とも12をさし、目前に広がった乾いて陰ひとつない風景を、太陽がものすごい熱気とともに、ぎらぎらと照りつけていた。頭の中にしみとおって、脳がフライになりそうな気がしたものだ。

わたしたちの背後にはキャッスル・ロックの町が、キャッスル・ビューとして知られている長い低い山のふところに抱かれるように、緑と陰のある町が広がっていた。

キャッスル・リバーのはるか下流の方に、ウール工場の組み合わせ煙突から空に青銅色の煙を吐き出し、川に廃水を吐き出しているのが見える。わたしたちの左手にはジョリイ家具倉庫が見える。そしてわたしたちの目前には、太陽を反射してきらめく鉄道線路がまっすぐにのびている。線路は左手のキャッスル・リバーと平行に走っている。右手には茂りすぎた叢林地《そうりんち》がある（現在はオートバイのレース場になっていて、毎週日曜日の午後二時に、スクランブル・レースが行なわれている）。地平線には廃棄された古い給水塔が、錆《さ》びつき、どことなくおどろおどろしい感じで立っている。

その日の正午かっきり、わたしたちは一瞬そこに立ちつくしていた。やがてクリスがいらだった声で言った。「おい、行こうぜ」

わたしたちは線路のわきのスラグの上を、一歩ごとに黒い塵《ちり》けむりを立てながら進んでいった。じきにソックスも運動靴《ぐつ》も黒っぽいほこりだらけになった。バーンが『ロール・ミー・オーバー・イン・ザ・クローバー』を歌いだしたが、まもなくやめてしまい、おかげで耳を休めることができた。水筒を持ってきたのはテディとクリスだけで、その水もかなりの早さでなくなっていった。

「ゴミ捨て場の水場で、また水をつめられるさ」わたしは言った。「とうさんの話だと、あそこの井戸は安全なんだって。深さが百九十フィートあるんだとさ」

「オーケー」タフな歩兵小隊隊長のクリスが言った。「どっちにしろ、五分間休憩をとるには手頃なところだもんな」

「食料はどうなんだ?」唐突にテディが訊《き》いた。「なんか食う物を持ってこようなんて、思いついたやつはいないんじゃねえかな。おれは思いつかなかった」

クリスは立ちどまった。「くそっ、おれもだ。ゴーディは?」

どうしてそこに気づかなかったのだろうと思いながら、わたしはくびを横に振った。

「バーンは?」

「ぜんぜん。ごめん」

「それじゃ、金がいくらあるか出しっこしよう」わたしは腰に縛ったシャツをほどいてスラグの上に広げ、持ってきた六十八セントをシャツの上に落とした。陽光の中でコインがまぶしいほどに光る。クリスはくたくたの一ドル札と一セント玉が二個。テディは二十五セント玉が二個と五セント玉が二個。バーンは一セント玉が七個。

「二ドル三十七セント」わたしは数えた。「悪くないね。ゴミ捨て場に行く細い道の突きあたりに、店が一軒ある。みんなが休んでるあいだに、誰《だれ》かひとりが店に行って、ハンバーガー用の肉と、炭酸飲料を買ってこなきゃ」

「誰がさ?」とバーン。

「ゴミ捨て場でコインを投げて決めよう。行こうぜ」

わたしが金を全部ズボンのポケットにしまいこみ、もう一度シャツを腰に縛りつけているると、クリスが叫んだ。「列車だ!」

列車の近づいてくる音が聞こえているにもかかわらず、わたしはレールに片手をあてた。レールから単調な振動が強く伝わってくる。一瞬、わたしは手で列車をつかんでいるような気がした。

「落下傘《らっかさん》部隊、降下!」バーンが吠《ほ》え、ひどくおどけたようすで、土手を半分ほどとびおりた。バーンは足の下がやわらかいところ——砂利の穴だとか、乾草《ほしくさ》の山だとか、こういう土手だとか——ならどこででも、落下傘部隊ごっこをやりたがる。バーンのあとからクリスがとびおりた。もう列車の音が大きく聞こえてきていた。川の側《そば》をルイストンに向かって、まっしぐらに走っているにちがいない。テディは列車の進行方向と向かいあった。厚いメガネが陽光にきらめいている。長い髪が汗にぬれて、だらしなく眉《まゆ》にかぶさっている。

「行こう、テディ」わたしは言った。

「いいや、えへへ、おれはあいつをかわしてみせる」わたしを見たテディのレンズで拡大された目は、興奮してきちがいじみた光を放っていた。「列車かわしさ、わかるか？　トラックかわしにちなんで、列車かわしってのはどうだい？」

「おまえ、頭がおかしいぞ。死にたいのか？」

「ノルマンディの浜みたいなもんさ！」テディは叫び、線路のまん中に歩いていった。

そしてかろやかにバランスをとりながら、枕木《まくらぎ》の上に立った。

わたしは愚かさというものの幅の広さ、奥ゆきの深さがどうしてものみこめず、つかのま、呆然《ぼうぜん》と突っ立っていた。そしてテディをひっつかむと、抵抗し、文句を言っている彼を土手まで引きずっていき、突き落とした。つづいてわたしがとびおりると、まだ下におりきらないうちに、テディが腹に殴りかかってきた。わたしは思わず悲鳴をあげたが、膝《ひざ》でテディの胸を蹴《け》り返す余裕があった。テディはあおむけに倒れ、土手をあがることはできなくなった。わたしが土手におり、あえぎながら手足を伸ばしてぐったりとすわっていると、テディがくびに組みついてきた。わたしたちが殴りあい、引っかきあいながら、土手の下までころがっていくのを、クリスとバーンはばかみたいなあきれ顔で見ていた。

「このチビのろくでなしめ！」テディはわめいた。「くそったれ野郎！　おれにえらそうなまねはするな！　殺してやるからな、ぐずめ！」

わたしは呼吸をととのえて、立ちあがった。半分笑い、半分おびえながら、手のひらを広げてテディのパンチを受けとめ、体をひいて彼を先に行かせた。テディが本気でこぶしをふりまわしだすときは、うっかりあなどれない。そういう状態になると、テディは体の大きな相手にもかかっていき、両腕を折られたら、嚙《か》みつくのだ。

「テディ、これからみつけにいくものをみつけたあとなら、いくらでも好きなものをかわしていいけど——」

ガツン！ 勢いよくくりだされたこぶしがわたしの肩にあたった。

「——それまでは、人に姿を見られない方がいい——」

ゴツン！ 今度は横っつらを殴られた。そのとき、「ばかなまねはやめろ！」と、クリスとバーンがわたしたちにとびつき、引き離してくれなかったら、本当のけんかになっていただろう。そんな状態のわたしたちの頭上を、ディーゼル・エンジンの雷のような音と、貨車の車輪の重々しい金属音を響かせ、列車が通過していった。土手からスラグがころがり落ちてきて、わたしたちの言い争いも終わった。……少なくとも、たがいの話がふたたび聞こえるようになるまでは。

連結車数の少ない列車で、最後尾の車掌車が通過してしまうと、テディは言った。

「こいつを殺してやる。せめて口がはれあがるぐらい殴ってやる」テディはクリスの腕の中でもがいたが、クリスはいっそう腕に力をこめただけだった。

「おちつけよ、テディ」クリスは穏やかに口を切り、テディがもがくのをやめておとなしくなるまで、なだめつづけた。テディのメガネは斜めにずり落ち、補聴器のコードはぐんにゃりと、胸から、ジーンズのポケットに入れてあるバッテリーのところまで垂れさがっている。

テディが完全におちつくと、クリスはわたしの方を向いた。「ゴードン、なんだってけんかになったんだ？」

「彼は列車かわしをやりたかったんだ。ぼくは機関士にみつかったら、報告されると思った。もしかしたら警官《おまわり》に連絡がいくかもしれない」

「ふふんだ、おまわりなんざクソをするので忙しいさ」テディはそう言ったが、もう怒ってはいないようだ。嵐《あらし》はおさまった。

「ゴーディは正しいことをしようとしたのさ」バーンは言った。「さ、ピース」

「ピースだよ、二人とも」クリスも言った。

「うん、いいよ」わたしは手のひらを上に向けて、片手をさしだした。「ピースだ、ね、テディ」

「おれならあいつをかわせたんだぞ」テディはわたしに言った。「わかってるだろ、ゴーディ？」

「うん」胸の中が冷たくなったが、わたしはうなずいた。「わかってるよ、テディ」

「オーケー、じゃ、ピース」

「手打ちだな」クリスはテディを放した。

テディはわたしの手がひりひりするほど強く、ばしっと手を重ね、その手を引っくり返して手のひらを上に向けた。わたしはテディの手を軽くたたいた。

「くそったれのラチャンスじょうちゃん」テディは言った。

「いやだわあ」わたしは応じた。

「おい、みんな」バーンが言った。「くそっ、いいかい？」

「どこでも好きなところでクソしていいが、ここでだけはだめだ」まじめくさってクリスがそう言うと、殴られたかのように、バーンはたじろいだ。

11

一時半過ぎに、わたしたちはゴミ捨て場に到着し、バーンの「落下傘《らっかさん》部隊、降下！」の命令とともに土手をおりた。ひとっとびで土手のふもとにおりて、スラグの中から突き出ている土管から、じくじくとにじみ出ている塩気のある水の流れをとび越した。この小さな沼沢《しょうたく》地帯の向こうは、ゴミの散らばった、砂地のゴミ捨て場だった。

ゴミ捨て場の周囲には六フィートの高さのフェンスが張りめぐらされている。そして二十フィートごとに、風雨にさらされて字が薄れている立て札がたっている。立て札にはこう書いてある。

キャッスル・ロックゴミ捨て場
午後四時から八時まで
月曜休日
無断侵入をかたく禁ず

わたしたちはフェンスのてっぺんによじのぼり、乗り越えて下におりた。テディとバーンが先に立って、旧式のポンプのついた井戸――これだと、水くみを力仕事と呼ぶ必要がある――まで進んでいった。ポンプの柄《え》の横に、水がいっぱいに入ったクリスコの空《あ》き缶《かん》が置いてあり、次に来る人のために缶をいっぱいにしていくのを忘れるのは、大罪に値しそうだ。鉄の柄が斜めになっていて、飛び立とうとしている片翼の鳥のように見える。かつては緑色だったようだが、一九四〇年以来、何千本という手が柄を握りつづけてきたため、塗料はほとんどはげてしまっていた。

そのゴミ捨て場は、わたしにとってキャッスル・ロックの思い出の中で、もっとも強烈なもののひとつだ。そこのことを考えると、いつもシュールリアリストの画家のことを思い出してしまう——木のまたにぐんにゃり引っかかっている時計の文字盤とか、サハラ砂漠《さばく》のまん中に出現したビクトリア朝時代の居間とか、煖炉《だんろ》の中から走り出てくる蒸気機関車などを描く画家たちのことだ。子どもだったわたしの目には、キャッスル・ロックゴミ捨て場の中で、そこにふさわしい物などなにひとつ見あたらなかったのだ。

わたしたちは裏の方からゴミ捨て場に入った。表から入ると、舗装してない広い道がゲート内につづき、ブルドーザーが滑走路のように平らにならした半円形の広場に出る。その広場はゴミの穴の縁で、突然に行きどまりになっている。ポンプ（目下、テディとバーンがその側《そば》で、どっちが先に使うかで言い争っている）は、その巨大なゴミの穴の裏っかわにあった。ゴミの穴は深さ八十フィートぐらいで、空っぽになった物、使い古されたもの、もはや使いものにならなくなった物など、ありとあらゆるアメリカの品々でいっぱいになっていた。あまりにもさまざまな物があるために、見ているだけでわたしの目は痛んだ——いや、あるいは、どこに目をとめればいいのか決心がつかず、実際に痛むのは頭の方かもしれない。そのうちに、ぐんにゃりした時計の文字盤とか、砂漠の中の居間のように、場ちがいに見える物に、目をとめるか、否応《いやおう》なく引きつけられるか、するだろう。陽光の中で、真鍮《しんちゅう》のベッドの枠《わく》がねじれて歪《ゆが》んでいる。小さな女の子の人形が、詰め物を生み出すかのように、驚いた目で自分の腿《もも》のあいだをのぞきこんでいる。引っくり返ったステュードベイカーが、SF漫画『バック・ロジャース』に出てくるミサイルのような、ずんぐりしたクロームの鼻先に陽光を受けて、きらきら光っている。オフィス・ビルディングで使われていた水を入れる大きなびんが、夏の太陽のもとでは、熱くきらめくサファイアと化して見える。

また、このゴミ捨て場には、野生の生き物たちがたくさんいた。といっても、それは決してウォルト・ディズニーの自然映画や、動物をなでてやれるような飼育動物園などで見かける種類のものとはちがったが。ここに棲息《せいそく》しているのは、腐ったハンバーガーとか、蛆《うじ》のわいた野菜とか、栄養満点の食い物で丸々太ったネズミに、毛なみのつやつやした動きのにぶいマーモット、何千羽ものカモメ、そしてカモメの群れの中を、思慮深く、内省にふけっている聖職者のようにゆったりと歩いている大きなカラス。そしてまた、ここは町ののら犬たちのたまり場でもあった。のら犬たちは、町で引っくり返せるようなゴミ缶がなかったとき、追いかける鹿《しか》がいなかったとき、ここに餌《えさ》を求めにやってくる。どれもみすぼらしく、気性の荒っぽい雑種犬だ。陽《ひ》に照らされて蛆のわいたボローニャ・ソーセージのひと切れ、悪臭のするニワトリの臓物のひと山をめぐって、あばら骨のういた犬たちは、激しく歯をむきだしながら、たがいに闘うだろう。

しかしそういうのら犬たちも、ゴミ捨て場の管理人のマイロ・プレスマンを襲うことはない。なぜならばマイロはかたときも、チョッパーを手許《てもと》から離したことがないからだ。チョッパーというのは——少なくとも二十年後に、ジョー・キャンバーの飼い犬のクージョが狂犬病にかかるまでは——四十マイル四方（とわたしたちは聞いていた）にわたって、もっともたちが悪く、時計さえ打つのをやめてしまうほど醜い犬だった。子どもたちはチョッパーのたちの悪さに関する伝説を、ひそひそとささやきあった。ある者はチョッパーは半分ドイツ・シェパードの血がまじっていると言い、またある者はボクサーの血が濃いと言い、キャッスル・ビュー出身のヘアリー・ホアー（毛深い淫売《いんばい》）という不幸な名をもつ子どもは、チョッパーは声帯を手術して除去されたドーベルマン・ピンシャーで、声帯がないために、声をたてて気づかれることもなく攻撃できるのだ、と主張していた。さらに、チョッパーはきちがいじみたところのあるアイリッシュ・ウルフハウンドで、マイロ・プレスマンは餌として、ゲインズ・ミールとニワトリの血をまぜた特別なものを与えているのだ、という子も数人いた。この子たちは同時に、チョッパーに鷹狩《たかが》り用のタカのような目隠しをしないうちは、マイロは絶対に小屋から連れ出さない、とも主張した。

とにかく、いちばん共通しているのは、マイロはチョッパーをただけしかけるだけではなく、人間の体の特別な部分を襲うよう訓練してある、という話だった。したがって、禁制の宝物を拾いたくて不法にゴミ捨て場のフェンスをよじのぼった不運な子は、マイロ・プレスマンの「チョッパー！　かかれ！　手だ！」という叫びを聞くことになるかもしれない。するとチョッパーが子どもの手に嚙《か》みつき、マイロがやめさせるまでに、よだれでいっぱいのあごのあいだで、皮膚を嚙みさき、腱《けん》を嚙み切り、骨をこなごなに嚙みわってしまうことだろう。噂《うわさ》によると、チョッパーは、片耳、片目、片足、あるいは足のどこかという命令を聞き分けることができ……次の瞬間、マイロと忠実なチョッパーに驚いている侵入者は、「チョッパー！　かかれ！　キンタマだ！」という恐ろしい叫びを聞くはめになるだろう。その子は残りの生涯《しょうがい》をソプラノの声のますますごすことになる。マイロ自身の姿はチョッパーより一般的に見かけられているので、さらに一般的に注目を集めていた。マイロは頭の鈍い働き者で、人々が捨てた物を修理しては町の周辺の人々に売って、町からもらう給料を補充していた。

その日はマイロの姿もチョッパーの姿も見えなかった。

クリスとわたしはテディが必死になってポンプを押し、バーンが先に水を使うのを見ていた。ようやく澄んだ水があふれるように出てきた。一瞬後、テディとバーンの頭が水槽《すいそう》の中にもぐっていた。テディは分速一マイルでポンプを押しながら、水槽に頭を突っこんでいるのだ。

「テディはおかしいよ」わたしは低い声で言った。

「うん」クリスは淡々と答えた。「あいつ、今の年の倍ぐらいまでしか生きないんじゃないかな。あいつのおやじがあいつの耳をあんなふうに焼いてしまった。そのせいだな。あいつはやっきになってトラックをかわしてる。メガネをかけてても、かけてなくても、あいつにはものの価値がわからないんだ」

「木のときのこと、憶《おぼ》えてる？」

「うん」

前の年、テディとクリスはわが家の裏にある大きな松の木に登っていた。ほとんどてっぺん近くまで登ったとき、クリスがこれ以上は枝が腐ってて登れないと言った。

テディはかっとなり、強情な顔でばかを言えと言い返し、両の手のひらを松ヤニだらけにして、てっぺんの梢《こずえ》にタッチするまで登ると言いはった。それにはクリスも一言もなかった。そしてテディは登っていき、実際に梢のてっぺんに達した――そのときの彼の体重は七十五ポンドぐらいしかなかったと思う。テディは松ヤニでねとつく片手で松の梢をつかみ、枝の上に立ちあがって、おれは世界の王だとかなんとかばかなことを叫んでいた。と思うと、テディが立っていた枝が吐き気のするような、いやな音をたてて折れ、テディはまっすぐに落ちてしまった。次に起こった出来事を見れば、誰《だれ》でもきっと神がおわすにちがいない、と確信しただろう。まったく反射的に手を伸ばしたクリスは、テディ・デュシャンの髪の毛をひとふさ、しっかりと捕まえていたのだ。その後クリスの手首ははれあがり、二週間というもの右手をうまく使えなかったが、とにかくそのときは、クリスは悲鳴をあげ悪態をついているテディを引っぱりあげ、彼の体重を支えてくれるだけの太さのある、腐りのきていない枝に立たしてやったのだ。クリスがやみくもに捕まえなかったら、テディは途中でさかさになり、百二十フィート下の松の根元に激突していただろう。松の木からおりてきたとき、クリスの顔は灰色で、恐怖の反動で今にも吐きそうだった。それなのにテディは、髪を引っぱったという理由で、クリスとけんかをしたがったのだ。わたしがその場にいて仲裁をしなかったら、二人ともけんかをしていただろう。

「ときどきあの日のことを夢に見るよ」クリスはそう言って、奇妙に無防備な目でわたしを見た。「ただし、夢の中じゃ、おれはいつもあいつをつかみそこねるんだ。髪の毛を二、三本つかむだけで、テディは悲鳴をあげて落ちてしまう。気味が悪いだろ？」

「気味が悪いな」わたしは同意した。そしてほんの一瞬、わたしたちはおたがいの目をみつめあい、そこにわたしたちを友達として結びつけているある真実を見いだした。すぐにわたしたちはふたたび目をそらし、水をかけあって、かん高い声で叫び、笑い、たがいにおじょうちゃんと呼びあっているテディとバーンをみつめた。

「でもさ、おまえはテディをつかみそこねやしなかった」わたしは言った。「クリス・チェンバーズは決してミスったりしない。そうだろ？」

「レディ用に便座がおろしてあるトイレに小便するときも」クリスはわたしにウインクすると、親指と人さし指で丸を作り、その中をきれいにくぐらせて白い唾《つば》をとばした。

「あたいを生《なま》で食べちゃって」わたしは言った。

「粉砂糖をまぶしてな」クリスはそう答え、わたしたちはにやっと笑った。

バーンが呼んでいる。「パイプん中をもどっちまわないうちに、水を使えよ！」

「競争しよう」クリスは言った。

「この暑いのに？　頭が変になったな」

「やろうぜ」クリスはまだにやにや笑っている。「来いよ」

「オーケー」

「ゴー！」

わたしたちは走った。運動靴《ぐつ》で太陽に灼《や》かれた堅い土を掘り返し、上体をブルージーンにつつまれた脚より前に出して、こぶしを握りしめて走る。デッド・ヒートとなり、バーンはクリスを、テディはわたしを応援し、まったく同時に中指を立ててみせた。わたしたちは静かな、煙の匂《にお》いのする場所で笑いくずれ、クリスはバーンに水筒を放《ほう》った。水筒が満たされると、クリスもわたしもポンプのところまで歩いていき、最初にクリスがポンプの柄《え》を押し、次にわたしが押して、交互に水を使った。はっとするほど冷たい水が、汚れと、体の中の熱気を洗い流してくれ、頭皮に四カ月も先の一月の冷たさをもたらしてくれた。それからわたしはラードの空き缶をふたたび一杯にした。わたしたちはそろって、ゴミ捨て場に一本だけある木、マイロ・プレスマンのタール紙の小屋から、四十フィートほど離れたところに生えている発育の悪いトネリコの木の陰にすわりこんだ。トネリコの木はかすかに西の方に向かって曲がっていた。それはまるで、老婦人がスカートをつまむように、自分の根っこをつまみあげて、ゴミ捨て場から出て行きたいのだ、といわんばかりに見えた。

「最高！」クリスは笑い、もつれた髪を眉《まゆ》の上からかきあげた。

「大満足」わたしはうなずき、まだひとりでにやついていた。

「あーあ、ほんとにいい休憩だ」バーンは単純にそう言った。ゴミ捨て場でどれぐらい休めるかとか、仲間をごまかそうとか、線路をたってハーロウに入ろうとか、そんなことはひとことも言わなかった。今にして思うと、彼はそんなことをすべて含めてそう言っただけではなく、それ以上のことを、仲間全員が知っていることをも言ったようだ。バーンのことばはすべてを語り、わたしたちの気持を言い表わしていた。わたしたちは自分が何者であるかをちゃんと承知していたし、これからどこに行こうとしているのかも、ちゃんと承知していた。それはたいへんなことだった。

わたしたちは木陰にすわり、しばらくのあいだ、いつものようにくだらない話に夢中になっていた――最高の野球チームはどこか（もちろん、マントルとマリスのいるヤンキーズだ）とか、いちばんかっこいい車はどれか（テディはがんこに五八年型シボレーだと言いはったが、他の者は五五年型サンダーバードだった）とか、われわれの仲間以外の者で、キャッスル・ロックでいちばんタフなやつは誰か（全員一致でジェミー・ギャランだった。彼はミセス・ユーイングに中指を立てる卑わいなしぐさをしてみせ、ミセス・ユーイングが叱《しか》っているさいちゅうに、ポケットに両手を突っこんで、ゆったりと教室から出ていってしまったのだ）とか、いちばんおもしろいテレビ番組はどれか（『アンタッチャブル』と『ピーター・ガン』だ――エリオット・ネスに扮《ふん》するロバート・スタックも、ガンに扮するクレイグ・スティーブンズも、どちらもクールでかっこよかった）とか、そんな話だった。

トネリコの木の影が長く伸びたのに最初に気づき、何時だとわたしに訊《き》いたのは、テディだった。わたしは時計を見て、二時を十五分も過ぎているのに驚いた。

「おい、みんな」バーンが言った。「誰か食料の調達に行かなきゃ。ゴミ捨て場は四時に開く。マイロとチョッパーが現われるまでここにいるの、おれ、いやだよ」

これにはテディでさえ同意した。テディは太鼓腹で四十歳になるマイロのことはこわがっていなかったが、キャッスル・ロックの子どもたちは誰でも、チョッパーの名前を聞くと、キンタマがちぢみあがってしまうのだ。

「オーケー」わたしは言った。「コイン投げで半端《はんぱ》なやつが行く」

「そんなら、おまえだな、ゴーディ」クリスが笑いながら言った。「おまえはりっぱなぐらい半端だもの」

「そいつはおまえのおふくろさんのことだろ」わたしは言い返し、みんなに一枚ずつコインを渡した。「それっ！」

陽光の中で四枚のコインが光った。四本の手が空中でコインを受けとめる。あかじみた四本の手首の上で、四つ、ぴしゃっという音がたつ。わたしたちは手をどけた。二枚が表で二枚が裏。もう一度やってみると、今度は四枚とも裏だった。

「やれやれ、これじゃグーチャーだ」バーンはわたしたちの知らないことは言わない。四枚ともコインの表の頭部をかたどった方が出るとムーンで、非常に幸運だと考えられていた。四枚とも裏というのは、グーチャーで、非常に運が悪いことを示す。

「そんなの、くそくらえだよ」クリスは言った。「なんの意味もないさ。もう一回やろう」

「やめようよ」バーンは本気だ。「グーチャーってのは、本当によくないんだ。ダラムのシロス・ヒルで、クリント・ブラッケンとその仲間が死んでしまった事件、憶えているだろ？　ビリーの話だと、彼らは誰がビールを買いにいくかでコイン投げをして、グーチャーになったんだって。それからみんなで車に乗りこんだ。そうしたら、ガツーン！　全員死んじまったんだ。おれ、そんなのいやだ。ぜーったい、いやだ」

「ムーンだとかグーチャーだとか、そんなばからしいこと信じてるやつなんかいるもんか」テディはいらいらした口調で言った。「そんなの子どもっぽいぜ、バーン。コインを投げるのか投げないのか、どっちだよ？」

バーンは投げたが、見るからに気が進まないようすだった。今度はバーンと、クリスと、テディの三人が裏だった。わたしは五セント玉のトーマス・ジェファーソンの方を出していた。とつぜん、わたしは恐ろしくなった。太陽に影がさしたような気持だった。彼らは依然としてグーチャーのままなのだ。二度目は、悪い運が彼ら三人だけを指さしたかのようだった。わたしはふいにクリスの言ったことを思い出した。クリスはこう言ったのだ。「髪の毛を二、三本つかむだけで、テディは悲鳴をあげて落ちてしまう。気味が悪いだろ？」

裏が三枚、表が一枚。

そのときテディが例のきちがいじみた耳ざわりな笑い声をあげ、わたしを指さしたために、わたしの奇妙な感じも消えてしまった。

「そんなふうに笑うのは妖精《ようせい》だけだと聞いたけどな」わたしはテディに向かって中指を立ててみせた。

「ぎーっひっひっひ、ゴーディ」テディは笑った。「食料調達に行ってきな、美少年のぼうやちゃん」

それはべつに嫌《いや》ではなかった。ゆっくり休んだので、フロリダ・マーケットまで行くのは、少しも苦ではなかった。

「おまえのおふくろさんのペットの名前で、ぼくを呼ぶのはやめろよな」わたしはテディに言った。

「ぎーっひっひっひ、ラチャンス、おまえはほんとにまぬけだな」

「行けよ、ゴーディ」クリスが言った。「おれたち、線路のわきで待ってる」

「ぼくぬきで行く方がいいんだろ」

バーンが笑った。「おまえぬきで行くなんて、バドワイザーのかわりにスリッッツで酔うみたいなもんさ、ゴーディ」バーンはシュリッツをスリッッツと発言した。

「黙れ」

みんなはいっせいにはやしたてた。「おいらは黙らず、おとなになるさ。おまえを見たら、吐き気だよ」

「そんときは、おまえたちのおふくろさんが掃除にきて、なめてきれいにしてくれるさ」わたしはそう言うと、尻《しり》をあげて歩きだし、肩越しにみんなの方に中指を突き立ててみせた。わたしはこの十二歳のときの仲間たちのような友人は、その後ひとりももてなかった。世間の人はどうなのだろう?

12

十人十色、人それぞれとよく言うが、まったくそのとおりだ。たとえばわたしが〝夏〟と言っても、それを聞いた人はそれぞれの個人的なイメージでとらえるだろうし、それはわたしのイメージするものとはぜんぜんちがっているだろう。そのとおりだ。だが、わたしにとって、〝夏〟といえば、つねに、ポケットの小銭をじゃらじゃら鳴らし、ケッズの運動靴《ぐつ》をはいて、摂氏三十二度の炎天下をフロリダ・マーケットへ走っていった日のことを意味する。そしてまたそのことばは、魔法のように、遠近法どおり遠くで点になって見えるGS&WM鉄道の線路のイメージをともなう。陽光のもとでむしろ白く光っていた線路は、目を閉じてもなお、闇《やみ》の中に光って見えた。もっとも、闇の中の線路は白ではなく青かったが。

しかし、わたしたちが川を越えてレイ・ブラワーを探しに行った旅は、確かに最大の影を残しているが、〝夏〟にはそれ以上のものがある。たとえばザ・フリートウッズが歌う『カム・ソフトリイ・トゥ・ミー』とか、ロビン・リュークが歌う『スージー・ダーリン』、それにリトル・アンソニーのボーカルの『アイ・ラン・オール・ザ・ウェイ・ホーム』。これはみんな一九六〇年夏のヒット曲ではなかったか？　イエスでありノーである。おおむねイエス。長い紫色の夕暮れに、WLAMから流れるロックン・ロールが、WCOUのナイター放送にまじって聞こえてきたとき、時代が変わったのだ。わたしはそれが一九六〇年のすべてだと思うし、六〇年の夏は年月の空白をもつこともなく、音楽というクモの巣を、魔法のように無傷のまま保存したのだと思う。コオロギの陽気な鳴き声、冷たい肉料理と冷やしたお茶の夕食に遅れた少年が、必死にペダルをこいでいく自転車のスポークにはね返る、カードを切るようなマシン・ガンの咆哮《ほうこう》、〝いっしょに来て、わたしのパーティ・ドールになっておくれ、そうしたら、わたしはおまえに夢中になるだろう、おまえに〟と歌うバディ・ノックスの平板なテキサスなまりの声、歌と、刈りたてのみずみずしい芝生の匂《にお》いとがまじりあった野球の実況放送のアナウンサーの声。〝現在ツー・ストライク、スリー・ボール。ホワイティ・フォードが身をのりだしています……サインにくびを振る……今度はうなずきました……フォード、待つ……投げました……いい球！　ウィリアムズ、打ちました！　ボールにさよならキッスを送っています！　レッド・ソックス、リード、三対二！〟さて、テッド・ウィリアムズは一九六〇年に、まだレッド・ソックスでプレイしていただろうか？　確かそうだった。賭《か》けてもいい――わがテッドは三割一分六厘《りん》の打者だった。わたしは鮮明に憶《おぼ》えている。その二年ほど前、野球の選手たちは、わたしと同じように血と肉をそなえているのだという事実に直面したときから、わたしにとって野球は重要な関心事になっていた。その事実に直面したのは、ロイ・カンパネラの車が引っくり返り、新聞が第一面に悲惨なニュースを書きたてたときだった。ロイ・カンパネラの野球人生は終わり、残りの生涯《しょうがい》を車椅子《くるまいす》ですごさなければならなくなったのだ。それから二年たって、今も使っているこのタイプライターの前にすわったわたしは、ラジオをつけた。そしてサーマン・マンソンが飛行機で着陸しようとして死んだというニュースを聞いたとき、どういうわけかロイ・カンパネラのニュースを読んだときの、気分が悪くなるような重いショックがよみがえったものだ。

今はもうずっと前に取りこわされたジェム映画館に、映画を観《み》にいったこともあった。リチャード・イーガンの出演する『ゴグ』のようなSF映画や、オーディ・マーフィ（テディはオーディ・マーフィの映画ならどれも最低三回は観た。彼はマーフィをほとんど神だと信じていた）の西部劇、それにジョン・ウェインの戦争もの。あの時代にはゲームがあり、いつもそそくさとかきこんだ食事、刈りとる芝生、駆けまわれる場所、一セント銅貨を投げて遊べる壁があり、背中を親しくたたいてくれる人々がいた。そして今のわたしは、ここにすわってＩＢＭのキーボードの向こうをながめようとして、あの緑と褐色《かっしょく》の夏の最高最低のことを思い出そうとして、この成長した体の中に、まだあのやせっぽちのとるにたりない少年が埋もれているのを感じ、その声を聞くことができる。だが、この記憶とかの時代の究極的な姿は、ポケットを小銭でふくらませ、背中に汗をしたたらせながら、フロリダ・マーケットへの道を走っていた、ゴードン・ラチャンスなのだ。

わたしはハンバーガー肉を三ポンドとハンバーガー用のパン、コーク四本、それに二セントの栓《せんぬ》抜きを注文した。フロリダ・マーケットの店主ジョージ・デュセットは肉を取り出すと、レジスターにもたれかかり、太い腕をゆで卵を入れた大きなびんの横のカウンターに突いた。爪楊枝《つまようじ》をくわえ、風をいっぱいに受けた帆のように、白いＴシャツがビール腹でふくらんでいる男だ。デュセットはわたしが買い物をしているあいだ、なにもかっぱらったりしないように、そこにじっと立って見ていた。ハンバーガー用の肉を量り終わると、初めてデュセットは口をきいた。

「あんた、知ってるよ。デニー・ラチャンスの弟だ。そうだろ？」ボール・ベアリングのように、口の一方の端からもう一方の端まで爪楊枝が移動した。デュセットはレジスターのうしろに手をのばし、ソーケーのクリーム・ソーダのびんを取り出した。

「そうです。でもデニーは……」

「ああ、知ってる。気の毒なこった。聖書にいわく〝生のさなかに死あり〟とね。知ってたかい？　ふうん。おれは朝鮮で兄を失《な》くした。おまえさん、デニーにそっくりだって、みんなに言われないかい？　ふうん。生き写しだあね」

「ええ、ときどき言われます」

「あの子がオール・コンファレンスに出た年のことを憶えてるよ。ハーフバック、だったな。ふうん。走れたかって？　そりゃあもうたいしたもんだった！　たぶんあんたは小さすぎて憶えていないだろう」デュセットはわたしの兄の美しい幻影でも見ているかのように、わたしの頭越しに、スクリーン・ドアの向こう、すさまじい熱気に満ちた外をながめた。

「ぼく、憶えてます。あの、ミスター・デュセット？」

「なんだね、ぼうず？」デュセットの目にはまだ思い出のもやがかかっていた。くちびるのあいだで、かすかに爪楊枝が揺れている。

「親指がスケールにのってます」

「ああん？」デュセットは親指のつけ根が白いエナメル台に、しっかりと押しつけられているのを見て驚いた。デュセットがデニスの話を始めたとき、わたしがわずかに彼から離れていなかったら、挽《ひ》き肉《にく》の陰に隠れて親指は見えなかっただろう。「おやおや、まったくだ。ふうん。おまえさんの兄さんのことを考えて、ぼうっとしてたらしいな。神よ、彼をいつくしみたまえ」ジョージ・デュセットは十字を切った。彼が親指を離したとたん、スケールの針は六オンスもどった。デュセットは挽き肉の山の上にもう少し肉を足し、白い肉屋の包み紙で肉をくるんだ。

「オーケー」爪楊枝をくわえたまま、デュセットは言った。「いくらになるかな。ハンバーグ肉が三ポンド、一ドル四十四セント。ハンバーグ・パンが二十七セント。ソーダ四本で、四十セント。栓抜き一個で二セント。しめて……」デュセットは買い物を詰める袋に計算をした。「二ドル二十九セント」

「十三セントです」わたしは言った。

デュセットはしかめっつらをゆっくりとあげた。「ああん？」

「二ドル十三セント。計算がまちがってます」

「ぼうず、おまえ――」

「計算まちがいですよ。最初、あなたは親指でスケールを押し、次に金額を多くごまかしましたね、ミスター・デュセット。ホステス・トゥインキィも追加しようと思っていたけど、やめます」わたしはデュセットの前のシュリッツのマットの上に、二ドル十三セントをたたきつけた。

デュセットは金を見て、次にわたしを見た。しかめっつらがひどくなり、額のしわがひびのように深くなっている。「おまえさん、なんなんだ？」低い声は気味が悪いほど親しげな調子だ。「秀才さんなのかね？」

「いいえ、ちがいます。でも、ぼくをだまそうたって、そうはいきませんよ。あなたが小さな子どもをだまそうとしているのを知ったら、あなたのお母さんはなんて言うでしょうね」

デュセットはコークのびんをガチャガチャいわせながら、手早く品物を袋に詰めた。わたしが袋を取り落として、コークのびんを割ってしまおうがどうしようが、わしは知らんとでもいうように、荒っぽく袋を突き出した。日に焼けた顔はまっかになり、さえない表情で、しかめっつらが貼《は》りついてしまったようだ。「オーケー、ぼうず、行っちまいな。さっさとおれの店から出てってくれ。今度店に来たら、たたき出すからな。ふん。くそったれのチビ秀才さんよ」

「二度と来ませんよ」わたしはスクリーン・ドアを押した。外は、緑と褐色と静かな光に満ち、眠気をもよおすような暑い午後だった。「ぼくの友達も絶対来ませんよ。四十人以上はいるけどね」

「おまえの兄貴は生意気じゃなかったぞ！」ジョージ・デュセットはどなった。

「くそったれ！」わたしはどなり返し、一目散に走りだした。

スクリーン・ドアが銃声のような音をたてて開き、デュセットの雄牛のような声がわたしを追ってきた。「今度店に来たら、その口をいやというほど殴ってやるぞ、このチンピラめ！」

わたしは最初の丘を越えるまで、走りつづけた。おびえてはいたが笑いをおさえきれず、心臓は胸の中ではねハンマーのように速い動悸《どうき》を打っていた。丘を越えると、わたしは走るのをやめて早足で歩きだし、ときどき肩越しにふり返っては、デュセットが車かなにかで追いかけてきていないのを確かめた。

デュセットは追いかけてこず、じきにわたしはゴミ捨て場のゲートに着いた。食料品の袋をシャツの内側に突っこみ、わたしはゲートをよじのぼって、猿《さる》のようにぶらさがって地面におりた。ゴミ捨て場を途中まで行ったとき、見たくないものが目に入った——目印になる小さなのぞき窓のついたマイロ・プレスマンの五六年型ビュイックが、タール紙の彼の小屋のうしろにとまっていたのだ。もしマイロにみつかったら、わたしは窮地に陥ってしまう。今のところマイロの姿も、悪名高いチョッパーの姿も見えないが、たちまちゴミ捨て場の裏の波型番線鉄網《チェイン・リンク》フェンスがとても遠くにあるように思えてきた。外をぐるっと回ればよかったと思ったが、ここまで来てしまったからには、回れ右をしてあともどりするのも遅すぎる。もしフェンスをよじのぼっているところをマイロにみつかったら、面目を失って家に帰ることになるだろうが、それよりも、マイロがチョッパーにかかれと命じることの方がよっぽど恐ろしい。

わたしの頭の中で身の毛のよだつバイオリンの音楽が始まった。わたしはなにげなさをよそおい、シャツの内側に食料品の袋を突っこんで、ゴミ捨て場と線路のあいだにあるフェンスに向かっているのは、ここの人間なんだと見えるように、一歩一歩足を前に運んだ。

あと四十フィートでフェンスというところまで来て、結局だいじょうぶじゃないかと思いはじめたとたん、マイロの叫び声が聞こえた。「おい！　おい、おめえ！　そこの子ども！　フェンスから離れろ！　出ていけ！」

利口なふるまいとしては、マイロのことばに従ってあともどりすることだったのだろうが、わたしはすっかり頭に血が昇ってしまい、利口なふるまいをするかわりに、けたたましい叫びをあげながら運動靴で地面を蹴《け》り、フェンスめがけて走りだしていた。フェンスの向こう側の下生えから、バーン、テディ、クリスの三人が出てきて、金網越しに心配そうな目でわたしを見ていた。

「こらっ、もどってこい！」マイロが吠《ほ》えている。「もどってこんと犬をけしかけるぞ、くそったれめ！」

それが健全でなだめるような調子の声だということにもまったく気づかず、わたしは腕を振って、いっそう懸命にフェンスめがけて走った。茶色の食料品の袋が音をたてて胸にぶつかる。テディが例のばかげてうれしそうな笑い声をあげ、狂人の吹くアシ笛のようなぎーっひっひっひという笑い声が響きわたった。

「走れ！　ゴーディ！　走れ！」バーンがかん高い声で叫んでいる。

そしてマイロがどなった。「かかれ、チョッパー！　あの子にかかれ！」

わたしは食料品の袋をフェンス越しに放《ほう》り投げた。バーンがテディを押しのけて、それを受けとめた。背後にチョッパーが走ってくる音が聞こえる。大地をゆるがし、広がった片方の鼻孔からは炎を吹き、もう片方の鼻孔からは冷気を吹き、歯を鳴らしているあごからは硫黄をしたたらせているチョッパーが。わたしは悲鳴をあげながら、ひとっとびでフェンスを半分ほどのぼった。三秒とたたないうちにてっぺんまでのぼり、とびおりた——なにも考えなかったし、とびおりる場所を確かめもしなかった。

あやうく、体を二つに折って狂ったように笑いころげているテディの上に、とびおりるところだった。テディはメガネを落とし、涙を流して笑いこけていた。わたしはそのテディをすれすれでかすめ、すぐ左手の粘土と砂利の土手に落ちた。その瞬間、チョッパーがわたしの背後のフェンスにぶつかり、苦痛と失望とをないまぜにした咆哮《ほうこう》を発した。わたしはすりむいた片膝《かたひざ》をかばいながら、くるっと向き直り、かの有名なチョッパーを初めて見た——そして、神話と現実のあいだにはとてつもない落差があることを、初めて学んだ。

わたしが見たのは、赤く獰猛《どうもう》な目と、ホットロッドのようにまっすぐに突き出ているパイプのように、口からはみ出ている歯をもつ巨大な地獄の犬のかわりに、ごく尋常な白と黒の中型の雑種犬だった。その犬はワンワン吠えながら、後肢《あとあし》で立って、むなしくジャンプしてはフェンスを前肢でひっかいていた。

テディは片手にメガネを持ち、気取ってフェンスの前を行ったり来たりして、チョッパーをさらに怒らせようとしていた。

「おれの尻《しり》にキスしてくれよ、チョッピー！」テディは口から唾《つば》をとばして挑発《ちょうはつ》した。「尻にキスしろ！　嚙《か》んでみろ！」

テディはフェンスに尻をぶつけた。チョッパーはふつうの姿勢にもどって、テディの挑発を受けようとかまえた。チョッパーの努力は健全な鼻をフェンスにぶつけるばかりで、少しも報われなかった。テディはフェンスに尻を押しつけ、チョッパーはそれに嚙みつこうと突進してはむなしく、鼻がねじれるだけに終わった。もう鼻から血がにじんでいる。テディはチョッパーを挑発しつづけ、なんだかうす気味の悪い〝チョッピー〟という愛称でからかっている。クリスとバーンはぐったりと土手に寝ころび、今はもう笑いすぎてぜえぜえあえいでいるばかりだ。

そこへマイロ・プレスマンがやってきた。汗のにじんだ作業服に、ニューヨーク・ジャイアンツの野球帽をかぶり、激しい怒りにくちびるをぎゅっと引き結んでいる。「こら、こら！」マイロはどなった。「その犬をからかうのは、やめなさい。聞こえたか？　今すぐ、やめるんだ！」

「嚙んでみなよ、チョッピー！」テディはフェンスのこちら側で、軍隊を閲兵している気のふれたペルシア人のように、行ったり来たりしている。「ほれ、かかってこいよ！　かかってこいったら！」

チョッパーはすっかり逆上していた。わたしは本当にそう思った。かん高い声で吠えたり、低い声で吠えたり、口からあぶくをとばしたりしながら、後肢で堅く乾いた土を蹴り、大きな円を描いて走りまわっている。三回円を描くと意気があがったのか、まっしぐらにフェンスに突進してきた。フェンスに激突したときの勢いは時速三十マイルにはなっていたにちがいない。冗談ではないのだ——チョッパーのくちびるはめくれて歯がむきだしになり、耳はスリップストリームの中を飛んでいるようだった。チェイン・リンクの金網が支柱からはずれたばかりでなく、ぐうんとたわんで、低い音楽的な音をたてた。まるでツィターの音色のような、ツィィーンという音だった。チョッパーの喉《のど》から絞め殺されるような恐ろしい声がもれ、チョッパーは白目をむくと驚くほどきれいに急横転して、地響きをたててあおむけに倒れた。もうもうと土煙が立つ。一瞬そのままでいたかと思うと、チョッパーの口の左端から、ねじれた舌がだらりと垂れた。

これを見たマイロは怒りのあまり逆上した。日焼けして黒い顔が、恐ろしいほどの紫色に変わった——てっぺんを平らに刈った短く剛《こわ》い髪の毛の下の地肌《じはだ》さえも、紫色に変わった。ジーンズの両膝が破れ、さきほどの大疾走でまだ心臓がどきどき動悸を打っているわたしは、地面の上に呆然《ぼうぜん》とすわりこんだまま、マイロはチョッパーの人間版のように見えると思っていた。

「おめえ、知ってるぞ！」マイロはわめいた。「テディ・デュシャンだ！　おめえたち、みんな知ってるぞ！　おいらの犬をいじめやがって、おめえたちの尻を殴ってやる！」

「やってみなよ、見てみたいもんだ！」テディはわめき返した。「フェンスをよじのぼって、おれを捕まえてみなよ、でぶっちょ！」

「なんだと!?　なんと言った？」

「でぶっちょ！」テディはうれしそうに叫んだ。「ラードのかたまり！　ぶよぶよ出っ腹、来いよ！　来い来い！」テディはこぶしを握りしめ、髪から汗をとび散らせながら、ぴょんぴょんとびあがった。「おまえにバカ犬のけしかけかたを教えてやらあ！　来いよ！　やってみろってんだ！」

「イタチみてえな貧乏白人のきちがいの息子め！　おめえがおいらの犬になにをしたか、おめえのおっかさんに会って呼び出し状を渡し、法廷で判事さんに話を聞いてもらうからな！」

「おれのことをなんて言った？」テディはしゃがれ声で訊《き》き返した。とびあがるのはやめている。目がひどく大きくなり、どんよりしているし、肌は鉛色に変わっている。

マイロはテディのことをいろいろののしったが、ひとつひとつ思い出すことができたので、なんの苦もなく、相手の急所をついたことばに思いあたった——そのとき以来、わたしは何度となく気づいた。世の中には、他人の内なる狂気のボタンを探りあて、それを押すだけではなく、無謀にも追い打ちをかけて攻撃するという、特殊な才能をもつ人々がいることに。

「おめえのおとっつぁんはきちがいだ」マイロはにやにや笑いながら言った。「気が変になってトーガスにいる。そうじゃねえか。便所のネズミみてえに狂ってる。ダニ熱にかかった雄鹿《おじか》みてえに、狂ってる。ロッキング・チェアだらけの部屋ん中にいる尻《しっ》尾《ぽ》の長いネコみてえに、気がふれてる。きちがいだ。おめえがそんなまねをするのも無理はねえわさ。きちがいをおとっ――」

「おまえのおふくろは死んだネズミをくわえてる！」テディは絶叫した。「あと一度でも、おれのおやじのことをきちがいと言ったら、きさまを殺してやるからな、このくそたれ男！」

「きちがい」マイロは小気味よげにくり返した。そう、彼はボタンをみつけたのだ。「きちがいの息子、狂人のせがれ、おめえのおとっつぁんは屋根裏部屋でおもちゃをみつけた。まったく幸運よなあ」

バーンとクリスは笑いの発作がおさまりつつあった。たぶん事態の深刻さを認め、テディにやめろと声をかける気でいたのだろうが、テディがおまえのおふくろは死んだネズミをくわえていると言うのを聞くと、またもや笑いの発作をぶり返し、土手に寝ころがり、足をばたつかせ、腹をかかえてころげまわった。「もうだめだ」クリスが弱々しく言った。「もうだめだ、お願いだ、もうやめてくれ、これじゃ破裂しちまう！」

チョッパーはマイロの背後で、ぼうっとして大きな8の字を描いて歩いている。まるで、十数えたレフェリーが試合終了を告げ、勝者にTKO勝ちを宣したあとの、負けた選手のようだ。一方、テディとマイロは鼻を突きあわせて向かいあい、テディの父親のことについて論争をつづけていた。彼らのあいだを、マイロが年をとりすぎ、太りすぎているために、よじのぼれずにいるワイヤー・フェンスが隔てていた。

「おやじのことをとやかく言うな！　おれのおやじはノルマンディの浜辺に上陸したんだぞ、この抜け作！」

「ははん、で、今はどこにいるのかね、みっともないチビの四つ目のくそったれ？　トーガスだろ？　戦争神経症でトーガス行きじゃねえか！」

「ああ、そうか」テディは言った。「そうか、これで終わりだ。おまえを殺してやる」テディはフェンスにむしゃぶりつき、のぼりだした。

「おうとも、やってみな、チビのくず野郎」マイロは一歩さがり、にやにや笑いながら待っている。

「やめろ!」わたしは叫び、立ちあがってテディのだぶだぶのジーンズの尻をつかむと、フェンスから引きずりおろした。よろけて、テディをかかえたまま引っくり返ってしまう。したたかにキンタマを押しつぶされ、わたしはうめいた。キンタマをつぶされるほどひどい痛みは他《ほか》にないと思うが、どうだろう? しかしそれにもかかわらず、わたしはテディの胴体を両腕でしっかり抱えこんでいた。

「放せよ!」テディはわたしの腕の中でもがきながらすすり泣いた。「放してくれよ、ゴーディ! おれのおやじほどえらいやつはいないんだ! くそっ、放して行かせてくれよ!」

「そんなの、あいつの思うつぼだぞ!」わたしはテディの耳もとでどなった。「あいつはおまえを中に呼びこんで、さんざんぶちのめしてから、おまわりに渡すつもりなんだ!」

「ん?」テディはくびをのばして、ぼうっとした顔をわたしの方に向けた。

「生意気な口をきくんじゃねえよ」マイロはふたたびフェンスに近づき、ハムのように太い腕を曲げてみせた。「そいつを中に入れて、闘わせてやんな」

「そりゃあね、あんたはこいつより、たったの五百ポンドばかり重いだけだよね」

「おめえも知ってるぞ」マイロは気味の悪い口調で言った。「おめえの名前はラチャンスだ」そして、笑いすぎてまだ息をはずませながらも、ようやく立ちあがったバーンとクリスを指さした。「それにあれはクリス・チェンバーズと、あれはテシオのばか息子のひとりだ。おめえたちのおとっつぁんを全員呼び出してやる。トーガスのきちがいは無理だがな。おめえたちみんな、少年院送りだぞ。不良少年どもめが！」

マイロはずっしりと立ちはだかり、息をはずませ、目を細くして、ワン・ポテト・トゥー・ポテトをして遊びたがっているかのように、しみのういた大きな手を前にさしだし、わたしたちが泣きだすか、あやまるかするのを待っていた。もしかすると、チョッパーにくれてやるために、テディを引き渡すのを待っていたのかもしれない。

クリスは親指と人さし指で丸を作り、その中にきれいに唾をとばした。

バーンは鼻歌をうたって空を見あげている。

テディは言った。「行こう、ゴーディ。げろを吐いちまわないうちに、このくそったれ野郎を放《ほう》っていこう」

「やい、逃げるのか、へらず口のチビの淫売宿《いんばいやど》の主《あるじ》め。警官を呼ぶから待ってろ」

「ぼくたち、あんたがこいつのおやじさんのことをなんて言ったか、ちゃんと聞いたよ」わたしはマイロに言った。「ぼくたち全員が証人だ。それにあんたはぼくに犬をけしかけた。それは法律に違反している」

マイロは多少不安になったようだ。「おめえが無断侵入したからだ」

「そうかい。ゴミ捨て場は公共の施設だろ」

「おめえはフェンスをよじのぼった」

「ああ、あんたが犬をけしかけたあとでね」わたしは内心で、わたしがゲートを乗り越えてきたことをマイロが思い出さなければいいと思った。「ぼくがどうすると思ったのさ？　ぼんやり突っ立って、おとなしくばらばらに嚙みさかれるとでも？　おい、みんな、行こうぜ。ここは臭くっていけないや」

「少年院だ」マイロは声を震わせ、耳ざわりな声で宣言した。「てめえらお利口さんたちゃ、少年院向きだよ」

「おまわりに、あんたが復員軍人のことをくそったれのきちがいと呼んだことを、教えてやるのが待ちきれないよ」歩きだしながら、クリスは肩越しにどなった。「あんたは戦争でなにをしたんだい、ミスター・プレスマン？」

「てめえたちの知ったことか！」マイロは金切り声で叫んだ。「おいらの犬にけがをさせやがって！」

「そいつに〝畜生〟という札をつけて、牧師にでも送るさ」バーンはそうつぶやいた。わたしたちはふたたび線路の土手を登った。

「もどってこい！」マイロはまだどなっていたが、その声にはもう力がなく、興味を失ったようだった。

歩きながら、テディは中指を突き立てた。土手のてっぺんに着くと、わたしは肩越しにうしろをふり返ってみた。マイロがフェンスの向こうに立っている。傍《そば》に犬を従え、野球帽をかぶった大きな男。小さなひし形の金網の目に指を引っかけ、フェンスにしがみついてわたしたちにどなっている。わたしは急に彼にすまない気になった――彼が、まちがって運動場に閉じこめられ、誰《だれ》か来て助けてくれと叫んでいる、世界でいちばん大きな三年生のように思えたからだ。しばらくのあいだ彼のわめき声が聞こえていたが、やがて彼もあきらめ、わたしたちも声が聞こえないところまで来た。その日以降、マイロ・プレスマンとチョッパーの姿を見たことも なければ、話に聞いたこともない。

13

わたしたちがいくじなしの集まりではないことを、どういうふうにマイロ・プレスマンに思い知らせてやるかで、ちょっとした相談が行なわれた――意識して正義派を気取って言いつのるような口調だった。わたしがフロリダ・マーケットの店主がどんな手を使ってだまそうとしたかを話すと、みんなむっつりと黙りこみ、真剣に考えこんだ。

わたしとしては、結局のところ、これは例のグーチャーと関連があるのかもしれない、と考えていた。これ以上悪くなるはずがない――事実、このままいって、うちの両親に、息子のひとりはキャッスル・ビュー墓地、もうひとりはサウス・ウィンダム少年院、という苦痛を与えない方がいいかもしれない、と考えたほどだ。マイロのぶあつい頭の中に、さきほどの事件がしみこむ頃《ころ》、ゴミ捨て場のゲートが閉まるとすぐに、マイロが警官のもとに出かけていくのはまちがいない。そうなったら、公共の施設であろうとなかろうと、わたしが無断侵入したことに気づくだろう。おそらく、そのために、あのばか犬をわたしにけしかけたことに、世界じゅうのすべての権利を与えるだろう。そして、チョッパーは評判どおりの地獄の犬ではなかったけれど、わたしがフェンスまで走らなかったら、きっとわたしのジーンズにとびついて、わたしを倒していただろう。そのすべてのことが、白昼に大きな暗い影をもたらした。しかも、わたしの頭の中では、もうひとつ嫌《いや》な考えが渦《うず》を巻いていた――これは冗談ごとではなく、わたしたちは悪運をこうむっているのかもしれない、という考えだ。神が家へ帰れと警告しているのではないか。どちらにしろ、列車に轢《ひ》かれた少年を見に行って、どうしようというのか。

だが、わたしたちはもはや行動を起こしてしまったのだし、やめたいと言う者はひとりもいなかった。

川にかかった列車を渡すトレッスルまであと少し、というところで、突然テディが涙をこぼして泣きだした。胸の中の大津波が、慎重に構築された精神の水路を突きくずしたかのようだった。決して大げさな言いかたではない――それはあまりにも突然で、あまりにも激しかった。パンチをくらったときのように、テディは体を折り曲げて嗚咽《おえつ》し、くたくたとくずおれて、腹から、耳とは名ばかりの原型をとどめていない肉のかたまりまで、激しく両手でかきむしった。激しく、すさまじい泣きかただった。

わたしたちはいったいどうすればいいのか、わからなかった。たとえばショートを守っているあいだに、ライナー・ヒットを打たれたり、入会地《いりあいち》でフットボールのタックルをして頭を強打したり、自転車が倒れたりしたときに泣くような、そんな泣きかたとはぜんぜんちがっていた。テディは肉体の痛みで泣いているのではなかった。わたしたちは少し先に進み、ポケットに両手を突っこんで、テディを見守った。

「なあ、おい……」バーンがひどくか細い声で呼びかけた。クリスとわたしは期待の目でバーンを見た。〝なあ、おい〟というのは、いつもいい出だしになるからだ。だがバーンはそのあとをつづけることができなかった。

テディは枕木《まくらぎ》の上に突っぷして、片手で目をおおっていた。なんだかアラーの神に祈っているようなかっこうだ――ポパイの〝サラーミ、サラーミ、ボローニャ〟のような。ただし、テディの姿に滑稽《こっけい》なところはひとつもなかったが。

ようやくテディの激しい泣き声が少しばかりおさまってくると、クリスがテディの傍《そば》に行った。彼は仲間うちでいちばんのタフ・ガイ（わたしは内心では、ジェミー・ギャランよりもクリスの方がタフかもしれないと思っていた）だが、人の気持をなごやかにするのも、いちばんうまい少年だった。生まれつきコツを知っているのだ。一度、クリスが膝《ひざ》をすりむいた小さな子どもと、縁石にすわっているのを見たことがある。クリスはぜんぜん知らない子に、なにか話しかけ――町に来ていたシュライン・サーカスのことか、テレビの『珍犬ハックル』の話だろう――いつのまにか、その子にけがをしたことも忘れさせてしまった。クリスはそういうことがうまい。そういうことがうまくできるほど、充分にタフなのだ。

「なあ、テディ、あんなくその山みたいなデブが、おまえのおやじさんのことをとやかく言ったのを、気にしてるのか？　ん？　本気で気にしてんのかってんだよ！　あんなもんでなんにも変わりっこないぜ、そうだろ？　あんなくその山みたいなデブがなんと言おうとさ？　な？　な？　そうだろ？」

テディは激しくうなずいた。なにも変わりはしない。だが、白昼、輝く陽《ひ》のもとで言われたことを聞き、これまでベッドの中で眠れないままに、窓からいびつな月をながめ、胸の中で何度もくり返し考えたにちがいないなにか、なんらかの意味を引き出そうと努力して、彼なりにゆっくりと定まらないやりかたで、ほとんど神聖視するところまでいったようでも、しょせんは他人にあっさりと、父親を狂人だと片づけられてしまうのだと痛感させられ、考えつづけてきたにちがいないなにか……それがテディを揺さぶったのだ。だがそれはなにも変えはしない。なにも。

「でも、おやじさんはノルマンディの浜で闘った、そうだろ？」クリスはテディの汗ばみ、汚れた手を取り、軽くたたいた。

テディは泣きながら、強くうなずいた。鼻水が垂れている。

「おまえ、あのくその山がノルマンディにいたと思うか？」

テディは勢いよく首を横に振った。「いいや、いいや、思わない！」

「あいつがおまえのことをよく知っていると思うか？」

「いいや！　で、でも――」

「おまえのおやじさんのことはどうだ？　あいつ、おやじさんの友人か？」

「ちがう！」ぞっとするような怒り。思い。テディの胸が波うち、さらに嗚咽がもれた。彼が耳から髪をかきあげたため、右耳のまん中へんにはめこまれた補聴器の丸い褐色《かっしょく》のイヤフォンが見えた。補聴器の形の方が、テディの耳の形よりも、はるかに感じがよかった、と言ったら、わたしの言わんとしていることがおわかりいただけるだろうか。

クリスは穏やかに言った。「噂《うわさ》なんて安っぽいものだよ」

テディはうなずいたが、まだ顔をあげずにいる。

「そして、おまえとおやじさんのあいだにあるものは、噂なんかで変わるものじゃない」

それが真実かどうか不安だというように、テディの頭はあいまいに揺れた。誰《だれ》かがテディの痛みを再評価し、お粗末な日常用語で再定義したのだ。それ（きちがい）はあとで吟味されるべきことば（戦争神経症）だろう。胸の奥深くで。眠れない長い夜に。

クリスはテディを揺さぶった。「あいつはおまえを挑発《ちょうはつ》していたんだぞ」クリスのなだめる口調は、ほとんど子守り歌のようだ。「あいつはおまえを挑発して、あのいまいましいフェンスをのぼらせようとしたんだ、わかるか？　気にするなよ、な。気にするなんてつまらないじゃないか。あいつはおまえのおやじさんのことなんか、なんにも知っちゃいない。〈メロウ・タイガー〉あたりで飲んだくれている連中から、聞きかじってきたことしか知らないんだ。あいつは犬のくそだ。そうだろ、テディ？　な？　そうだろ？」

テディの嗚咽はすすり泣きまでおさまった。彼は目をぬぐい、目のまわりにうす黒い輪をつくって、上体を起こした。

「だいじょうぶだ」自分の声にテディは自信をもったらしい。「うん、だいじょうぶ」立ちあがり、メガネをかける——裸の顔に衣装を着ける、わたしにはそんな気がした。そして弱々しく笑うと、むきだしの腕で鼻水をぬぐった。「しょうもない泣き虫だ、そうだろ？」

「いいや」バーンはぎごちなく言った。「おれだって、誰かにおやじの悪口を言われたら——」

「そしたら殺してやれ！」テディは威勢よく、傲岸《ごうがん》といってもいい口調で言った。「そんなやつらは殺しちまえ。そうだな、クリス？」

「そうだ」クリスは愛想よく答え、テディの背中をぱんとたたいた。

「そうだな、ゴーディ?」

「絶対だ」わたしはとても不思議だった。テディはあやうく父親に殺されかけたのに、どうしてこうも父親のことをたいせつに思っていられるのか、そしてまた、わたし自身が憶《おぼ》えているかぎりでは、三歳のときに流しの下から漂白剤を取り出してそれを口に入れようとしたとき以来、父親に手をあげられたことはないのに、わたしが父親のことをたいして気にかけているように思えないのはなぜだろうか。

線路に沿ってさらに二百ヤードほど進んだとき、テディが前よりもずっとおちついた声で言った。「おい、みんなの楽しい気分をだいなしにしちまったとしたら、ごめんよ。おれ、あのフェンスんとこでは、相当ばかなまねをしちまったな」

「楽しい気分になんかなりたいとは思ってなかったよ」突然バーンがそう言った。

クリスはバーンをじろっと見た。「おまえ帰りたいっての?」

「ちがうよ、ははっ!」バーンは眉根《まゆね》を寄せて考えこんだ。「けどさ、死んだ子を見に行くんだろ——パーティみたいな気分にはなるはずがないじゃないか。よく考えてみれば。つまり……」バーンはむしろ荒々しくわたしたちの顔を見た。「つまり、おれ、少しばかりおびえてるんだ。わかってもらえるかな」

誰もなにも言わない。バーンは熱心に話をつづけた。

「あのさ、おれ、ときどきこわい夢を見るんだ。まるで……うん、そうだ、みんな、ダニー・ノートンが古い漫画の本を山ほど置いてったときのこと、憶えてるだろ。吸血鬼とか、切り刻まれた人々とか、そんなうすっ気味の悪い話ばっかりのさ。おっそろしいことに、おれ、夜中に、緑色の顔のやつかなんか、そんなようなものが家ん中にぶらさがってる夢を見て、とび起きちまうんだ。ベッドの下にそいつがいて、ベッドから垂らしたおれの手を、そいつが、こう、ぎゅうっとつかむような……」

わたしたちはそれぞれうなずいていた。みんな、夜中さまよう者のことは知っていた。しかし、そのときから数年もたたないうちに、そういう子ども時代の恐怖と、寝汗をかくような思いで、百万ドルの資産を作れると言われていたら、きっと笑いとばしてしまっていただろう。

「でさ、おれはなんにも言えないわけ。だってあのくそたれの兄貴が……そう、あのビリーが……みんなに言いふらすだろ……」バーンはなさけなさそうに肩をすくめた。

「だからさ、おれ、その子を見るのがとってもこわいんだ。だって、もしその子が本当にものすごくひどい死にかたをしてたら……」

わたしはごくっと唾《つば》を飲み、クリスを横目で盗み見た。クリスはまじめな顔で、バーンに先をつづけるようようなずいている。

「もしその子が本当にものすごくひどい死にかたをしてたら」バーンはくり返した。

「おれ、夢に見て、目がさめたらその子がベッドの下にいるような気がするだろうな。テレビに出てくる万能野菜切り器に切られたみたいなその子が、血の海の中からすうっと現われて、目玉と髪の毛だけがどういうわけか動いてさ、わかるだろ、ほら、なぜか動いてさ、こう手を伸ばしてつかまえようと――」

「ばかくさ」テディが断固と言った。「つまんねえ子ども向けのホラ話じゃないか」

「けど、どうしようもないんだ」バーンは弁解口調で言った。「たとえ悪い夢にすぎなくても、その子を見てしまう気がするんだ。わかる？　どうしても見てしまう気になるんだよ。だから……だから、楽しい気分になるはずがないだろ」

「うん、そりゃそうだな」クリスは穏やかにあいづちをうった。「たぶん、なるはずないな」

バーンは訴えるように言った。「誰にも言わないでくれよ、いいな？　夢のことじゃないんだ。そんなもの誰でも見るんだから。つまり、おれが夜中に目ざめて、ベッドの下になんかいるかもしれないと思ってることをさ。いい年こいてブギーマンがこわいなんてのはな」

わたしたちはみんな、誰にも言わないと約束した。そしてふたたびむっつりした沈黙がみんなを襲った。まだ三時十五分だというのに、もっと遅い時間のような気がした。ひどく暑く、ひどくいろいろなことがあった。だが、まだハーロウにも入っていない。暗くなるまでにしっかり道のりをかせぐつもりなら、スピードをあげ、よけいなことは考えずにおくべきだろう。

わたしたちは踏切を通過した。踏切には高い、錆《さ》びついたポールが立っていて、信号がついている。わたしたちはちょっと足をとめて、信号の上のスチールの旗にスラグを投げつけたが、誰もあたらなかった。三時半をまわった頃《ころ》、わたしたちはキャッスル・リバーとGS&WM鉄道のトレッスルが、交差するところにたどりついた。

14

一九六〇年の時点では、キャッスル・リバーの幅は百ヤード以上あった。その後、川を見に行ってみると、数年ほどのあいだに、すっかり川幅が狭くなっていた。いくつもの工場が自分たちの仕事につごうがいいようにしようと、川をいじくりまわし、ダムをたくさん造って充分に管理できるようにしてしまったのだ。しかし一九六〇年当時は、ニュー・ハンプシャー州とメイン州の半分にまたがって流れる川の全流域を通して、ダムはたったの三つしかなかった。キャッスル・リバーは当時はほとんど管理されておらず、三年目の春ごとに、土手から氾濫《はんらん》し、ハーロウや、デンバーンズ・ジャンクションや、あるいはその両地域の一三六号線を水びたしにしていた。

大恐慌《だいきょうこう》時代以来、初めてメイン州西部を襲った大旱魃《だいかんばつ》の夏の終わりには、キャッスル・リバーはまだまだ広々としていた。キャッスル・ロック側に立っているわたしたちの目に、ハーロウ側のこんもり繁《しげ》った森は、まったくちがう国のように映った。向こう岸の松やトウヒの木々が、午後の熱気のかげろいの中で、青みをおびて見える。五十歩ほど先の、川面《かわも》を渡っている線路は、タールを塗った木の柱の支柱と、十文字に交差した梁《はり》で支えられている。水の流れは浅く、底まで見えるぐらいだし、トレッスルを支えるために、川底に十フィートの深さに埋めこまれているセメントのくさびのてっぺんも見える。

トレッスルそれ自体はかなり粗雑なものだった――六×四インチの長く狭い木の台の上に、レールが敷いてあるだけだ。十文字に交差した梁と梁の間には、四インチのすきまがあり、そこから川面が見える。そのうえ、レールとトレッスルの端のあいだには、十八インチ以上のすきまがあった。もし列車が来ても、貼《は》りついてよけるのに充分な空間があるわけだ……が、猛スピードで走る貨物列車のあおり風に吹きとばされて、下の浅瀬の底にある岩にぶつかり、死んでしまうことになるだろう。

トレッスルをながめながら、わたしたちは恐怖が胃のあたりを這《は》いまわる感覚をおぼえた……そして、恐怖とないまぜになっていたのは、第一級の冒険への挑戦《ちょうせん》、掛値なしに大きなこと、家に帰ったあと――家へ帰れたら、の話だが――何週間も自慢できることの興奮だった。テディの目に例の奇妙な光が宿りだし、わたしは彼がGS&WM鉄道の線路を見ているのではなく、長い砂浜を、波をけたてている千もの戦車揚陸舟艇を、コンバット・ブーツで砂を蹴《け》ちらしながら突撃していく一万ものGIたちを見ているのだと思った。兵士たちは有刺鉄線をとび越える！　トーチカに手榴弾《てりゅうだん》を投げこむ！　ずらりと並んだ機関銃がいっせいに火を吹く！

わたしたちはレールのわき、スラグの土手が川の方に向かって斜めになっているところに立っていた。土手が切れ、トレッスルが始まっているところだ。視線をおとすと、ゆるやかな斜面がいきなり絶壁になっている個所が見える。スラグが貧弱だが丈夫そうな茂みと、灰色の岩にとって代わられている。さらにその下方には、石の板の亀裂《きれつ》から根が露出している、生長しそこねたモミの木が何本も立っている。モミの木たちは、水の流れに映っている自分のみじめな姿をながめているように見えた。

このあたりでは、キャッスル・リバーもかなり水がきれいなようだ。キャッスル・ロックで川はメイン州の繊維工場地帯に入りこむ。しかし、底まで見えるほど水が澄んでいるにもかかわらず、川面にとびだしてくる魚は一匹もいなかった——キャッスルで魚を見ようと思ったら、あと十マイルは上流をさかのぼり、ニュー・ハンプシャー州の方にまで行かなければならない。ここには魚はいないし、川の縁の岩の周囲には、汚ない泡《あわ》が立っている——泡の色は古びた象牙《ぞうげ》の色だった。川の匂《にお》いもまた、格別に気持のいいものではない。カビのはえたタオルが、洗濯《せんたく》かごにいっぱい入っているような匂いだ。水面にトンボがとまり、無事に卵を産んでいた。卵を食うマスがいないからだ。残念なことに、銀色のうろこの魚さえ一匹もいない。

「さてと」クリスが穏やかに口を開いた。

「来いよ」テディは例によって元気のいい、横柄《おうへい》な口調で言った。「行こう」テディはじりじりと歩を進め、すでにぎらぎらと光るレールのあいだの、六×四インチの板の上を歩きはじめていた。

「おい」バーンが不安そうに言った。「次の列車がいつ来るか、誰か知ってるか？」

わたしたちは全員肩をすくめた。

わたしは言った。「一三六号線の橋がある……」

「おい、おれにチャンスをくれよ！」テディが叫んだ。「橋を渡るってことは、こっち岸を五マイル歩いて、次に向こう岸をまた五マイル歩くってことなんだぞ……日暮れまでかかっちまわあ！　トレッスルを渡れば、十分で同じ場所に着けるんだかんな！」

「けど、もし列車が来たら、どこにも逃げるとこがないじゃないか」バーンはテディを見ずに言った。穏やかな、流れの速い川を見ている。

「そんなことないさ！」テディは憤然としている。そしてひょいとトレッスルのへりからぶらさがると、レールのあいだの木の支柱につかまった。それほど遠くまではいかなかった――運動靴《ぐつ》が地面につきそうだ――が、五十フィート下を流れる川のまん中で、頭上を列車が通過していくのを待って、それと同じかっこうでいなければならない、列車の散らす熱い火花が、髪やうなじに飛んでくるだろう……そう思うと、わたしはどうしてもミス・コンテストで優勝した女王のような気分にはなれなかった。

「ほら、簡単だろ？」テディは土手におりると、手のほこりをはたきながら、わたしたちのところにもどってきた。

「おまえ、二百台もつながった貨物列車が来ても、ぶらさがってるつもりなのか？」

クリスはテディに訊《き》いた。「五分も十分も手だけでぶらさがっているってのか?」

「おまえ、腰抜《チキン》けか?」テディはどなった。

「いいや、ただ、おまえがどうするのか訊いてるだけだ」にやっと笑う。「おちつけよ」

「そうしたけりゃ回り道していけよ!」テディはわめいた。「誰がそんなばかなまね、するかい。おれはおまえたちを待ってるよ! 昼寝でもしてな!」

「列車はもう一本通った」わたしはしぶしぶ言った。「たぶん、一本以上はないんじゃないかな。一日にハーロウを通る列車が二本あることはないんじゃないか。これ、見てよ」わたしは運動靴で、枕木《まくらぎ》のあいだから生えている草を蹴った。キャッスル・ロックとルイストンのあいだを走っている線路には、草なんか一本も生えていない。

「ほらな。見ろよ」テディは勝ち誇った。

「でもさ、やっぱり、賭《チャンス》けではある」わたしはつけ加えた。

「そうだ」クリスはきらきら光る目を、わたしひとりに向けた。「おまえ、行けよ、ラチャンス」

「お先にどうぞ」

「オーケー」クリスはテディとバーンにも視線を向けた。「ここにおじょうちゃんはいるか？」

「いない！」テディが叫んだ。

バーンは咳《せき》ばらいをし、しわがれた声を出し、もう一度咳ばらいしてからひどく小さな声で言った。「いない」そして、弱々しい、ひきつけのような微笑をうかべた。

「オーケー」クリスはそう言った……が、一瞬、わたしたちはためらい、テディでさえ、トレッスルを用心深い目つきで、じろじろとながめた。わたしは膝《ひざ》をつき、水ぶくれができそうに熱くなっているのにもかかまわず、鋼鉄のレールをしっかりとつかんでみた。レールは無言だった。

「オーケー」わたしはそう言いながらも、誰かが腹の中で棒高とびをしているような気分だった。そいつがポールをキンタマまで突き立て、その先端は心臓にまで達している、そんな気分だった。

わたしたちは一列になってトレッスルを進んだ。先頭がクリスで、次にテディ、そしてバーン、しんがりはお先にどうぞと言ったわたしだった。レールのあいだの枕木を歩いていく。高所恐怖症であろうとなかろうと、自分の足もとを見ていなければならない。一歩まちがえば、太腿《ふともも》までずぼっと落ちて、ひょっとすると、おまけに足首を折ってしまうかもしれない。

踏みしめていた土手がぷつっとなくなり、一歩進むごとに、わたしたちの決意はさらに堅く定められていくような気がした……そして、さらに自殺的愚挙を犯している気持が強くなった。立ちどまって下を見ると、はるか下方に水の流れに変化をつけている岩がいくつも見える。クリスとテディはすでにずっと先へ行ってしまい、トレッスルを半分ほど渡ってしまっているが、バーンは足もとを注意深く確かめながら、前の二人のあとをゆっくり、よちよちと進んでいる。竹馬にのった老婦人のように、顔をうつむけ、背中を丸め、両手をぐっと張ってバランスを取っている。わたしは肩越しにうしろを見た。そんなことをしても、もう手遅れだ。列車が来るかもしれないからという理由のためだけではなく、歩きつづけていくしかないのだ。ここでもどったりしたら、一生臆病者《おくびょうもの》になってしまう。

だから、わたしは歩きつづけた。しばらくのあいだ、無限につづく枕木の行列と、そのあいだから見える流れる水とを交互に見つめながら進んでいったが、やがて、めまいと方向感覚の混乱に襲われるようになった。足を踏み出すたびに、そんなことはないとわかっているのに、脳の一部がこの足はすきまに落ちるぞと脅しをかけてくるのだ。

狂人ばかりのオーケストラが演奏前のチューニング・アップをしているような、さまざまな音が、体の内部からも外部からも聞こえてくるのを、わたしはひしひしと感じはじめた。規則的な心臓の鼓動、耳の中の、ブラシでドラムをたたいているときのような、血の流れる音、急速にテンポが速くなっていくバイオリンの弦の音色のような、筋肉のきしむ音、絶えまない川の声、引きしまった樹皮に穴をあけるようなキリギリスの低い鳴き声、アメリカコガラの単調な鳴き声、どこか遠くで吠《ほ》えている犬の声。これはチョッパーかもしれない。

キャッスル・リバーのカビ臭いにおいが、鼻の奥で強くなる。太腿はこまかく震えている。わたしは両手と両膝をついて、四つんばいで進んでいく方がずっと安全（同時にずっと速い）ではないかと思っていた。しかし、その気にはなれなかった――みんなもそうだろう。ジェム映画館で土曜日の午後に上映される映画が、なにかを教えてくれたとしたら、それは〝這いつくばるのは負け犬だけ〟ということだ。それは〈ハリウッドによる福音〉の主要な教義のひとつだった。りっぱな男というものは、きっちりとまっすぐに立って歩くし、筋肉がひっくり返ったバイオリンの弦のような音をたてるのは、体内をアドレナリンが駆けめぐっているからなのだし、太腿がこまかく震えるのも、まったく同様の理由なのだから、そうあるべきなのだ。

わたしはついにトレッスルのまん中へんで立ちどまり、しばらく空をながめた。めまいに襲われるような気分がどんどんひどくなっている。枕木の幻覚が見えてきた——鼻先をふわふわとよぎっていくようだ。幻覚が消えると、ふたたび元気がでてきた。前を見ると、もう少しでバーンに追いつきそうだとわかった。バーンはいつになくぐずぐずしていた。クリスとテディはトレッスルを渡りきろうとしていた。

ここで言っておくと、わたしにはこれまでに他人の心を読んだり、未来を予知したりするような、ふつうにはできないことのできる人間について書いた本が七冊あるが、一九六〇年のあの日あのとき、わたしは最初で最後の霊能的なひらめきを感じた。そう呼んでいいものだったと確信している。でなければ、他《ほか》にどんな説明が可能だというのだろう？　あのとき、わたしはその場にしゃがみ、左側のレールに手を押しあてたのだ。レールは手の中で鈍く単調な音をたてていた。そのはっきりした音は、まるで、死んだ金属のヘビを束にして握りしめているようなものだった。

レールがこう言っているのが聞こえる。〝こいつの内臓《はらわた》は溶けて流れてしまったのか〟と。わたしにはその意味がわかった——明確にわかった。これは今までにひねりだされてきた常套句《じょうとうく》の中で、もっとも的確な言いまわしかもしれない。その日以降、わたしは何度も恐ろしい思いを、ひどく恐ろしい思いをしたことがあるが、熱く、生命のかよったレールをつかんでいたときほど恐ろしい思いをしたことはない。一瞬、内臓が喉《のど》もとから下におりていき、ぐにゃぐにゃになって体内で溶けてしまったようだった。太腿の内側をたらたらと細い小便の筋がつたわっていく。口がぽかっと開いた。わたしが開けたわけではない。落とし戸のちょうつがいが突然はずれてしまったように、あごががくっと落ち、ひとりでに口が開いてしまったのだ。舌が口蓋《こうがい》の天井に貼《は》りつき、窒息してしまいそうだ。筋肉という筋肉は硬直してしまった。最悪だった。内臓は溶けているというのに、筋肉はがっちりと金縛りにあったようになり、わたしは身動きひとつできずにいる。それはほんの一瞬のことだったのだが、主観的な時の流れの中では、永遠とも思われた。

脳の中の回路に電力が急増したように、すべての知覚力が、百十ボルトから二百二十ボルトへと増幅した。どこか近くの上空をとんでいる飛行機の音が聞こえ、わたしは思わず、自分がその飛行機に乗っているのならいいのにと思った。コークを片手に窓ぎわの席にすわり、名も知らぬ川の上の光る線路を、ぼんやりと見おろしているところならいいのに。わたしには自分がその上にしゃがんでいるタールを塗った枕木の、小さなささくれや穴のひとつひとつがすべて見えた。目の隅《すみ》には、わたしの手がまだしっかりとつかんでいるレールが、異様な輝きをもって映っていた。レールからつたわってくる震動は、手に深く刻みこまれてしまい、レールから手を放しても、まだ震え、何度も何度もひくひくとひきつった。眠っているあいだに、目がさめかけたときに、手や足がひくひくとひきつるのと似た動きだった。口中に唾《つば》の味がしたかと思うと、唾が固く凝固して歯ぐきに貼りつき、刺すような、酸っぱいような味に変わった。そして、ひどく困ったことは、なによりも恐ろしいことは、列車の音がまだ聞こえず、それが前から突進してくるのかうしろからくるのか、どれぐらい接近してきているのかがわからないことだった。見えないのだ。レールが震動しているだけで、ほかにはなんの音も聞こえない。レールの震動は、列車の接近を知らせるものにすぎない。切り裂かれた洗濯袋《せんたくぶくろ》のようにめちゃめちゃになって、どこかの溝《みぞ》に投げ出されているレイ・ブラワーの姿が、目の前にうかびぐるぐる回った。わたしたちも彼の仲間入りをするのだ。少なくともわたしとバーンは。あるいはわたしひとりが。わたしたちはみずから、葬式を招いてしまった。

そう思ったとたん金縛りがとけ、わたしはとびあがった。他人の目からは、きっと、ビックリ箱のように見えただろうが、わたし自身は水の中をスロー・モーションで動いている少年のような気分だった。五フィートの高さの空中に勢いよくとびだした少年ではなく、五百フィートもの水底で、しぶしぶと分かれる水をあきれるほど遅々とした動きで、のろのろと浮上しようとしている少年だ。

だがようやく、わたしは水面に浮上した。

わたしは叫んだ。「列車だ！」

最後まで残っていた麻痺《まひ》がとけ、わたしは駆けだした。肩越しにバーンの頭がぐいっとうしろを向いた。驚愕《きょうがく》にひきつったその顔は、ディック&ジェーン初歩読本に大文字で書かれている文字のように、滑稽《こっけい》なほど大げさだった。おそろしく高い枕木の上を次から次へと踊るように跳んでいるわたしの、ぎごちなく、よろめくような走りかたを見て、バーンはわたしが冗談を言っているのではないとわかった。バーンも必死で走りだした。

はるか前方で、クリスが枕木から堅く安全な土手におりるのが見えたとたん、ふいにわたしは四月の木の葉のように苦味のたっぷりきいた、目の前が蒼《あお》ざめるほどの憎しみをおぼえた。あいつは安全だ。あの畜生は安全なんだ！　クリスはさっと膝をつき、レールに手をあてている。

わたしの左足が足もとの空間に突っこみそうになった。わたしは両腕でばたばたと空をかき、目玉を機械の中でころがるボール・ベアリングのように熱くして、やっとのことでバランスを取りもどすと、走りつづけた。もうバーンに追いついた。トレッスルの中間点をすぎたとき、初めて列車の音が聞こえてきた。音はわたしたちの背後から、キャッスル・ロックの方向から聞こえてくる。低くがたがたいう音が、わずかに高くなり、ディーゼル・エンジンの響きそのものとなり、レールの上を重々しく回転する溝つきの大きな車輪の不吉な、高い音となった。

「ひいいーっ、くそっ!」バーンが悲鳴をあげた。

「走れ、弱虫!」わたしはどなり、バーンの背中をどんとたたいた。

「だめだ! 落ちちゃう!」

「もっと速く走れ!」

「ううう一っ、くそっ!」

悲鳴をあげながらも、バーンはスピードをあげた。腰にシャツを巻きつけているため、尻《しり》の下でシャツの衿《えり》を揺らし、はためかせながら、むきだしの日に灼《や》けた背中を見せ、カカシがよろめくように走っている。彼の皮のむけかけた肩甲骨のあたりから汗が吹きだし、小さな丸い玉になるのが見える。彼の細いうなじが見える。筋肉が盛りあがり、ゆるみ、盛りあがり、ゆるみ、盛りあがり、ゆるむ。背骨のひとつひとつの節がうきあがっている。節は三日月形の影をつくっている——くびのつけ根に近いところでは、節と節の間隔がつまっている。バーンはしっかりと巻き毛布を抱えているし、わたしもそうだ。バーンの足が枕木に鈍い音をたてる。その足が枕木をひとつ踏みはずしそうになり、バーンは腕を突きだして前に泳いだ。わたしはもう一度バーンの背中をばしっとたたいて、走りつづけろとうながした。

「ゴーディ、おれはだめだ、ううう一っ、くっそおっ！」

「速く走れ、ぽこちん！」わたしはこの状態を楽しんでいるのだろうか？

そう——かつて完璧《かんぺき》に徹底的に酔っぱらったときに経験したように、ある異様な自滅的な感覚で、わたしはこの状態を楽しんでいた。特に優秀な牛を市場に追っていく家畜商人のように、わたしはバーン・テシオを追いたてた。そしてまたバーンも、まったく同様に自分の恐怖を楽しんでいた。牛と寸分たがわぬような鳴き声をあげ、泣きごとを言い、汗びっしょりになり、大車輪で鉄を打つ鍛冶屋《かじや》のように、胸部をふくらませ、へこませて、ぎごちない足さばきで体を前傾させて走っている。

列車の音が格段に大きくなり、エンジンの音が深まって規則正しく聞こえている。わたしたちが信号の旗にスラグを投げつけて遊んだ踏切を渡るとき、列車は警笛を鳴らした。気に入ろうが気に入るまいが、わたしたちはついに、地獄の犬に追われているのだ。わたしは足もとのトレッスルが揺れはじめるのを、ずっと警戒していた。そうなったとき、列車はすぐうしろに近づいていることになる。

「速く走れ、バーン！　は・や・く！」

「うーっ、くそったれのゴーディ、うーっ、くそったれのゴーディ、ううーっ、くそおっ！」

突然、貨物列車が電気的な警笛を長く、ものすごい音で響かせ、空気を何百という細片に引き裂いた。映画や、漫画の本や、霧散する白日夢の中に見るとおり、英雄も腰ぬけも襲いくる死の音を聞きとったと、第三者にはっきりわかるような音だ。

ピィーッ！

そのとき、クリスがわたしたちの下方右手に、そのうしろにテディがいるのが見えた。テディのメガネが陽《ひ》の光を弧状に反射している。二人はひとことだけなにか言った。跳べ！ということばだが、列車がそのことばの血をすっかり吸いとってしまい、彼らのくちびるの形しか残してくれなかった。列車が驀進《ばくしん》してくるにつれ、トレッスルが揺れだした。わたしたちは跳んだ。

バーンは体をまっすぐにのばして、土とスラグの上に倒れ、わたしも彼のすぐあとから地面に倒れこんだが、もう少しでバーンの上にまともに突っこむところだった。わたしは列車を見なかったし、機関士にこちらを見られたかどうかも知らない――二年後、見られた可能性があったかどうか、クリスに訊《き》いてみると、返事はこうだった。「ゴーディ、麻薬中毒の禁断症状で、あんなふうに警笛を鳴らしたりはしないさ」。だが、そうだったかもしれない。機関士は禁断症状を起こして、警笛を鳴らしたのかもしれない。そうとも考えられる。ただしそのときは、そんな明確な理由など、どうでもよかった。わたしは両手で耳をおおい、熱い地面に顔を押しつけて、金属と金属が嚙《か》みあうするどい音と、あおり風をともなう貨物列車が通過していくのを待った。列車を見たいという気もなかった。連結の長い列車だったが、わたしはちらとも見なかった。列車が完全に通過してしまう前に、わたしのくびすじに暖かい手がふれた。クリスの手だと、わたしにはわかった。

列車が通過してしまう――通過したと確信する――と、終日弾幕砲撃を受けて、一日の終わりにたこつぼから兵士が顔をのぞかせるように、わたしは顔をあげた。バーンはまだ震えながら地面に突っぷしている。クリスはわたしとバーンのあいだにあぐらをかいてすわり、片手をバーンの汗ばんだくびに、もう一方の手をわたしのくびにあてていた。

ようやくバーンが起きあがった。ぶるぶる震え、くちびるを何度もなめている。クリスが言った。「みんな、コークを飲むってのはどうだい？　おれのほかに飲みたいやつは?」
わたしたちは全員飲みたい心境だった。

15

ハーロウ側を四分の一マイルほど行ったところで、GS&WM鉄道はまっすぐに森の中へと入っていた。うっそうと茂った木々におおわれた土地は、ゆるやかな斜面となって湿地帯へとつづいている。戦闘機ほど大きな蚊がわんわんいたが、涼しかった——幸いにも涼しかった。

わたしたちは木陰にすわり、コークを飲むことにした。バーンとわたしは虫にたかられないように肩からシャツをはおったが、クリスとテディは氷の家の中にいる二人のエスキモーのように、いかにも涼しそうに平然として、上半身裸のままだった。すわりこんで五分もたたないうちに、バーンは茂みの中に駆けこんで用を足した。バーンが帰ってくると、わたしたちは肘《ひじ》で突つきあい、しこたまジョークをとばした。

「列車はすごくこわかったかい、バーン?」

「いいや」バーンは答えた。「どっちにしろ、トレッスルを渡ったら、用を足そうと思ってたんだ。その必要があったんだ。わかる？」

「バーン？」クリスとテディは口をそろえて言った。

「なんだよ、みんな、本当なんだぞ」

「ならさ、ハーシーのチョコレートみたいなしみがついてないか、おまえのパンツの尻《しり》を調べてみてもいいんだな？」テディにそう訊《き》かれ、バーンはようやく自分がからかわれていることに気づいて笑いだした。

「うるせえや」

クリスはわたしの方を向いた。「列車はすごくこわかったかい、ゴーディ？」

「ぜんぜん」わたしはコークを飲んだ。

「そんなことはないだろ、ねんねちゃん」クリスはわたしの腕をたたいた。

「ほんとだってば！　ぜんぜんこわくなんかなかったさ」

「へえ？　こわくなかったのか？」テディはじろじろとわたしを見た。

「ああ。ただびっくり仰天して肝がつぶれただけだ」

これにはバーンでさえも降参し、わたしたちはしばらくのあいだ、げらげら笑いこけた。そのあとはそれ以上ばか話もせずに、寝ころがってコークを飲み、静かにしていた。わたしの肉体は熱く、心地よく疲れ、安らかにくつろいでいた。なにに対しても鬱屈《うっくつ》した思いなどは少しも働かなかった。わたしは生きていたし、生きていることがうれしかった。すべてのことがことさらに愛《いと》おしく目に映るように思えたし、そのことを声に出して言えなくても、ちっともかまわなかった——その愛おしいという気持は、わたし自身がいちばん欲していたものだったのかもしれない。

その日、わたしはなにが人間を向こうみずにするか、ほんの少し理解しはじめたように思う。二年ほど前、わたしは二十ドル払って、イーベル・クネイベルがスネーク・リバー峡谷のジャンプに挑《いど》むのを観《み》たが、妻は怖気《おぞけ》を震《ふる》った。妻はわたしに、もしわたしがローマ人に生まれていたら、コロセウムでブドウをむしゃむしゃ食べながら、ライオンどもがキリスト教徒を八つ裂きにするところを見物しているにちがいない、と言った。理由を説明するのはとてもむずかしい（それに、妻はきっと、わたしが彼女を言いくるめようとしている、と思うだろう）が、妻はまちがっている。わたしはどんな結果になるか充分承知していながら、有線テレビで峡谷を跳びこそうとして死ぬ男を観るために、しぶしぶと二十ドル払う。人間の目の奥に必ず影がさしているがゆえに、ブルース・スプリングスティーンが歌の中で、街のはずれの暗がりと呼んでいるものがあり、ときどき、どんな人でも神が人間に冗談半分にお与えになった、ものであえてそういう暗がりを求めるものだ、とわかるがゆえに、わたしはそうする。いや……もろい生身の肉体しか持ちあわせていないからというよりも、だからこそ、というべきだろう。

「おい、あの話、聞かせてくれよ」いきなりクリスが起きあがってそう言った。

「どの話？」推測はついたが、わたしは訊き返した。

話題がわたしの作品になると、わたしはいつもきまりの悪い思いをする。たとえみんなが、わたしの作品を気に入ってくれているようだとわかっていても——話をしてほしいとか、書いてほしいと言われるのは、大きくなったら下水管の検査官になれとか、グラン・プリ・レースの整備工になれと言われるのと同様、かなり特殊な冷静さを必要とするものなのだ。一九五九年にネブラスカに引っ越していったリッチー・ジェナーという少年は、わたしたちによくまつわりついていたが、その少年こそ、わたしが大きくなったら作家になり、それをフル・タイムの仕事にしたいと望んでいたのを、最初に見破った人間だった。わたしの部屋で二人でのらくらしていたとき、リッチーはクロゼットのダンボール箱の漫画本の下に、手書きの紙の束をみつけた。これ、なに？　リッチーはそう訊いた。べつになんでもない、わたしは答え、取り返そうとした。リッチーは手を高く伸ばして取り返されまいとした……わたしとしてはそれほど本気で取り返そうとしたわけではないことを、白状しておくべきだろう。リッチーにそれを読んでほしいと思う気持と、同時に読んでほしくない気持とがあった――プライドと恥ずかしさとが入りまじった、この複雑な気持は、今でも誰《だれ》かに見せてくれと言われるたびに、依然として変わりなく感じる。〝書く〟という行為そのものは、マスターベーションのように、人知れず行なうものだ――そういえば、わたしの友人のひとりに、たとえば本屋やデパートのショウ・ウインドウの中でものを書くように、公然とマスターベーションをするやつがいるが、これは無謀なほど勇気のある男で、知っている人がひとりもいないような街で心臓発作を起こして倒れたような場合に、いっしょにいてほしい人物だ。わたしにとっては、マスターベーションというやつは、つねにセックスをしたいと思って果たせないときのものであり――つねに、ドアをロックしたバスルームの中で、未熟な手仕事として行なうものなのだ。

リッチーはわたしのベッドの端にすわりこみ、午後のほとんどの時間をついやして、わたしが書いたものに読みふけった。わたしの書いたものというのはほとんどが、バーンに悪夢をもたらすのと同じ類《たぐい》の漫画本に影響されていた。リッチーは原稿を読みおえると、今までにない奇妙なまなざしでわたしを見た。無理やりにわたしの全人格を再評価させられた、といわんばかりのリッチーのまなざしに、わたしはひどく妙な気分になったものだ。リッチーは言った。これ、かなりうまく書けてるよ。なぜクリスに見せないの？　わたしは答えた。いや、これは秘密にしておきたいんだ。さらにリッチーが言う。なぜさ？　そんなのつまらないじゃないか。ぜんぜん変なもんじゃないんだし。つまりさ、詩なんかとはちがうだろ？

それでもやはり、わたしはリッチーに他人にはなにも言わないと約束させた。もちろんリッチーはしゃべってしまったが、わたしの書いたものがたいていの人に気に入ってもらえることがわかった。その頃《ころ》の〝作品〟というのは、生き埋めとか、有罪となった悪党が、死からよみがえり、陪審員十二名を虐殺《ぎゃくさつ》するとか、凝り性の男が異常になり、主人公であるカート・キャノンの目前で、多数の人間を薄切りに切り刻み、〝人間のくずをぶった切り、ぎゃあぎゃあ悲鳴をあげるマダムを、・四五のオートマティックで、弾丸をつづけざまに撃ちまくってばらばらにしてしまう〟ようなものばかりだった。

わたしの作品の中では、銃弾はつねにつづけざまに発射された。二、三発ということは決してなかった。

調子を変えるために、ル・ディオ・ストーリーズというのがあった。ル・ディオとはフランスのある町の名で、一九四二年に、疲れきったアメリカ人兵士の果敢な一分隊が、ナチの手からその町を奪還しようとする話だ（二年後にわかったことだが、連合軍がフランスに上陸したのは一九四四年になってからだった）。アメリカ人の兵士たちが、ル・ディオを奪還しようと、通りから通りへと戦闘をくりひろげていくシリーズを、わたしは九歳から十四歳のあいだに、約四十本書いた。テディがこのル・ディオ・シリーズに熱狂的だったので、最後の十二、三本は、テディのために書きつづけたように思う――その頃には、わたしはル・ディオ物にはうんざりしていて、『わが神《モン・デュー》』とか、『ドイツ人を探せ《シェルシェ・ル・ボシェ》！』とか、『扉を閉めろ《フェルメ・ル・ポルト》！』というようなものを書いていた。ル・ディオ・シリーズの中で、フランス人の農夫たちは、しょっちゅうGIたちに〝扉《とびら》をしめろ〟と怒っていたのだ。だがテディはすわりこんで原稿をかかえこみ、目を大きくみひらき、眉《まゆ》に汗の玉を宿し、百面相をして読んでいた。ときには、テディの頭の中でひびいている空冷式ブローニング機関銃の銃声や、88ミリ高射砲の砲声が、聞きとれるような気がした。テディにル・ディオ・シリーズをもっと書いてくれとやかましく催促されるのは、うれしくもあり驚きでもあった。

今では書くことがわたしの仕事であり、喜びは若干減り、頭の中で、うしろめたい自慰行為的喜びが、人工授精という冷静な臨床的イメージと結びつくことが多くなった。出版契約に記されている規定や規則に従うようになったからだ。それに、わたしを現代のトマス・ウルフになぞらえる人はいないけれども、ぺてん師の気分になることはめったにない。いつでも、できるだけ懸命に仕事を休んでいるからだ。奇妙な表現をすれば、仕事をあまりしないというのは、同性愛者になるようなものだ——あるいは、当時のわたしたちにはそういう意味だったと言おうか。わたしが恐れているのは、今日では、どれほど頻繁《ひんぱん》にそれが害になるかということだ。当時、わたしはときどき、書くことがどんなに気分がいいかに気づき、むかつく思いをした。今日では、ときどきタイプライターをみつめ、いつかことばを使い果たしてしまうのだろうかと考える。そんなことは起こってほしくない。わたしはできるだけ長いあいだクールでいられれば、ことばを使い果たさずにすむと思っているが、どうだろう？

「それ、どんな話なんだよ？」バーンは不安そうだ。「まさかホラーじゃないよな、ゴーディ？　ホラーなら聞きたくない。おれはごめんだよ、みんな」

「いいや、ホラーじゃない」クリスが言った。「すっごくおもしろいんだ。汚ない話なんだけど、おもしろい。やれよ、ゴーディ。一発どんとやってくれ」

「ル・ディオ物かい？」テディは訊いた。

「いいや、ル・ディオ物じゃないよ、マニアめ」クリスはテディにラビット・パンチをくらわせた。「パイ食い競争の話なんだ」

「おい、おれ、その話、まだ書いてもいないよ」わたしは抗議した。

「ふうん、でも、話せよ」

「みんな聞きたい？」

「あったりきよ、ボス」テディは言った。

「それじゃあね。架空の町の話なんだ。グレトナって名をつけた。メイン州のグレトナ町だ」

「グレトナだって？」バーンはにやにや笑っている。「なんて名前だよ。メイン州にはグレトナなんてないぞう」

「黙れ、ばか」クリスが言った。「たった今、架空の町だって言っただろ」

「ああ。でもね、グレトナなんて、相当ばかばかしく聞こえる——」

「本物の町の名前だって、ばかばかしいのがたくさんあるよ」クリスは言った。「たとえば、メインのアルフレッドってのはどうだ？　同じくサコは？　ロトのエルサレムは？　くそったれのキャッスル・ロックは？　ここには城《キャッスル》なんかないじゃないか。たいていの町の名前はばかばかしいのさ。慣れてるからそう思わないだけだ。そうだろ、ゴーディ？」

「そうだよ」そうは言ったものの、わたしは内心ではバーンの方が正しいと思っていた。グレトナというのは、町の名前にしては相当ばかげている。わたしは他《ほか》の名前を思いつけなかっただけなのだ。「とにかく、その町では、キャッスル・ロックと同じように、年に一回開拓者の日というのがあった——」

「うん、開拓者の日ね、あいつはなんてったたって楽しい」バーンは大まじめで言った。「あのばかなビリーも含めて、家族全員が車輪つきの檻《おり》に乗りこんでさ。たったの三十分だし、おれは限度いっぱいがまんしなきゃならないんだけど、その価値はあるんだ。あのくそったれがどこに——」

「あのなあ、口を閉じて、彼に話をさせてやってくんない？」テディが水をさす。

バーンは目をぱちくりさせる。「いいとも。うん。オーケー」

「つづけろよ、ゴーディ」とクリス。

「ほんとにたいした話じゃない——」

「あのな、おれたちゃ、おまえみたいなアホにたいした話なんか期待しちゃいないよ」テディは言った。「だけど、とにかく話してみな」

わたしはごほんと咳《せき》ばらいする。「じゃ、まあ。その開拓者の日の夜に、三大行事があるんだ。小さな子ども向けの卵ころがし、八、九歳ぐらいの子ども向けの袋《サック》レース、そしてパイ食い競争。で、この話の主人公はみんなに嫌《きら》われているデビー・ホーガンという太った少年なんだ」

「チャーリー・ホーガンに弟がいたら、そんな名前みたいだな」バーンはそう言ったとたん、もう一度クリスにラビット・パンチをくらって、身をすくめた。

「その子は、おれたちと同じ年なんだけど、太ってる。体重が百八十ポンドぐらいあって、いつも殴られてるし、ばかにされてる。そして子どもたちはみんな、彼をデビーと呼ばずに、でぶっ尻《ちり》のホーガンと呼び、ことあるごとにばかにした」

話を聞いている三人はうやうやしくうなずき、でぶっ尻に対してそこそこの同情を表わしてみせた。もっとも、もしそういうやつがキャッスル・ロックに現われたら、わたしたちはみんなしてそいつをからかい、弱虫毛虫あつかいをするだろう。

「それにうんざりしていた少年は、復讐《ふくしゅう》してやろうと決心した。彼はパイ食い競争なら誰にも負けない自信があるが、この競争は開拓者の日の中で最後のイベントだし、みんなの注目の的だった。賞金は五ドル——」

「で、そいつが五ドルせしめて、いじめたやつら全員にけんかを売ったんだ!」テディが口をはさんだ。「そだろ、ボス!」

「ちがうよ、それよりずっとすごいんだ」クリスは言った。「黙って聞いてろよ」

「でぶっ尻は考えた。五ドル、それがなんだというんだ? 競争の日まで二週間あるが、その間に、みんなに知れたら、あのブタのホーガンは人を食った野郎だ、よし、これからあいつの家に押しかけて、あいつをからかってやろう。たった今から、でぶっ尻というのをやめて、ブタパイ野郎と呼ぼう——少年はそう言われるのではないかと思った」

みんなはまたうなずき、デビー・ホーガンがなかなか頭の回るやつだということを認めた。わたしは自分の話に夢中になりはじめた。

「しかし、町の人々は少年が競争に参加するものと思っていた。少年の父親と母親でさえそうだった。いいかい、両親は賞金の五ドル分なんて、とっくに息子のために使ってしまっていたんだから」

「うん、そうだ」クリスは言った。

「いろいろと少年は考えてみて、なにもかも嫌《いや》になった。だって太っているのは、別にその少年のせいではないからだ。彼は、ほら、なんだかへんてこな腺《せん》かなんかが——」

「おれのいとこと同じだ！」バーンが興奮して言った。「本当なんだ！　その娘《こ》、体重が三百ポンド近くまで増えちまってさ！　下垂腺とかなんとかいうやつのせいなんだって。おれは下垂腺なんて知らないけど、あのでぶときたら、あっ、しまった、あの娘ときたら、丸々太った感謝祭の七面鳥そっくりでさ、あるとき――」

「口を閉じててくれないか、バーン？」クリスはきびしくたしなめた。「話が終わるまで！　まったく、もう！」クリスはコークを飲みほし、砂時計の形をしたグリーンのびんを逆手に持つと、バーンの頭の上に振りかざした。

「ああ、うん、ごめん。つづけてよ、ゴーディ。おもしろい話だよ」

わたしはほほえんだ。バーンに話の腰を折られても、べつにどうということはなかったが、もちろん、クリスにそう言うわけにはいかない。クリスはみずから〈芸術の保護者〉をかってでたのだから。

「少年はパイ食い競争の前のまるまる一週間、心の中で一所懸命にあれこれ考えた。学校に行くと、他の子どもたちがつきまとって、口々に言う。おい、でぶっ尻、おまえ、パイを何個食うつもりだ？　十個か？　二十個か？　八十個かなあ？　でぶっ尻はこう答える。そんなこと、わかるもんか。どんな種類のパイかもわからないんだ、と。で、いいかい、このパイ食い競争で少しおもしろいところは、チャンピオンというのが、ええっと、ビル・トレイナーだったかな、確かそういう名前のおとなの男なんだ。で、このトレイナーというやつは、太ってはいない。それどころか、ひょろひょろのやせっぽちなんだ。だけど、彼はあっというまにパイを食っちまう。前の年には、六個のパイを五分で食っちまったんだ」

「丸ごとのパイを?」テディは畏怖《いふ》の念に打たれたようだ。

「そのとおり。一方、でぶっ尻は、パイ食い競争始まって以来の、最年少者なんだ」

「がんばれ、でぶっ尻!」テディは熱くなって叫んだ。「しっかりパイをかっ食らえ!」

「他にどんなやつが出場するのか、みんなに話してやれよ」クリスが口をそえた。

「オーケー。でぶっ尻ホーガンとビル・トレイナーの他に、町いちばんのでぶっちょカルバン・スパイア、宝石店を経営している——」

「グレトナ宝石店だな」バーンはくすくす笑った。クリスに険悪な目でにらまれる。

「それから、ルイストンのラジオ局でディスク・ジョッキーをやっている男。この男は太ってはいないけど、ぽちゃっとしたタイプなんだ。それから最後に、ヒューバート・グレトナ三世。でぶっ尻ホーガンの学校の校長だ」

「てめえの生徒と食べっくらしたのか?」テディは訊いた。

クリスは膝《ひざ》をかかえ、楽しそうに体を前後に揺らしている。「すごいだろ? 先をつづけろよ、ゴーディ!」

わたしはみんなを虜《とりこ》にしていた。彼らはみんな身をのりだしてきている。わたしは力というものの酩酊《めいてい》感を経験した。そして、心地よさに浸るためにわずかばかり体をちぢめた。今でも森の奥から聞こえていたアメリカコガラの鳴き声を、思い出す。今ではすっかり遠くなった、あの単調な声が絶えまなく空に呼びかけていた声を。ディー、ディー、ディー……と。

「でぶっ尻はあることを考えついた」わたしは話をつづけた。「子どもが考えたとは思えないような復讐の方法だった。さて、問題の夜がきた——開拓者の日の最後の夜だ。パイ食い競争は花火大会の前に開かれる。グレトナのメイン・ストリートは、人々が歩きまわれるように車輛《しゃりょう》通行止めとなり、道のまん中に大きなステージが設けられ、旗が飾られ、ステージの前には人々がつめかけた。その年はブルーベリー・パイのパイ食い競争だとわかったため、顔じゅうにブルーベリーをくっつけた優勝者の写真を撮ろうと、新聞社のカメラマンも来ていた。あ、いけない、これを言うのを忘れてた。パイ食い競争の出場者は、両手をうしろで縛られたかっこうで、パイを食わなきゃならないんだ。だから、わかるだろ？　さて、出場者たちがステージにあがってきた……」

16

ゴードン・ラチャンス作『でぶっ尻《ちり》ホーガンの復讐《ふくしゅう》』より
一九七五年三月『キャバリエ・マガジン』誌初出。転載許可受諾済み

出場者たちは次々にステージにあがると、テーブル・クロスをかけた長いトレッスルテーブルのうしろに立った。テーブルはステージの前面にしつらえてあり、その上にうずたかくパイが積みあげられている。その上方に輪になった電線に百ワットの裸電球がいくつもぶらさがり、蛾《が》や虫が電球にひたとぶつかったり、群がったりしていた。ステージの上方に、スポットライトで照らし出された横長の表示が出ている。いわく〝一九六〇年度グレトナ・パイ食い大会〟。この表示の両わきに、古ぼけたラウドスピーカーが一台ずつ取り付けられている。チャック・デイ・オブ・ザ・グレート・デイ電気製品店からの提供品だ。現チャンピオンのビル・トラビスはチャックのいとこだった。

両手をうしろで縛られ、シャツの前を開き、まるでギロチンに向かうシドニー・カートンというスタイルで、出場者たちが次々にステージにあがってくると、シャーボンヌー町長がチャックの拡声装置を通じて、各自の名前を紹介し、そのくびに白く大きな前掛けを結んでやる。カルビン・スパイヤーにはぱらぱらとしか拍手がなかった。彼は二十ガロン入りの水桶《みずおけ》のような腹の持主なのだが、ホーガン少年についで、負ける方に予想されていた（たいていの人はでぶっ尻ホーガンを有望だが、今年いいところまでいくには、若すぎるし、経験がないと見ていた）。

スパイヤーの次はボブ・コーミアーだ。コーミアーはルイストンのWLAM放送で、人気のある午後の番組のディスク・ジョッキーをつとめている。彼はスパイヤーより盛大な拍手と、見物の中のティーンエイジャーの女の子たちからの黄色い声援とを受けた。女の子たちのあいだでは、彼は〝かっわいい〟と評判なのだ。つづいてグレトナ小学校の校長、ジョン・ウィギンズ。年配の見物人たちから暖かい歓呼の声が起こる――手に負えない小学生たちは、あちこちでブーと野次をとばしている。ウィギンズは見物人たちに向かって、慈愛深い笑みと、いかめしいしかめっつらとを、同時にふりまいた。

次にシャーボンヌー町長はでぶっ尻ホーガンを紹介した。

「年一度のグレトナ・パイ食い大会には初出場ですが、将来に大きな期待がよせられている……デイビッド・ホーガンくん！」でぶっ尻ホーガンは盛大な拍手を受けながら、シャーボンヌー町長に前掛けをくびに結んでもらった。拍手がおさまると、百ワットの電球の光が届かない暗がりから、練習をつんだギリシアのコーラスのような、意地の悪い野次がとんだ。「でぶっ尻、食っちまえ！」

くぐもったひやかし笑いとどんどん足を踏み鳴らす音が起こったが、暗がりの中では誰《だれ》がやっているのかわからず（あるいは誰も詮索《せんさく》をせず）、ある者は苦笑をうかべ、またある者は批判的に眉《まゆ》をしかめた（いちばん苦い顔をしたのは、いちばん人目につくところにいる権威者のヒゾナー・シャーボンヌー町長だった）。でぶっ尻ホーガン少年自身は、気づいたそぶりも見せなかった。厚いくちびるにうかんだ薄い笑みも、太ったあごに刻まれた細いしわもそのままで、まだしかめっつらをしている町長に前掛けを結んでもらい、ばかな見物人のことは気にしないようなだめられた（町長は、でぶっ尻ホーガンがどれほど屈辱的なからかわれかたをしているか、また、これから先、ナチのタイガー戦車のように、一生ズシンズシンと大地を揺らして歩いていくことで、どれほどの屈辱をこうむるかなどということは、これっぽっちも考えていない、という顔をしていた）。

旗で飾られたステージの入り口に、最後に現われた出場者は、最大の歓呼の声と熱狂的な支持の拍手で迎えられた。これが身の丈六フィート五インチ、ひょろひょろのやせっぽちの大食漢、伝説的なビル・トラビスだ。トラビスは鉄道操車場の側のアモコ・ガソリンスタンドの修理工で、まれに見る好人物だった。

グレトナ・パイ食い大会には、たった五ドルの賞金以上のものがある、というのが町の人々のあいだでは一般的な意見だった——少なくとも、ビル・トラビスにとってはそうだった。これには二つの理由がある。ひとつは、ビルが優勝すると、町の人々がお祝いを言いにガソリンスタンドに来てくれるうえに、たいていの人が車を満タンにして帰っていくのだ。そして大会のあと、ときどき、二つの駐車区画がまる一カ月の予約を受けることがある。マフラーの修理とか、ホイール・ベアリングに油をさすとかで人々がやってきては、壁ぎわに並べた劇場用の椅子《いす》(アモコ・ガソリンスタンドの経営者のジェリー・マリングが、一九五七年に古いジェム映画館が取りこわしになったとき、椅子を譲り受けたのだ)にすわって、自動販売機のコークやモキシーを飲みながら、ビルとパイ食い競争の話を楽しむのだ。ビルはスパークプラグを交換したり、車つきの台にねそべって、インターナショナル・ハーベスター・ピック・アップの下にもぐりこみ、排気装置の穴を探したりしながら、おしゃべりの相手をする。

ビルはいつも楽しそうに話をするので、彼がグレトナで好感をもたれている理由のひとつは、そこにあった。

ビルの年に一度の早わざ（なんなら早食いと言ってもいい）というアルバイトに対し、雇い主のジェリー・マリングが均一のボーナスを出しているか、はたまた、しっかりと昇給してやっているか、町ではちょっとした論争も起こっている。どちらにしろ、ビル・トラビスが小さな町の一介の自動車修理工以上の存在であることは、まちがいない。彼はサバタス・ロードに、こぎれいな二階建ての農家ふうの家をもっている。口さがない人々はそれを〝パイでできた家〟と呼んでいる。それはたぶん誇張だろうが、ビルは好んでそれを売り物にしていた――それがビル・トラビスにとって、五ドル以上の価値がある二つ目の理由だった。

グレトナではパイ食い競争は、激烈な賭《か》けごとの対象でもあった。たいていの人々はただげらげら笑いに来るだけだが、選《え》りぬきの少数派は金を賭けにやってくる。賭け手たちは、競馬でサラブレッドを観察し、批評するのと同じぐらい熱心に、出場者を観察し、批評する。そして臆面《おくめん》もなく、出場者の友人や、親類縁者や、単なる知りあいにさえ、近づいていき、出場者の食習慣について、ありったけの細かい情報をほじくりだす。その年のパイに関しても、つねにあれやこれやと論議がとびかう――リンゴは〝重い〟パイだとみなされているし、アプリコットは〝軽い〟パイ（出場者たちはアプリコット・パイを三、四個食べたあとでは、一日二日下痢で苦しむのを覚悟しなければならないのだが）だと思われている。今年のパイであるブルーベリーは、幸運にも〝ちょうどいい〟と言われている。もちろん、賭け手たちは出場者のブルーベリー料理に対する胃袋に、特に関心をもつ。彼はブルーベリーは好きか？　彼はストロベリーのプリザーブより、ブルーベリー・ジャムの方が好きか？　彼は朝食のシリアルにブルーベリーを混ぜるか、あるいは断固としてバナナ・クリーム派なのか？　時間に関する質問もある。彼はスロー・ダウンする早食いなのか、あるいは、せっぱつまってくるとスピードのあがるのんびり食いなのか、それとも、つねに一定したペースでなんでもこなす健啖家《けんたんか》なのか？　セント・ドムの球場で、ベーブ・ルース・リーグを観戦しているあいだに、ホットドッグを何個ぐらい食べられるか？　ビールを大量に飲めるのか？　もしそうなら、いつもはひと晩に何本ぐらい飲むか？　げっぷをするか？　上手にげっぷをする者は、長時間にわたる戦いでは少しばかり分《ぶ》がいい、と信じられているからだ。

以上の質問の答と、他の情報がふるいわけられ、賭けの配当率が決まり、賭けが成立する。パイ食い競争の当夜までの一週間かそこいらの期間で、実際にいったいどれぐらいの金が動くのか知りようがないが、頭に銃を突きつけられれば、必死で考えて、千ドル近くにはなると答えよう――いかにもけちな額に聞こえるだろうが、十五年前の小さな町で動く金としては、それでも大金だった。

それに競争は公明正大で、ぴったり十分間という時間制限があるため、出場者自身が自分に賭けても誰からも文句は出なかった。ビル・トラビスは毎年自分に賭けていた。噂《うわさ》によると、一九六〇年のその夏の夜、ビル・トラビスはにこにこ笑って、自分にかなりの額を賭けること、今年の最高は五対一まで受けられること、この両方にうなずいてみせたという。賭けごとに暗いひとのために、賭け率の説明をしておこう。五対一の率というのは、五十ドル賭けた人が勝った場合に、ビルは二百五十ドルの金を払う危険を冒すということだ。決して得な取り決めではないが、それが成功の値というものだ――そして今、ステージに立ち、拍手喝采《かっさい》をあびながら、くったくなく笑っているビルは、賭けのことを心配しているようすは少しもなかった。

「対しますチャンピオンは」シャーボンヌー町長は声をはりあげた。「グレトナの誇るビル・トラビス！」

「よーっ、ビル！」

「今夜は何個食うつもりだい、ビル？」

「十はいけるだろ、ビリー・ボーイ」

「おまえに二ドルだぞ、ビル！　がっかりさせてくれるなよ、ボーイ！」

「おれにも一個、パイを残してくれよ、トラブ！」

おごったようすもなく、みんなに笑顔を見せうなずきながら、ビル・トラビスは町長に前掛けを結んでもらった。そしてテーブルのいちばん右端の席にすわった。そこは、コンテストのあいだ、シャーボンヌー町長が立つことになっている場所に近いところだ。並んだ出場者は、右からビル・トラビス、デイビッド・でぶっ尻・ホーガン、ボブ・コーミアー、ジョン・ウィギンズ校長、そしていちばん左端がカルビン・スパイヤーだ。

シャーボンヌー町長はビル・トラビス以上に、このコンテストの名士であるシルビア・ダッジを紹介した。彼女は言うまでもなく何年ものあいだ（町の賢者によると、南北戦争の激戦地であるマナッサスの町ができたときからだと言う）、グレトナ婦人会の会長をつとめ、毎年パイの焼けぐあいを検分し、パイの一個一個を、彼女自身の厳格な品質基準に照らしあわせて厳密に調べる。この任務の中には、フリーダム・マーケットで肉屋をやっているミスター・バンシチェックからはかりを借りて、計量儀式を行なうことも含まれている——これによって、どのパイも他のパイより一オンス以内の誤差があることが確認された。

シルビアは見物にはでやかな笑顔を向けた。裸電球の熱い光の中で、青く染めた髪がきらきら光っている。彼女は自分たちの先祖である勇気ある開拓者たちを、あちこちの町で祝うことになったのが、とてもうれしいという簡単なスピーチをした。この国を偉大な国にした人々は、その偉大さゆえに、シャーボンヌー町長が十一月に、ふたたび共和党の地方党員を神聖な町政の席に導くことになる一般大衆レベルだけではなく、ニクソンとロッジのチームが〈われらの偉大で愛する党首〉から、自由のたいまつをもたらしてくれるであろう国家的レベルに至るまで、通じており、われわれは自由のたいまつを高くかかげ――。

ここでカルビン・スパイヤーの腹が音高く鳴った――ぐーっ！　しかも拍手さえ起こった。カルビンが民主党支持であり、かつ、カソリック教徒であること（どちらか片方ならば、まだ許されるが、両方兼ねているとなると、論外なのだ）をよく知っているシルビア・ダッジは、まっかになるのと、笑顔を見せるのと、恐ろしい形相になるのと、三つをいっぺんにやってのけた。そしてごほんと咳《せき》ばらいをすると、見物の少年少女たちに、つねに両手と心に、赤・白・青の旗を高くかかげておくこと、喫煙は咳をともなう不潔で悪い習慣であることを、肝に銘じるようぶちあげてスピーチを終わった。見物の少年少女は、その後八年のうちに、ピース・メダルを身につけ、キャメルではなくマリファナを喫《す》うことになるのだが、そのときは足をこきざみに動かしながら、コンテストが始まるのを待っていた。

「話は短く、パイ食いを早く！」うしろの列から誰かがそうどなり、わっと拍手が起こった——今度は前よりも力がこもっていた。

シャーボンヌー町長はシルビアにストップ・ウォッチと、銀の警官用の呼び子を渡した。この笛で、十分間の早食い戦の終了を告げるのだ。そのあとシャーボンヌー町長が前に出て、優勝者の片手をあげることになっている。

「用意はいいですか？」町長の声がグレート・デイ拡声装置を通して、メイン・ストリートに高らかに響きわたった。

五人の出場者は用意はいいと答えた。

「位置についてますね？」町長は重ねて訊《き》いた。

出場者たちはとっくに位置についていると、うなるように返事をした。通りのどこかで、ひとりの少年が爆竹を鳴らした。

シャーボンヌー町長はむっくり太った手をあげ、さっとおろした。「スタート!!!」

五つの頭が五枚のパイ皿《ざら》の上にかぶさった。五本の大きな足が、ぬかるみの中で元気よく足踏みしているような音だ。ものを噛《か》む湿った音が、穏やかな夜の空気の中でひときわ高く聞こえたが、やがて、賭け手や応援団がひいきの出場者に声援を送る騒ぎに、その音も聞こえなくなってしまった。ほとんどの人がそれと気づく前に、一枚目のパイがたいらげられ、早々と番狂わせが始まっていた。

年齢が若すぎることと、経験がないという理由で七対一の敗者候補だったでぶっ尻ホーガンが、なにかに取りつかれた子どものように、せっせとパイを食べている。あごがマシン・ガンのようにパイの皮（ルールでは、パイの底の皮ではなく、いちばん上の皮を食べることになっている）を噛みくだき、それを食べつくしてしまうと、彼のくちびるのあいだから、深く息を吸いこむ音がもれた。まるで工場用のバキュームム・クリーナーが作動しているような音だ。すぐにホーガン少年の顔はパイ皿の中に埋もれた。十五秒後に顔があがり、食べつくしたことを示した。頰《ほお》と額はブルーベリーの汁で汚れ、黒人《ミンストレル》に扮したショーのエキストラのように見える。やったのだ――伝説のビル・トラビスが一枚目のパイを半分も食べ終えないうちに、でぶっ尻は一枚全部食べてしまった。

町長がでぶっ尻のパイ皿をあらため、きれいに食べつくされていると発表すると、驚きの拍手がわいた。町長は先頭をリードしている少年の前に、二枚目のパイ皿を置いた。でぶっ尻はふつうサイズのパイを、四十二秒フラットでたいらげてしまった。これは大会新記録だった。

でぶっ尻はさらに勢いよく二枚目のパイにかぶりつき、中身のやわらかいブルーベリーに顔を埋め、汚しながら食べつづけていく。ビル・トラビスがちらりと不安な目を投げてよこし、二枚目のパイを求めた。後日、ビルが友達に語ったところによると、一九五七年にジョージ・ガーマッシュが四分間に三個のパイを食べて卒倒して以来、初めての本格的な競争だったという。ビルは少年ときそっているのか、それとも悪魔ときそっているのか、つい疑ってしまったとも言った。そして賭けている金のことを思い、スピードを倍にあげたという。

しかしビル・トラビスがスピードを倍にあげたとすれば、でぶっ尻ホーガンは三倍にあげていた。彼の二枚目のパイ皿から、ブルーベリーが飛び散り、周囲のテーブル・クロスはしみだらけになり、ジャクソン・ポロック描くところの絵のようなありさまとなった。髪にもブルーベリー、前掛けにもブルーベリー、額にもブルーベリーがべったりくっつき、精神集中の苦しさを表わすかのように、でぶっ尻は甘いブルーベリーの汗をかきはじめていた。

「終わり!」でぶっ尻が二枚目のパイ皿から顔をあげて、そう叫んだとき、ビル・トラビスはまだ二枚目のパイの皮さえ、食べきってはいなかった。

「ペースを下げた方がいいぞ」シャーボンヌー町長は小声で注意した。町長自身、ビル・トラビスに十ドル賭けていたのだ。「最後までもちこたえたいのなら、自分のペースを守りなさい」

でぶっ尻はなにも聞いていないようだ。すさまじい勢いで三枚目のパイにかぶりつくと、稲妻のような速さであごを動かしはじめる。そして——。

ここで少し時間をもらって、読者のみなさんに、でぶっ尻ホーガンの家の薬用キャビネットには、空のびんしか入っていないことを伝えておこう。パイ食い競争が始まる前には、そのびんには光沢のある黄色いヒマシ油が四分の三ほど入っていた。これはおそらく、全能なる主が無限の知恵をもってこの世にもたらされた、もっとも不快な液体だろう。そのびんを空っぽにしたのは、でぶっ尻本人であり、彼は最後の一滴までそれを飲みほしてびんの口をなめた。口はゆがみ、腹はひどくしぶったが、彼の頭の中は甘美な復讐《ふくしゅう》のことでいっぱいだった。

でぶっ尻がせっせと三枚目のパイ（予想どおり、いちばんラストのカルビン・スパイヤーは、まだ一枚目のパイも食べきっていない）をやっつけていると、おそろしいほどの恍惚《こうこつ》感とともに、じわじわと苦痛が襲ってきた。彼が食べているのはパイではない。牛の糞《ふん》なのだ。脂《あぶら》っぽくて汚ならしい、地《じ》ネズミの腸《はらわた》のかたまりを食べているのだ。サイの目に切ったウッドチャックの内臓に、ブルーベリー・ソースをかけたものを食べているのだ。腐臭のするブルーベリー・ソースを。

でぶっ尻は三枚目のパイを食べ終え、四枚目をコールした。これで伝説のビル・トラビスに、まるまる一枚分のリードとなった。移り気な見物人たちは、新しい、思いがけないチャンピオンが生まれつつあることに気がつき、熱狂的な声援を送りはじめた。

しかし、でぶっ尻には勝とうという気も、勝ちたいという気もなかった。もし、賞品が彼自身の母親の命だったら、現在なんの苦もなく守っているペースで、食べつづけることはできないだろう。それに、勝つことは、彼にとってはすなわち負けることだ。彼が求めている一等賞《ブルー・リボン》は、復讐のみなのだから。腹をヒマシ油でごろごろいわせ、喉《のど》を吐き気がするように開けたり閉めたりしながら、でぶっ尻は四枚目のパイをたいらげ、五枚目の、窮極のパイをコールした――言ってみれば、ブルーベリーが、ギリシア神話のエレクトラとなりつつある。パイ皿に顔を押しつけ、パイ皮を嚙みくだき、鼻からブルーベリーを吸いこむ。シャツにブルーベリーがこぼれる。胃の中が急に重くなったようだ。でぶっ尻はぱりぱりのパイ皮を嚙んで飲みこんだ。ブルーベリーをがつがつ食べる。

突然に、復讐のときがせまってきた。許容の程度を越えた胃袋が、反逆を起こした。つるつるしたゴムの手袋をはめた強い手で、がっちりと胃をつかまれているようだ。喉の奥が開く。

でぶっ尻ホーガンは顔をあげた。

青く染まった歯を見せ、彼はビル・トラビスににやっと笑ってみせた。

トンネルから六トンもの生コンクリートが噴き出すように、でぶっ尻の喉から反吐《へど》が噴き出した。

湯気の立った、青と黄の入りまじった反吐が、でぶっ尻の口から音をたててほとばしった。それをまともに浴びたビル・トラビスには、なんの意味もない音――〝グエッ！〟という音に聞こえた――を発する暇しかなかった。見物の女たちが悲鳴をあげた。この思わぬ出来事を、呆然《ぼうぜん》と驚きの顔で見守っていたカルビン・スパイヤーは、息をのんでいる見物人たちに、なにが起こったのか説明しようと、テーブル越しに身をのりだしたとたん、町長の奥さんのマルガリーテ・シャーボンヌーの頭に、反吐をあびせてしまった。シャーボンヌー夫人は悲鳴をあげてとびすさり、むなしく髪に手をやった。夫人の頭は、ブルーベリー、ベイクド・ビーンズ、なかば消化されたフランクフルト・ソーセージ（後者の二品はカルビン・スパイヤーの夕食だった）のまざったもので、べったり汚れていた。夫人は仲良しのマリア・ラバンの方を向くと、マリアのバックスキンのジャケットの胸に、身を投げかけた。

爆竹を鳴らすように、たてつづけにどたばた騒ぎが起こった。

ビル・トラビスが、すさまじい――かつ、きわめて勢いのいい――反吐をはき、前列二列の見物人にあびせた。その呆然とした顔には〝みんな、おれがこんなまねをするなんて、我ながら信じられない！〟と書かれていた。

ビル・トラビスにあきれかえった贈り物を、たっぷりとあびせられたチャック・デイは、自分のハッシュ・パピーの靴《くつ》の上に反吐をはいてしまい、汚れてしまったスエードはどうにもできないことに思い至り、目をぱちくりさせて靴を見おろしていた。

グレトナ小学校の校長、ジョン・ウィギンズは、青く染まったくちびるを開き、とがめるように言った。「まったく、これはもう……ウゲエ！」ウィギンズは家柄《いえがら》と地位のある人物にふさわしく、パイ皿の中に吐いた。

ヒゾナー・シャーボンヌー町長は、どういうわけか、急に、パイ食い競争というより、腹痛患者の病棟《びょうとう》を取りしきる役に変わってしまったことに気づいた。町長は大会終了を宣言しようと口を開いたとたん、マイクに向かってゲロを吐いてしまった。

「神よ、お助けください！」シルビア・ダッジはうめき、夕食――ハマグリのフライ、コールスロー、バター&シュガー・コーン（貴重なコーン二本分）、それにミュリエル・ハリントンのボスコ・チョコレート・ケーキ――のたたりを受け、非常口からとびだして、町長のロバート・ホール製のスーツの背に、したたかに胃の中身をもどした。

でぶっ尻ホーガンは、まだ短い人生の絶頂期にあり、幸せそのものといったほほえみを見物人に向けていた。いたるところで人々が嘔吐《おうと》している。千鳥足でよろめきながら、喉をおさえ、弱々しく嘔吐の音をたてている。誰かのペットのペキニーズが、狂ったようにキャンキャン吠《ほ》えながら、ステージを駆けまわっているところに、ジーンズとシルクのウェスタン・シャツといういでたちの男に、どっと反吐をはかれ、窒息しそうになった。メソジスト派の牧師の奥さんのミセス・ブロックウェイは、長く低いげっぷをひとつしたかと思うと、ロースト・ビーフと、マッシュ・ポテトと、アップル・パイの変形物をもどした。アップル・パイは、腹におさまったときは、さぞうまかっただろう、というふうに見えた。かわいがっている使用人の修理工が、今回もまた優勝するところを見ようと、見物に来ていたジェリー・マリングは、この大混乱の場から逃げだそうと、まともな判断をくだした。そして十五フィートばかり逃げたところで、子どものおもちゃの四輪車につまずき、なまあたたかい胃液の水たまりの中に尻《しり》もちをついた。ジェリーは自分の膝《ひざ》に小間物を広げた。あとで語ったところによると、そのときほど、カバーオールを着ていた幸運を感謝したことはなかったそうだ。グレトナ統合ハイスクールで、ラテン語と基礎国語を教えているミス・ノーマンは、つつしみ深さもきわまって、自分のバッグの中に吐いた。

でぶっ尻ホーガンは太った顔をおだやかに、はればれとさせて、すべてを見届けていた。そしてふいに、腹の底から、今まで一度も感じたことのない、甘美で確固としたあたたかい、すっきりした気分に満たされた――それは、純粋で完璧《かんぺき》な満足感だった。でぶっ尻は立ちあがり、シャーボンヌー町長の手から、いくぶんねとねとしたマイクを奪って、言った……。

17

「〝この競争は引き分けとします〟。でぶっ尻《ちり》はそう言うと、マイクを置き、ステージ裏へおりてまっすぐ家に帰った。でぶっ尻のおふくろさんは、まだ二歳のでぶっ尻の妹のベビーシッターがみつからなかったんで、家にいた。でぶっ尻が前掛けをつけたまま、全身嘔吐物《おうとぶつ》とパイの食べ汚しにまみれて帰ってくると、おふくろさんは訊《き》いた。〝デイビー、おまえ、勝ったのかい？〟だけどでぶっ尻はむすっと黙ったまんま、なんにも言わなかった。そしてさっさと二階の自分の部屋に行くと、ドアをロックしてベッドにひっくり返った」

わたしはコークの最後のひとくちを飲むと、びんを木立ちに放《ほう》り投げた。

「うん、それはクールだ。で、どうした？」テディは身をのりださんばかりだ。

「知らない」

「どういう意味だよ、知らないって」テディは訊いた。

「それでお・し・ま・いってこと。次にどうなったかわからないときは、それで終わりさ」

「そんなあ！」バーンが叫んだ。うろたえ、疑わしげな表情だ。トップシャム・バザーのビンゴで、一セント残らずまきあげられたかのようだ。「今の幸せなほどくだらない話はなんなんだよう？　どうなるんだよう？」

「自分で想像するっきゃないのさ」クリスは辛抱づよく言った。

「へん、いやだね！」バーンは怒っている。「こいつこそ想像してほしいね！　こいつが今のくだらない話を作ったんじゃないか！」

「そうだよ、そいつはどうなったんだ？」テディはあくまでも聞きたがった。「なあ、ゴーディ、話せよ」

「そうだな、パイ食い競争の会場にいたでぶっ尻のおやじさんが帰ってきて、でぶっ尻をさんざん殴るんじゃないかな」

「うん、そうだ」クリスはうなずいた。「絶対そうだよ」

「そして、他《ほか》の子どもたちはやっぱり彼を、〝でぶっ尻〟と呼びつづけただろう。〝反《へ》吐《ど》野郎〟と呼びだした者もいたかもしれない」

「その終わりかたじゃ、つまんねえよ」テディは悲しそうに言った。

「だからさ、話すの嫌《いや》だったんだ」

「でぶっ尻がおやじさんを撃って、家から逃げ出し、テキサス・レインジャーに入るってことにもできるぜ」テディは言った。「それ、どうだ？」

クリスとわたしは目を見かわした。クリスはほとんど目につかないぐらい、一方の肩をそっとあげてみせた。

「そうだね」わたしはテディに答えた。

「おい、ゴーディ、ル・ディオ物の新しいの、できたか？」

「いや、まだだ。いくつか考えつくと思うけど」テディの気を悪くしたくはなかったが、わたしはル・ディオがどうなるか、もはや少しも興味がなくなっていた。「今の話、きみたちの気に入らなくて残念だよ」

「うんにゃ、おもしろかったぜ」テディは言った。「最後までちゃんと聞いたら、おもしろかった。反吐ってのは、ほんと、クールだったな」

「うん、クールで、まったく汚ならしい」バーンもうなずいた。「だけど、話の終わりはテディのがいい。ぐんと盛りあがった」

「ああ」わたしはため息をついた。

クリスが立ちあがった。「ちょっと歩くとするか」まだぎらぎらと明るく、空はぬけるように青いが、わたしたちの影は少し細長くなってきていた。子どもの頃《ころ》、九月の日々がいつもあっというまに暮れてしまうように思われ、驚いたものだ――心の中のどこかで、いつまでも暮れずに九時半頃まで明るい六月がつづくことを、期待する気持があったのだろう。「今、何時だい、ゴーディ」

わたしは時計をのぞき、五時を過ぎているのにびっくりした。

「そっか、行こうぜ」テディは言った。「けどさ、薪《たきぎ》やなんか集められるように、暗くなる前にキャンプしような。それに腹も減ってきた」

「六時半まで歩く」クリスはきっぱり言った。「みんな、いいか?」

そういうことになった。今度は線路のわきのスラグの上を歩いていく。まもなく、川はわたしたちの背後に遠く取り残され、音も聞こえなくなった。蚊がぶんぶんうなり、わたしはうなじをぴしゃりとたたいた。バーンとテディが先に立ち、なにやらこみいった漫画本の交換取り決めをしながら、歩いているようだ。クリスはポケットに両手を突っこみ、シャツをエプロンのように膝《ひざ》のところでぱたぱた揺らして、わたしと並んで進んだ。

「ウィンストンを少し持ってきた」クリスは言った。「おやじの引き出しから失敬してきたんだ。ひとりに一本。夕めしのあとだな」

「ん? そいつはすごい」

「煙草《たばこ》がいちばんうまいのさ。夕めしのあとってのは」

「そうだね」

しばらくのあいだ、わたしたちは黙って歩きつづけた。

「あれ、ほんとにおもしろい話だよ」いきなりクリスは言った。「あいつら、ちょっと頭が悪いから、理解できないんだ」

「いや、そんなにいい出来じゃないよ。つまらない話だ」

「おまえ、いつもそう言うな。自分でも信じてないようなこと、おれに言うなよ。あれ、ちゃんと書くつもりだろ？　さっきの話さ？」

「たぶんね。だけど、すぐには書かない。みんなに話したあと、すぐには書けないんだ。とっとくよ」

「バーンのやつ、なんてったたっけ？　終わりがぐんと盛りあがった、だっけ？」

「うん」

クリスは笑いだした。「人生ってのは、盛りあがるもんだな、そうだろ？　つまりさ、おれたちをごろうじろってことだ」

「あはっ、ぼくたち、しっかり楽しんでるじゃないか」

「そうともさ。ごきげんそのものだよな、悪友」

わたしは笑い、クリスも笑った。

しばらくして、またクリスが口を開いた。「ああいうのが、ソーダ水の泡《あわ》みたく、ばんばん浮かんでくるんだなあ」

「なんだって？」そう訊き返したものの、クリスの言わんとするところは、わたしにはよくわかっていた。

「話が、だよ。おれには、ほんと、驚きだぜ。おまえときたら、百万も話ができて、さらにその上にあと百万、追加できるんだ。いつかきっと、りっぱな作家になるよ、ゴーディ」

「いや、そうは思わない」

「いいや、なるってば。題材《ネタ》に困ったら、おれたちのことさえ、書きかねないな」

「その方がよっぽど困ることになりかねないな」わたしはクリスを肘《ひじ》でこづいた。

またもや沈黙がつづいたあと、ふいにクリスがこう訊いた。「おまえ、学校の準備できてる?」

わたしは肩をすくめた。そんなものができている子がいるだろうか? 学校が始まり、友人たちに再会できると思うと、少し胸が躍る。新任の教師がどんなふうかにも興味がある――からかってやれるような大学を出たての新米教師か、それとも、アラモの砦《とりで》時代以来、ずっといすわっているような古参曹長《そうちょう》みたいな教師か。それに、おかしなことに、長くて退屈な授業のことさえ、なんとなく楽しみになるものだ。夏休みも終わりに近づくと、ときどき退屈が昂《こう》じて、なにか学べるということすら、信じられる気がする。とはいえ、夏休みの退屈さというのは、学校の退屈さとはまるっきりちがう。学校が始まって二週間目の終わりと三週間目のはじまりのときに、決まって襲ってくる本物の退屈さとはちがう。先生が黒板に〈南アメリカの主要な輸出品〉

を書いているあいだに、美術用の消しゴムを、スカンク野郎のフィスクの後頭部にぶつけられるか？　両手に汗がにじんでいるときに、ワニス塗りの机の上から、何人突き落として悲鳴をあげさせてやれるか？　ロッカー・ルームで体操服に着替えているさいちゅうに、誰《だれ》がいちばん大きな音で屁《へ》をひるかの競争を、やめられるか？　昼食時間に何人の女の子たちが、〝ブー・グースド・ザ・ムース〟のゲームに誘ってくれるだろう？　これは大学レベルの問題なのだ。

「ジュニア・ハイか」クリスは言った。「おまえ、知ってるか、ゴーディ？　来年の六月までには、おれたち全員、学校をやめちまうぜ」

「なに言ってるんだよ？　なぜそんなことになるのさ？」

「グラマー・スクールみたいなわけにはいかないだろ。だからさ。おまえはカレッジ・コース。おれとテディとバーン、おれたち三人は職業訓練コースで、他の低能たちといっしょに、玉突きをやったり、灰皿《はいざら》や鳥小屋を作ったりするのさ。バーンは補習コースに行かなきゃならないかもしれない。おまえは新しい仲間にたくさん出会えるよ。頭のいいやつらに。そんなふうになってんのさ、ゴーディ。そんな仕組みになってんのさ」

「たくさんの腰ぬけたちと出会う、って言いたかったんだろ」わたしは言った。

クリスはわたしの腕をつかんだ。「ちがうよ。そんなことは言うな。そんなことは考えてもいけない。おまえが会うやつらは、おまえの作品をわかってくれる。バーンやテディとはちがうんだ」

「作品なんてくそくらえだ。腰ぬけどもの仲間になんかなるものか。ごめんだよ」

「いやだって言うんなら、おまえはばかたれだ」

「おまえの友人たちといっしょにいたい、っていうのが、なぜ、ばかたれなんだよ?」

クリスはなにごとかを言おうか、言うまいか、心を決めかねているように、わたしの顔をしげしげとみつめた。わたしたちのペースはぐんと落ちていた。バーンとテディは半マイルほど先を行っている。もう低くなってきた太陽が、高い木々の葉のあいだから、折れ曲がった、ほこりっぽい光の矢を射こみ、すべてのものを黄金《きん》色に染めている——だが、よく見れば、その色は安っぽい金のものであり、安物雑貨店の金ぴか製品のものであった。早くもうす暗くなってきた中で、前方にまっすぐ線路が伸びている——線路はきらめいているように見えた。そこここが、ちかちかと星のまたたくような光を放ち、まるで、頭のいかれた大金持ちが、どこにでもいそうな労働者をよそおい、六十ヤードごとぐらいに鋼鉄の中にダイヤを埋めこむことにしたようだった。暑いのはあいかわらずだ。わたしたちの体を汗が玉となってころがり、すべり落ちている。

「おまえの友達がおまえの足を引っぱるとすれば、ばかたれだろ」ようやくクリスはそう言った。「おれはおまえのことも、おまえの家族のことも知っている。おまえの両親はおまえの兄さんだけだ。フランクがポーツマスの営倉にぶちこまれたとき、おれは、おまえのことなんか、ちっとも気にかけちゃいない。彼らが気にかけていたのは、おまえの兄さんだけだ。フランクがポーツマスの営倉にぶちこまれたとき、おれのおやじもそうだった。あのときから、おやじはフランク以外の子どもたちを四六時ちゅう叱《しか》ったり、殴ったりするようになったんだ。おまえんとこのおやじさんは、おまえを殴ったりはしないけど、それよりもっとひどいのかもしれないな。おまえのことには無関心なんだから。おやじさんにくそったれの職業訓練コースに入るって言ってみても、おやじさんがなんて言うか、わかってるだろ？　きっと新聞を一枚めくって、こう言うさ。〝うん、それはいいね、ゴードン、おかあさんに夕食はなにか訊いてきておくれ〟とね。そうじゃないと言おうったってむだだぞ。おれはおまえのおやじさんに会ったことがあるんだから」

　そうじゃないと言う気などなかった。たとえ友人であろうと、他人に自分の状況をよく知られているのがわかるのは、恐ろしいことだ。

「おまえはまだ子どもなんだよ、ゴーディ」

「うーっ、ありがとよ、とうちゃん」

「ほんと、おれがおまえのおやじならよかったのにな！」クリスは腹だたしげに言った。「おれがおまえのおやじだったら、おまえだって、あほくさい職業訓練コースをとるなんて話、持ち出さなくてすむのにな！　あんな作品をいっぱい作れるなにかを与えてくれた神さまみたいに、こう言ってやれるんだ。〝これこそ、わたしたちがおまえに望むことだよ、息子や。その才能を失わないようにしなさい〟ってね。だけど、子どもってのは、誰かが見守っててやらないと、なんでも失ってしまうもんだし、おまえんちの両親が無関心すぎて見守っててやれないってのなら、たぶん、おれがそうすべきなんだろな」

クリスはわたしが殴りかかるのを覚悟しているような顔をしていた。夕方近い緑と黄金の光の中で、ひどくこわばった、悲しそうな表情を見せていた。彼は当時の子どもたちの基本的なルールを破ってしまったのだ。誰かが他の子についてなにか言おうとするとき、当の本人のことをどんなに口汚なくののしってもいいが、その子の母親や父親の悪口は、ひとことたりとも言ってはいけないものなのだ。それは不文律であり、金曜日の夕食に肉が出ないことを確認したうえでないと、カソリックの友人を食事に招いてはいけない、というのと同じく、暗黙の了解事項だった。もし、自分の父親や母親を悪く言われたら、言ったやつに拳骨《げんこつ》をくらわしてやる必要がある。

「おまえが聞かせてくれた話は、おまえ以外の人じゃおもしろくないんだよ、ゴーディ。仲間とばらばらになるのが嫌《いや》だからって、おれたちとずっといっしょにいたんじゃ、仲間とうまくやっていくために成績がCになって、新しい不満が出てくるだけさ。ハイスクールに行って、くそったれの職業訓練コースをとって、消しゴムを投げて、他の不満家たちと足並みをそろえるようになってしまう。居残り。停学。そしてしばらくすると、おまえの関心は車を手に入れて、ひどいブスを踊りにつれていくとか、トウィン・ブリッジズ・タバーンにくりだすとか、そんなことだけになってしまう。そのあげく、女を妊娠させ、残りの生涯《しょうがい》を工場ですごすか、オーバーンの靴屋《くつや》ですごすか、ヒルクレストで鶏の羽をむしってすごすか、ってことになる。さっきのパイの話は、決して書かれなくなるだろう。なにひとつ、書かれなくなるだろう。なぜなら、おまえが頭の空っぽな、ただの皮肉屋になりさがっちまうからだ」

わたしにこれだけのことを言ったクリス・チェンバーズは、そのときまだ十二歳だった。だが、話しているあいだに、彼の顔にはしわが深く刻まれ、どんどん老《ふ》けていき、年齢を超越してしまった。淡々とした、無色透明な話しかただったが、それにもかかわらず、わたしの心胆を寒からしめた。まるでとっくに一生を生きてしまった人の話のようだった。まっすぐに歩いて運命のルーレットをまわせ、そうすればルーレットは快調に回り、ペダルを踏めばハウス・ナンバーのダブル・ゼロでとまり、他の者をみんな負かしてしまう、そんな話のできる人生を歩んできた人のようだった。遊園地か動物園のフリー・パスをもらったら、人工降雨機のスイッチを入れられた……まったく、おかしい、バーン・テシオでさえ拍手喝采《かっさい》してくれそうなジョークだ。

クリスはむきだしのわたしの腕をつかみ、つかんだ指に力をこめた。指はわたしの腕の肉に深くくいこんだ。骨を砕いた。クリスの目はなかば閉じられ、死んでいた――そう、たった今、棺《ひつぎ》に倒れこんでもおかしくないほど完全に、生彩を失っていた。

「町の人たちがおれんちのことをどう思ってるか、おれは知ってる。おれのことをどう思い、どんなふうになるか予想していることも、知ってる。あのとき、ミルクの代金をおれが盗《と》ったかどうかさえ、おれは訊《き》かれなかった。ただ、ぽいと、三日間の休暇を与えられただけだった」

「きみが盗ったの?」これまで一度も、わたしはその質問をしなかったし、もし、どうして尋ねないんだと訊かれたら、このオタンコナスと言い返していただろう。それが今、小さな、無味乾燥な弾丸のように、口からこぼれた。

「うん」クリスは答えた。「そうだ、おれが盗った」一瞬口をつぐみ、前方のテディとバーンに目を向けた。「おれが盗ったのは、おまえが知ってる、テディが知ってる、みんな知ってる。バーンでさえ知ってる、と思う」

わたしは否定しようとして、いったん開いた口を、ふたたび閉ざした。クリスの言うとおりだ。罪が立証されるまでは人間は無実なのだと、父や母にどんなに力説したにしろ、わたしは知っていた。

「あのとき、おれは反省して、金を返そうとしたかもしれない」

わたしは目を大きくみひらいてクリスをみつめた。「金を返そうとしたって？」

「かもしれない、と言っただろ。かもしれないって。シモンズばあさんのところに金を持っていって白状したかもしれない。金はそっくりあったかもしれないけど、どっちみち、三日間の停学はくらっただろう。だって、金は現われなかったんだから。そして、次の週、学校に来たシモンズばあさんは、新しいスカートをはいてたかもしれない」

わたしはショックのあまりことばもなく、クリスをみつめていた。クリスはわたしに微笑を見せたが、その悲惨な笑みは目をのぞいて顔じゅうに広がった。

「〝かもしれない〟ってことなんだ」クリスはそう言ったが、わたしは新しいスカートのことを憶《おぼ》えていた――明るい茶色のペイズリー模様の、たっぷりしたギャザー・

スカートみたいなやつだった。それを着たシモンズ先生が、若く見えるし、きれいといってもいいな、と思った記憶もある。

「クリス、ミルクの代金、いくらだった？」

「約七ドル」

「大金」わたしはつぶやいた。

「だからさ、言ってみれば、おれはミルク代を盗ったけど、シモンズばあさんはおれから金を盗ったというわけさ。そんな話をしてみなよ。わたくし、クリス・チェンバーズ、フランク・チェンバーズおよびアイボール・チェンバーズの弟がさ。信じるやつがいると思うか？」

「無理だね」わたしは小声で答えた。「なんてこった！」

クリスは老けた、こわいような笑みをうかべた。「それにさ、金を盗ったのがザ・ビューに住んでいるような、いいとこの子だったら、あのくそばばあがそんなまねをしようという気になったと思うか？」

「いいや」

「そうなんだ。もしおれがいいとこの子だったら、シモンズばあさんはこう言うさ。〝オーケー、いいでしょう、今回はこのことをおたがいに忘れましょう。でも、あなたの手首は一発、平手打ちをくいますよ。それに、もしこんなことがまたあったら、そのときは両方の手首に平手打ちをくらわせなければなりません〃ってね。だけど、おれだったから……そうなんだ、彼女、ずっと前からあのスカートに目をつけてたんだろう。とにかく、彼女はチャンスをつかみ、ものにした。おれは金を返そうとしたばか者だった。けど、考えもしなかった……まさか教師ともあろう人が……やれやれ、気にしてるのはどっちだ？　なんだってこんな話、してるんだ？」

クリスは乱暴に腕で目をこすった。わたしは彼が泣きそうになっているのに気づいた。

「クリス、なぜカレッジ・コースに行かないんだい？　頭がいいのに」

「そんなこと、みんな職員室で決まるのさ。あるいはスマートな狭い会議室でね。教師たちが乱交パーティみたいに輪をつくってすわりこみ、くちぐちに、うん、うん、そう、そうだと言いあうのさ。その子がグラマー・スクールでお行儀がいいかどうか、町の人がその子の家族をどう思っているか、教師どもはそんなことを気にするんだ。彼らが決定するのは、その子がはえあるカレッジ・コースのいいとこの子どもたちを、汚染するかどうか、ってことさ。だけど、おれも自分を磨《みが》いてみようとするかもしれない。できるかどうかわからないけど、やってみてもいい。だって、おれはこのキャッスル・ロックを出て、カレッジに行き、二度とおやじや兄貴たちの顔を見たくないもんな。誰《だれ》もおれのことを知らない土地へ行けば、スタート前から黒星をつけられずにすむ。だけどな、そうできるかどうか、わからない」

「どうしてだい？」

「人さ。人が足を引っぱるんだ」

「どんな人が？」わたしはクリスが言っているのは、教師や、新しいスカートがほしかったミス・シモンズのような怪物、あるいは、エースとかビリーとかチャーリーという連中とつるんでいる彼の兄のアイボール、彼自身の父親と母親のことかもしれないと思っていた。

だがクリスはこう言ったのだ。「おまえの友達はおまえの足を引っぱってるよ、ゴーディ。おまえにはわからないのか？」クリスはテディとバーンを指さした。二人は立ちどまって、わたしたちが追いつくのを待っている。二人してなにか言いあっては笑っている。バーンときたら腹をよじって笑っている。「おまえの友達はおまえの足を引っぱってる。溺《おぼ》れかけた者が、おまえの足にしがみつくみたいに。おまえは彼らを救えない。いっしょに溺れるだけだ」

「おーい、来いよ、グズども！」まだ笑いながらバーンが呼んだ。

「ああ、行くよ！」クリスはそう答え、わたしがなにも言えずにいるうちに、走りだした。わたしも走ったが、わたしがクリスに追いつく前に、クリスはテディとバーンに追いついてしまった。

18

さらに数マイル進んだところで、わたしたちはキャンプすることにした。まだ陽《ひ》ざしが残っていたが、それを利用しようという者はひとりもいなかった。ゴミ捨て場での一件と、列車に追いかけられた件とで、疲れていたのは確かだが、理由はそれだけではなかった。わたしたちは今、ハーロウに、森の中にいるのだ。この先のどこかに死んだ子どもがいる。おそらく、めちゃめちゃになり、びっしりとハエにたかられているだろう。今頃《いまごろ》は蛆《うじ》がわいているだろう。夜がせまってきたというのに、そんなところに誰が近づきたいと思うものか。わたしはこんなことをなにかで読んだことがある――アルジャーノン・ブラックウッドの本だったと思うが――死体がちゃんとしたキリスト教徒らしく葬《ほうむ》られるまで、死んだ人間は幽霊として自分の死体のまわりをうろつくと。だから、ひと晩じゅう起きていて、肉体から離脱したレイ・ブラワーのぼうっと光る幽霊が、暗く、葉が音をたてている松の木々のあいだを、うめき、わけのわからないことを口走りながら、ふわふわとただよっているところを見たいという気など、これっぽっちもない。ここならば、わたしたちとレイ少年とのあいだには、少なくとも十マイルの隔りがあるにちがいない。もちろん、わたしたちは四人とも、この世に幽霊などいないのはよく知っていたが、それでも、万が一、その知識がまちがっていたとわかった場合でも、十マイルというのは結構充分な距離のように思われた。

バーン、クリス、テディは薪《たきぎ》を集め、スラグの上にささやかなキャンプ・ファイヤーを焚《た》いた。クリスは焚火《たきび》の周囲の草やなにかを完全に片づけた——森はからからに乾いていたので、危険な賭《か》けを避けたのだ。三人が働いているあいだ、わたしは木の枝を何本か削り、わたしの兄のデニーが〝パイオニアのばち〟と呼んでいたものを作った——この生の枝の先に、ハンバーグ用の肉のかたまりを押しつけるのだ。他《ほか》の三人は笑ったり、森林の知識（これはほとんど零《ゼロ》に等しい。キャッスル・ロック・ボーイ・スカウト隊というのはあるが、われらが無人の駐車場かいわいをうろついている仲間たちは、ほとんどが組織というものは腰ぬけのためにあるとみなしている）に関して言い争ったり、料理は直火《じかび》がいいのか、おきになった状態の方がいいのか議論したり（これは論外だ。わたしたちは腹がぺこぺこで、とてもおきになるまで待てっこない）、乾いた苔《こけ》はたきつけとしてうまく燃えるか、焚火の火が安定して燃えるようになるまでに、マッチを全部使ってしまったらどうするとか、わいわい言っている。テディは二本の木ぎれをこすり合わせて火を起こせると言い張った。クリスはマッチの最後の一本で成功してみせると言いはった。どちらも試してみる必要はなかった。バーンが小枝と乾いた苔の小さな山に、二本目のマッチで無事点火したからだ。完璧《かんぺき》な一日はまだつづき、火を消すような風もない。わたしたちは交替に細い炎に粗朶《そだ》をくべ、やがて手首ほどの太さの薪が安定して燃えはじめた。これは森に三十ヤードほど入りこんだところに倒れていた枯れ木の一部だ。

炎の勢いが少しおさまってくると、わたしは〝パイオニアのばち〟を、先端が火の上に出るように角度をつけて、しっかりと地面に突き立てた。わたしたちは焚火を囲んですわり、肉が炎にあぶられ、肉汁を垂らし、ついに褐色《かっしょく》になっていくのを見守った。みんなの胃が食事前の会話を交わしている。

完全に肉が焼けるまで待ちきれなくなり、各自、パイオニアのばちをつかみ取り、ロール・パンの中にはさみこみ、熱い木のスティックを引きぬく。ハンバーグは外側は黒く焦《こ》げているが、中は生《なま》で、ひとくちに言えば、うまかった。わたしたちはハンバーガーをがつがつとたいらげてしまうと、裸の腕で口のまわりの脂《あぶら》をぬぐった。クリスがパックを開け、ブリキのバンド・エイドの缶《かん》(ピストルはパックの底にしまいこんであるようだし、テディとバーンになにも言わないところを見ると、わたしたち二人の秘密にしておくつもりなのだろう)を取り出した。缶のふたを開けて、つぶれたウィンストンを一本ずつ配ってくれる。わたしたちは焚火の小枝で煙草《たばこ》に火をつけると、これぞ男の世界といわんばかりに、寝っころがって、やわらかな黄昏《たそがれ》の光の中を、煙草のけむりがただよっていくのを見守った。肺まで吸いこむ者はひとりもいなかった。なぜなら、そんなまねをして咳《せ》きこむはめにでもなったら、一日二日は他の連中にぼろくそにからかわれるに決まっているからだ。それにただぷかぷかふかして、火口《ほくち》がちりちりと音をたてるのを聞くだけでも楽しい(煙草を吸うことをおぼえたのは、夏だという人がどんなに多いことか)。みんな、いい気分だった。ウィンストンをフィルターぎりぎりのところまで吸うと、吸いさしは焚火に投げこんだ。

「食後の一服にまさるものなし」テディが言った。

「サ・イ・コ・ウ」バーンがあいづちをうつ。

緑色がかったうす暗がりの中で、コオロギが鳴きはじめた。線路の切り通しから天空の黄道を見あげると、青かった空が、もう紫色に変わってきている。黄昏の先触れともいえる空の色を見ていると、わたしは寂しいと同時におちついた気持になった。真に勇壮なのではないが、勇壮で、気分のいい孤独感。

わたしたちは土手の横の下生えの中を、どすどす踏みつけて平らにならし、巻き毛布を広げた。そして一時間ばかり、焚火に薪をくべながら話をした。十五歳をすぎて女の子をみつけたら、絶対に思い出せないような話だ。キャッスル・ロックでいちばん勢力のあるやつは誰か、とか、今年もボストンが最下位だろうか、とか、もうすぐ夏が終わってしまう、とか、そんな話をした。テディはブランズウィックのホワイツ・ビーチに行ったとき、よその子に頭を殴られ、いかだから落っこちて溺《おぼ》れそうになった話をした。また、相当長々と、これまでに習ってきた教師たちの優劣に関して議論した。キャッスル・ロック小学校では、ミスター・ブルックスがいちばん腰抜けだということに意見が一致した――生徒に口答えされたら、彼はきっと泣き出すだろう。その一方に、ミセス・コート（コーディと発音する）がいる――彼女は神がこの世に造りたもうた中で、もっともたちの悪いくそばばあだ。バーンは二年前に、彼女が生徒をひどく殴り、その生徒が失明しそうになった話を聞いたことがある、と言った。ミス・シモンズのことをなにか言うだろうかと、わたしはクリスを見たが、彼はなにも言わず、わたしを見返すこともしなかった――バーンの方を向いて、彼の話にまじめにうなずいていた。

暗い帳《とばり》がおりてくると、レイ・ブラワーの話は出なくなったが、わたしは彼のことを考えていた。森に闇《やみ》がせまってくるさまは、恐ろしくもあり、幻想的でもあった。ヘッドライトや、街灯や、家の灯《ひ》や、ネオンなどに和らげられることもない。子どもたちに暗くなるから遊ぶのをやめて、すぐに帰ってこいと呼びかける母親の声もない。都会暮らしに慣れている者には、森に闇がせまってくるさまは、自然現象というより、自然の災厄《さいやく》のように見えるだろう。キャッスル・リバーが春になると氾濫《はんらん》する、その洪水《こうずい》のように。

そういう明るさ――それとも、暗さというのか――の中で、レイ・ブラワーの死体のことを考えていたわたしは、彼がふいに目の前に現われたとしても、吐き気がするとか、こわいとか、感じることはないだろうと思った。青ざめてわけのわからないことを言うアイルランドの妖精《バンシー》の目的は、彼の――死人の――やすらぎを乱されないうちに、わたしたちを追い返すことなのだろうが、わたしたち生ある者の側をも閉ざしつつある闇の中で、彼がたったひとりで、まったく無防備でいなければならないと思うと、急に、思いがけないあわれみの念がわいてきたのだ。もしなにかが彼を食いたいと思ったら、そいつはそうするだろう。彼の母親も父親も、ありとあらゆる聖人の中でもっとも偉大なイエス・キリストも、ここにはいないから、それをはばむことはできない。彼は死体となって、線路から溝《みぞ》に放《ほう》りおとされ、ひとりぼっちで横たわっている。わたしはもう考えるのをやめないと、泣きだしてしまうのがわかった。

そこでわたしは、即製の、あまり出来のよくないル・ディオ物を話しはじめた。ル・ディオ物のほとんどが同じような結末で終わったように、この物語も、ある孤独なアメリカ人の兵士が呟きこみつつ、瀕死《ひんし》の愛国精神を発露し、故郷の娘への愛をうちあけるというシーンで終わった。兵士の最期《さいご》の告白を聞いているのは、寂しげで分別のある軍曹《ぐんそう》だ。わたしの心眼に映る兵士の顔は、キャッスル・ロックや、ホワイト・リバー・ジャンクション出の上等兵の、青ざめた、傷跡のある顔ではなく、もっと若い、少年の顔なのだ。彼はすでに死んでいて、目を閉じ、苦悶《くもん》に顔をゆがめ、くちびるの左の端からあごにかけて、一筋、血が流れている。そして彼の背後には、架空の町ル・ディオのシャッターをおろした商店や教会のかわりに、暗い森と、星をちりばめた空に、有史以前の墳墓のように、こんもりと盛りあがったスラグ敷きの線路の土手しか見えない。

19

夜中に目がさめたとき、わたしは自分がどこにいるのかわからず、なぜこんなに部屋の中が寒いんだろう、窓を開けっぱなしにしたのは誰《だれ》だと思った。きっとデニーだ。ずっとデニーの夢を見ていたのだ。ハリソン・ステート・パークでサーフ・ボードなしでサーフィンかなにかしていた。だが、実際には、それは四年前の経験だった。

ここはわたしの部屋ではない。どこか他《ほか》の場所だ。わたしは誰かに強力なベアハグで固められ、別の誰かに背中を押さえつけられていたし、わたしの横に三人目の影人間がうずくまり、そいつはなにかを聞いているように、くびをかしげていた。

「なんだよ?」わたしはわけがわからなかった。

長く引きのばしたうめき声が返事だった。バーンの声のようだ。

そのおかげで、頭がはっきりしてきた。自分がどこにいるか、思い出した……が、夜の夜中に、他の連中は起きてなにをしているのだろう?　それとも、わたしだけが短時間眠ってしまったのだろうか?　いや、そんなはずはない。まっ黒な空のどまん中に、細い銀色の月が浮いている。

「おれを渡さないでくれよ！」バーンはとぎれとぎれにそう言った。「いい子になって誓う、悪いことなんかしない、小便する前に便座はあげる、それから……それから……」いくぶん驚いたが、それは祈りだった――少なくとも、バーン・テシオにとっては祈りに等しいことばだった。

わたしはおびえ、さっと起きあがった。「クリス？」

「黙んなよ、バーン」うずくまって耳をかたむけていた影人間はクリスだった。「なんでもないって」

「いや、そんなことはない」テディが不気味な口調で言った。「なにか変だ」

「なにが？」わたしはまだ眠くて、頭が混乱しており、時間的にも空間的にも自分の位置がつかめずにいた。なにごとが起こったにせよ、もう手遅れなのではないかと思うと、わたしはあせった――もしかすると、自分自身を守るには手遅れなのではないかと思ったのだろう。

そのとき、わたしの質問に答えるかのように、森の方からいやに元気のない、うつろな悲鳴が長々と聞こえてきた――それは、すさまじい苦悶《くもん》と、ものすごい恐怖とで死にそうになっている女の悲鳴、を想像させるようなものだった。

「ああ、神さま！」バーンはすすり泣いた。声がかん高くなり、涙につまっている。ふたたび彼はわたしに抱きついた。さっきわたしが目をさましたのは、このベアハグのせいだったのだが、バーンに抱きつかれてわたしは息苦しくなり、恐怖が増した。必死になってバーンをふりほどくと、バーンはどこに行っていいかわからない仔犬《こいぬ》のように、あわててわたしの隣にきた。

「あれ、ブラワーだぜ」テディはかすれた声で言った。「やつの幽霊が森をさまよってんだ」

「ああ、神さま！」バーンは叫んだ。テディの言うことを根っから信じこんでいるようだ。「ダーリーの店から、もう、いやらしい本なんかかっぱらったりしませんから！　二度と犬にニンジンをやったりしませんから！　もう二度と……」バーンはそこで言いよどんだ。神と取り引きをするのになにをさしだしてもいいと思いながらも、恐怖の絶頂にあるために、真に価値のあるものを思いつくことができないのだ。「もう二度とフィルターなしの煙草《たばこ》は吸いません！　もう二度と罰あたりなことは言いません！　もう二度と献金皿《けんきんざら》にバズーカ・ガムを入れたりしません！　もう二度と――」

「やめろ、バーン！」クリスのいつものように権威のある断固たる声の裏に、どこかうつろな畏怖《いふ》の念がこもっているのを、わたしは聞きわけた。彼の腕も背中も腹も、わたしと同じようにとり肌《はだ》だってこわばっているのだろうか。彼のうなじの毛も、わたしと同じように逆立っているのだろうか。

バーンの声が低くなり、ささやくようになったが、神が今夜ひと晩、無事に生かしておいてくれたら、どう更生するつもりかということをつぎつぎに言いたてていた。

「あれは鳥だよ、そうだろ?」わたしはクリスに訊《き》いた。

「ちがう。少なくとも、おれはちがうと思う。ヤマネコじゃないかな。あいつら、盛りのときがくると、ものすごい声で鳴くって、おやじが言ってた。女の悲鳴みたいだ、な?」

「うん」わたしの声は途中でつまり、そのすきまに氷のかたまりが二個もわりこんだ。

「だけど、女にあんな悲鳴をあげることはできないよ」クリスは言った……そして気弱くつけ加えた。「できるかな、ゴーディ?」

「あいつの幽霊だってば」テディがふたたび小声で言った。メガネがうっすらと月の光を反射し、なんとなくぼやけて見える。「おれ、見てくる」

テディが真剣にそう言っているとは思わなかったが、油断はできない。テディが立ちあがりかけると、クリスとわたしは彼を引きずるようにすわらせた。少し乱暴だったかもしれないが、わたしたちの腕も恐怖を伝えるケーブルと化していたのだ。

「手を放せよ、石頭ども！」テディはどなりながらもがいた。「おれは見に行くと言ったら、見に行くんだ！ 見たいんだよ！ 幽霊を見たいんだ！ できれば――」

闇《やみ》の中でふたたび荒々しい、すすり泣くような悲鳴が起こり、透明な水晶の刃のナイフのように空気を切り裂いた。わたしたちはテディをつかんだまま凍りついた――もしテディが旗だったら、わたしたちの姿は硫黄島を占拠している海兵隊のように見えただろう。悲鳴はおそろしいほどらくらくと、一オクターブずつ上がっていき、とうとうガラス質の、凍結した鋭さにまで達した。その声は一瞬、その高音部にとどまったが、次の瞬間にはふたたび音程が下がってきて、巨大なミツバチがブンブンいっているような、信じがたいほど低い音にまで至って消えた。そのあと、まるで狂人の哄笑《こうしょう》に似た音がはじけた……そして、静寂がもどった。

「なんてえこった」テディはつぶやき、それ以上、あの叫び声の正体を確かめに行くとは言わなかった。四人ごたごたとくっついてすわりながら、わたしは逃げることを考えていた。わたしだけがそうだったとは思わない。もし、バーンの家の庭にテントを張っているのなら――わたしたちの家族はそう思っているが――みんな逃げ出しただろう。しかし、キャッスル・ロックはあまりにも遠く、暗闇の中であのトレッスルを走って渡ると思っただけで、わたしの血は凍った。ハーロウの奥へ逃げこみ、レイ・ブラワーの死体に近づくのも、同様にぞっとしない。絶体絶命だ。森に幽霊——わたしの父はグーサルムと呼んでいる——がいて、わたしたちを捕えたいと思ったら、たぶん思いどおりになるだろう。

クリスがこのまま起きていて見張っていようと提案すると、みんな賛成した。コインをはじいて張り番を決めると、一番手はバーンだった。わたしは最後だ。火の消えた焚火《たきび》の傍《そば》にバーンがあぐらをかいてすわり、残りの三人はふたたび横になった。三人とも羊のようにくっつきあって寝る。

とうてい眠れやしないと思っていたのに、いつのまにか眠っていた——浅い、おちつかない眠りで、潜望鏡をあげた潜水艦のように、潜在意識が眠りの表面をかすめている。わたしは半覚醒《はんかくせい》状態で、荒々しい叫び声を聞いたが、それが現実のことだったのか、わたしの想像力が創《つく》りだしただけのことだったのか、よくわからない。そして、なにやら白く、形の定かでないものが、奇怪にもシーツが歩きまわっているように、木々のあいだをしのびやかにうろついているのを見た——いや、見たような気がした。

最終的に、わたしは自分でもこれは夢だとわかる夢を見た。クリスとわたしがホワイツ・ビーチで泳いでいる。これはブランズウィックのもとの砂利穴で、人夫たちが地下水を掘りあててしまい、以後、小さな湖となった。テディが知らない子どもに頭を殴られて、溺《おぼ》れそうになったところだ。

夢の中で、六月の暑い陽《ひ》ざしが照りつける中、わたしとクリスは頭だけ出し、のんびりと並んで泳いでいた。背後のいかだの方から、子どもたちがいかだをのぼったり、飛びこんだり、押されて落ちたりするたびに、叫んだり、呼びかけたり、笑いさざめく声が聞こえてくる。それと同時に、いかだの底に取りつけた灯油缶《とうゆかん》が、ドンガンと音をたてているのも聞こえる——その音はひどく重々しく、むなしい深みがあり、教会の鐘の音と似ていると言えなくもない。砂と砂利の岸辺では、体にオイルを塗った人々が毛布の上にうつぶせに横たわり、バケツを持った小さな子どもたちが、波うちぎわにしゃがんだり、プラスチックのシャベルで、うれしそうに髪に砂をかけたりして遊んでいるし、ティーンエイジャーたちはグループを作ってにやにや笑いながら、二人、三人（ひとりというのはいない）で行ったり来たりぶらぶら歩いている女の子たちをながめている。女の子たちの体の秘めやかな個所は、ジャンセンの水着につつまれている。おとなたちは熱い砂の上を爪先《つまさき》だって歩き、顔をゆがめながら軽食堂へ向かう。そしてポテト・チップスや、デビル・ドッグや、棒つきアイスキャンディのレッド・ボール・ポプシクルなどを買って帰ってくる。

わたしたちの横を、ゴムの空気入りフロートに乗ったミセス・コートがぷかぷかと追いぬいていく。フロートにあおむけに寝ている彼女は、九月から六月までの典型的な学校用の服を着ている。グレイのツー・ピースで、ジャケットの下はブラウスではなく厚手のセーター、ないも同然の胸に花を飾り、カナダ・ミント色の厚いサポートホースをはいている。老婦人向けの黒いハイ・ヒールが、水面《みのも》に細いVの字形の航跡を残している。髪は、わたしの母のように、青く染められ、ぴっちりと、薬品の匂《にお》いのする小さなカールに巻いてある。日光を反射して、メガネがぎらぎら光っている。「足もとに気をつけなさい」ミセス・コートは言った。「足もとに気をつけないと、目が見えなくなるほど強くひっぱたきますからね。あたしにはできるんだから。学校の黒板でその力を得たんですよ。さあ、ミスター・チェンバーズ、ロバート・フロストの『石垣《いしがき》なおし』をやってください。暗唱して」

「おれは金を返そうとしたんです」クリスは言った。「シモンズばあさんはわかったと言ったくせに、金をネコババしたんだ！　聞いてますか？　彼女がネコババしたんですよ！　さあ、これからどうします？　彼女を目が見えなくなるぐらい、ぶん殴りますか？」

「ミスター・チェンバーズ、フロストの『石垣なおし』をお願いしますよ。そらでね」

〝だから言っただろ？〟というように、クリスは絶望的な目でちらりとわたしを見ると、立泳ぎをしはじめた。そして暗唱を始めた。「〝壁を好まないものがいる、それは壁の下にひややかな地うねりを送りこみ――〟」クリスの頭が水中に下がり、暗唱している口の中に水がいっぱい流れこんだ。

クリスはとびあがって叫んだ。「たすけて、ゴーディ！　たすけて！」

そしてまた水中に引きずりこまれた。澄んだ水の中をのぞきこむと、裸の、ふくれあがった死人が二人、クリスのくるぶしをつかんでいた。ひとりはバーンで、もうひとりはテディだ。二人のみひらいた目はうつろで、ギリシアの彫刻像の目のように、瞳《ひとみ》がない。思春期の小さなペニスが、白い海草をよりあわせたように、膨張した腹からぐんにゃりと突き出ている。またクリスの頭が水面から出てきた。わたしに弱々しく片手をさしのべ、だんだん高くなる女のような声で悲鳴をあげ、暑く、陽ざしの強い夏の空気をゆさぶった。わたしは必死になって岸の方を見たが、誰も悲鳴を聞いていない。ブロンズ色の鍛えた体の救助員は、のろを塗った十字形の木の塔のてっぺんの席に、これ見よがしにだらりと寄りかかってすわり、赤い水着の女の子ににやけた笑みを送っていた。クリスはまたもや死人たちに足を引っぱられ、悲鳴が水にむせるゴボゴボという音に変わった。黒い水の中に引きずりこまれていくクリスの、水にゆれている苦悶《くもん》に満ちた目が、苦痛を訴えるようにわたしの方を見ている。白いヒトデのような手が、陽に照らされた水の天井に向かって、力なくさしのべられている。しかしわたしは、水中にもぐってクリスを救助するかわりに、やみくもに岸に向かって、あるいは、少なくとも水面がわたしの頭の上までこないところに向かって、必死で泳いでいた。そして、まだ岸に着かないうちに――近くに寄ることさえできないうちに――腐ってやわらかな、無情な手が、わたしのふくらはぎに巻きつき、引っぱるのを感じた。胸の奥から悲鳴がこみあげてくる……が、悲鳴をしぼりだす前に、夢は消え、粒子の粗い現実の複写が見えてきた。わたしの足に手をおいているのは、テディだった。わたしを揺すぶって起こしていたのだ。わたしの見張りの番だった。

まだ半分夢うつつのわたしは、夢の中で話しているようなつもりで、不明瞭《ふめいりょう》な声で訊《き》いた。「おまえ、生きているのか、テディ」

「いいや、おれは死んじまったし、おまえは黒人だ」テディはふきげんに答えた。おかげで夢の最後のかけらが吹きとんだ。わたしはキャンプ・ファイヤーの横にすわり、テディは横になった。

20

それからあと、他《ほか》の三人はぐっすり眠った。わたしはうとうと、うとうと、眠ったかと思うと、はっと目ざめ、また眠るということをくり返した。静寂とはほどとおい夜だった。急に飛びたつフクロウの勝ちほこったするどい鳴き声。たぶん食われそうになっているのだろう、小動物のかぼそい悲鳴。少し大きめの動物が騒々しく下生えの中に踏みこんだ音。そういう音の背後に、変わらない調子でコオロギの鳴き声がひびいている。例の叫び声はもう聞こえなかった。わたしはうとうとしては目ざめ、目ざめてはうとうとしながら、ル・ディオの町で、こんなにいいかげんな見張りをしているところをみつかれば、たぶん軍法会議にかけられて、銃殺の刑を受けるだろうと思った。

はっとして、今までよりはっきりと目がさめたとき、なにかようすが変わっていることに気づいた。なにがちがうのか、判明するのにちょっと時間がかかった。月が沈んだのに、ジーンズの膝《ひざ》においた手がよく見える。時計の針は五時十五分前をさしている。夜が明けたのだ。

背骨がこきこき鳴る音を聞きながら立ちあがると、三人の友人たちがごちゃごちゃとひとかたまりになって寝ているところから、二十フィートほど離れた場所まで歩いていき、ハゼノキの木立ちに小便をした。夜のぞっとする気分を振りおとしてしまう。それが体の中からぬけていくのがわかる。いい気分だ。

よろめきながらスラグの土手を登り、線路に出ると、一本のレールの上に腰をかけ、急いで仲間を起こす必要もないので、足のあいだにスラグをぼんやりと放《ほう》っていた。新しい日が始まる貴重な瞬間は、人と分かちあうにはもったいない。

すみやかに夜が明けてくる。鶏がたまごを産む声が聞こえはじめたし、にわか雨のあとの水たまりのように、木々や木立ちの下の影がどんどん薄くなっていく。連日の猛暑つづきの記録の中でも、最高に暑い日になることを知らせるように、空気はなんの味もしない。わたしたちと同じように、夜のあいだはちぢこまっていた鳥たちが、もったいぶってさえずりだした。昨夜その一部を焚火《たきび》に使った朽ち木のてっぺんに、ミソサザイが、つと、とまり、くちばしで身じまいをととのえると、また飛んでいった。

いったいどれぐらいの時間、レールに腰をおろして、昨日の夜音もなく空を染めていった紫色が、やはり音もなく薄れていくのをながめていたのか、わたしにはわからない。どちらにしろ、尻《しり》が不満を述べはじめたほど長い時間だったのは確かだ。立ちあがろうとして右手を見ると、十ヤードも離れていない線路の枕木《まくらぎ》の上に、雌鹿《めじか》が一頭立っていた。

心臓が喉《のど》もとまでせりあがってきて、口に手を突っこんだら、心臓にさわれそうだった。腹と性器が、熱く乾いた興奮で満たされた。わたしは動かなかった。動きたいと思っても、動けなかっただろう。鹿の目は褐色《かっしょく》ではなく、黒、灰色がかった黒だ——宝石店のショウ・ウインドウで、バックに敷いてあるベルベットのようだった。小さな耳はすりきれたスエード。雌鹿はおだやかにわたしをみつめ、わずかにくびをかしげた。わたしに好奇心をもったのではないかと思えるしぐさだった。彼女の目に映ったのは、眠れるカカシのようにくるくると渦《うず》を巻いたり、ぴんと突っ立った髪に、裾《すそ》を折り返したジーンズと、肘《ひじ》をつくろったカーキ色のシャツ、当時のいきがったスタイルどおりにシャツの衿《えり》をくいと立てたかっこうの少年だ。わたしが見ているものは、ある種の天からの贈り物、おそろしいほど無造作に与えられたなにかだった。

わたしと鹿は長いこと、じっとみつめあっていた……長い時間だったと思う。そして彼女はわたしに背を向け、のんきに白い切り尾をひょいひょい動かしながら、土手の反対側におりた。草をみつけ、むしゃむしゃ食べている。わたしは信じられなかった。鹿が草を食いはじめたのだ。彼女はわたしをふり返りもしなかったし、その必要もなかった。わたしは完全に凍りついていたからだ。

そのとき、尻の下のレールが音をひびかせだした。それから何秒もたたないうちに、雌鹿はひょいと顔をあげ、キャッスル・ロックの方にくびをかしげた。割れた黒い鼻でひくひくと空気の匂《にお》いをかぎ、少しばかり空気から情報を得たらしい。ぎごちなく三度跳ぶと、音もなく森の中へ消えた。いや、腐った枝が、陸上競技のスタートの銃声のような音をたてて折れ、音がひびいた。

わたしはその場にすわりこんだまま、貨物列車の音が実際に静けさを破るまで、雌鹿がいたところをうっとりとみつめていた。そして、あわてて土手を横すべりにすべりおりて、仲間が眠っているところにもどった。

貨物列車ののんびりした大きな通過音で、みんな目をさまし、あくびをしたり、背のびをしたりしている。クリスが名づけた〝泣きわめく幽霊事件〟について、少しばかり滑稽《こっけい》で、不安そうな話は出たものの、それほどたいした話はしなかった。明るい陽光のもとでは、その話はおもしろいというよりばかげているように思えた――当惑してしまうと言ってもいい。忘れるのがいちばんだ。

雌鹿のことをみんなに話そうと喉まで出かかったが、結局、わたしは話さなかった。あれはわたしひとりの胸におさめておくべきことなのだ。今の今まで、この話は人にしゃべったこともないし、書いたこともなかった。こうして書いてしまうと、たいしたことではなかったような、取るに足りないつまらないことだったような、そんな気がしていることも書いておくべきだろう。とはいえ、雌鹿との出会いは、わたしにとってあのときの小旅行での最高の部分であり、いちばんすがすがしい部分なのだ。ふと気づくと、人生のトラブルに出会ったとき、ほとんどなすすべもなく、あのひときに帰っている——たとえば、初めてベトナムのブッシュの中に踏みこんだ日、わたしたちのいた空き地に、片手で鼻をおおった男がやってきて、その手をどかしてみると、鼻が撃たれて失《な》くなっているのがわかったとき。わたしたちのいちばん末の息子が水頭症かもしれない（ありがたいことに、あとで、単に頭のサイズが大きすぎるだけとわかったが）と医者に言われたとき。母が死ぬ前の長く、気も狂わんばかりの一週間。そういうとき、わたしはふと気づくと、あの朝にもどっていて、すりきれたスエードのような耳、白い斑点《はんてん》のあった尻尾《しっぽ》のことを考えている。しかし、八億の赤い中国人などはどうでもいいのだ。そうだろう？　なににもまして重要だということは、口に出して言うのがきわめてむずかしい。なぜならば、ことばがたいせつなものを縮小してしまうからだ。おのれの人生の中のよりよきものを、他人にたいせつにしてもらうのは、むずかしい。

21

このあたりから線路は南西に曲がり、モミの木の再生林と密生した下生えの中を通っている。わたしたちは密生した下生えの茂みから、まだ残っていたブルーベリーを摘んで朝食にしたが、そんな木の実だけでは腹はいっぱいにならない。胃袋に三十分の猶予《ゆうよ》を与えたにすぎず、胃袋はまたぐうぐういいだした。わたしたちは線路にもどり――時刻はすでに八時になっている――五分間休憩した。わたしたちの口中はブルーベリーのせいで紫色だったし、裸の上半身はブルーベリーのトゲで引っかき傷だらけだった。バーンはふさぎこんだ声で、ベーコン添えの目玉焼きがほしいと言った。

その日はこれ以上暑い日はあるまいというぐらいの猛暑で、わたしはなによりもこの暑さが最悪だと思った。早朝のちぎれ雲はすっかり消えてしまっていたし、九時頃《ごろ》には空は一目見ただけで暑さが増すような、ぬけるような青さとなった。汗が吹きだし、胸や背をつたって流れ、ほこりやあかのこびりついた体にくっきりと筋がついた。蚊やブユがわんわん飛びかい、うっとうしい雲霞《うんか》となって、わたしたちの頭のまわりにつきまとっている。あと何マイルも歩かなければならないと思うと、わたしたちの意気はかなり阻喪《そそう》した。しかし、あるひとつの興味深い事実が、わたしたちの心をとらえ、その暑さの中を、必要以上に速く歩を進めさせていた。わたしたちは例の少年の死体に取りつかれていたのだ――これ以上簡潔に、あるいは正直に、書くことはできない。害があろうとなかろうと、百ものこま切れの夢で眠りをだいなしにする力をもっていることがわかろうと、わたしたちはどうしても、死体を見たかった。見るだけの価値がある、と信じこむようになっていたのだと思う。

　九時三十分頃、テディとクリスが前方に水をみつけた――二人はわたしとバーンにそう叫んだ。わたしとバーンは二人のところまで走っていった。クリスはうれしそうに笑っていた。「ほら！　ビーバーが作ったんだよ！」そう言って指をさした。

　確かにそれはビーバーの作品だった。線路の土手の下の少し前方に、大きな水路があり、その右端のところが、ビーバーの巣とみごとな出来のちっぽけなダムでふさがれていた――棒きれや小枝が、木の葉や細い枝や泥《どろ》で固められている。まったく、ビーバーというのは小さな働き者だ。ダムのうしろには、きらきらと澄んだ水がたたえられていて、陽光をまぶしいほどに反射していた。数カ所に、水面の上にこんもりと盛りあがった、ビーバーの巣がある——木のイグルーのようだ。ダムの水たまりに、細い水の流れがそそぎ、ダムの近くに生えている木々は、およそ三フィートの高さまで樹皮をかじられ、骨のように白い木肌《きはだ》を見せていた。

「じきに鉄道会社がこれを片づけちまうだろうな」クリスは言った。

「なぜさ?」バーンは訊《き》いた。

「こんなところに水たまりなんかあっちゃ困るからさ」クリスは答えた。「だいじな線路がだめになってしまう。だから、最初から暗渠《あんきょ》にしてあるんだ。鉄道会社のやつら、ビーバーを何匹か撃ち殺し、他《ほか》のビーバーを追い散らして、ダムをこわすだろうな。そうなったら、ここも、たぶん元のとおりに湿地帯にもどるだろう」

「それはひどいじゃないか」テディは言った。

クリスは肩をすくめた。「ビーバーのことなんか、誰《だれ》が気にするっていうんだい? グレート《G》・サウザン《S》・アンド《&》・ウェスタン《W》・メイン《M》鉄道会社は気にしない。そいつは確かさ」

「あそこ、泳げるぐらいの深さがあると思うか?」バーンは渇《かつ》えたような目で、ダムの水たまりを見ている。

「それを調べる手はひとつある」テディは言った。

「一番は誰だ？」わたしが訊く。

「おれ！」クリスは土手を駆けおりながら、運動靴《ぐつ》を蹴ってぬぎ、腰に巻きつけたシャツをぐいと引っぺがした。ズボンをぬぎ、両方の親指を引っかけたかと思うとパンツもぬぎすてていた。体のバランスをとりながら、片足ずつあげてソックスもぬぐ。そして浅く跳びこんだ。ぬれた髪を目からどかそうと頭を振りながら浮かんできた。

「すっごいいい気持！」

「深いか？」テディは泳げないのだ。

クリスが水中に立つと、水面から肩が出た。片方の肩になにかくっついている――黒っぽいような、灰色がかったようなものだ。わたしはそれを泥だと思い、気にしないことにした。もっと近くに寄ってよく見ていたら、あとで何度も悪夢を見ずにすんだだろう。「入ってこいよ、腰ぬけ《チキン》ども！」

クリスはくるっと向きを変え、あまりうまくない平泳ぎで向こう岸まで泳いでいくと、ターンしてもどってきた。その頃には、わたしたちも服をぬぎはじめていた。二番手はバーン、そして次はわたしだった。

水遊びは楽しかった――水はきれいだし冷たい。わたしは水以外に体にまとわりつくもののない、すべらかな感触を楽しみながら、クリスの方に泳いでいった。わたしが立ちあがると、クリスがわたしの顔をみつめ、二人ともにこっと笑った。

「最高！」まったく同時に二人で言う。

「この、どじ野郎！」クリスはそう言ってわたしの顔に水をはねかけ、向こうに泳いでいった。

およそ三十分ほど水の中でのんびり遊んだあとで、わたしたちはようやく、その水たまりにヒルがうようよいることに気づいた。わたしたちは跳びこんだり、もぐったりしていた。なにも知らなかったのだ。やがてバーンが浅いところまで泳いでいき、ひょいともぐって逆立ちをした。彼の両足がぐらつきながらも勢いよく、Vの字型に水面から出てきたとき、その足に黒っぽい灰色のヒルがいっぱいくっついているのが見えた。さっきクリスの肩に認めたのと同じものだった。がんと一発殴られた気がした――それも、強力に。

クリスの口がぽかんと開き、わたしは体じゅうの血がドライ・アイスのように冷たくなるのを感じた。テディは悲鳴をあげた。顔が蒼白《そうはく》になっている。次の瞬間、わたしたちはせいいっぱいの速さで岸に向かって泳いでいた。当時にくらべれば、今では淡水のヒルについての知識があるが、それがほとんど無害であるという事実も、ビーバーのダムでの経験以来抱いてきた病的なほどの恐怖を鎮《しず》める役にはたっていない。ヒルは、局部的麻痺《まひ》を起こす作用と、非凝縮性の特質のある異質の唾液《だえき》をもっている。これはつまり、ヒルに襲われたとしても、宿主《しゅくしゅ》はなんの痛痒《つうよう》も感じない、ということだ。宿主が偶然気がつかないかぎり、ヒルは血を吸って丸々と、いやらしいほどにふくれあがり、満腹してぽとりと落ちるか、あるいは、破裂してしまうかのどちらかだ。

岸にあがると、テディが自分の体を見て、ヒステリーの発作を起こした。悲鳴をあげながら裸の体からヒルを引きはがしだす。

バーンが水から顔を出し、ふしぎそうに訊いた。「いったいどうしたってんだ——」

「ヒルだ！」テディは叫び、こきざみに震えている太腿《ふともも》から、ヒルを二匹つまみ取ると、できるだけ遠くに放《ほう》り投げた。「うすっぎたない、いやらしいヒルだよ！」語尾が割れてかなきり声になった。

「うへえっ！」バーンは仰天した声を出し、水をはねかえして、よろめくように岸にあがった。

わたしはまだ寒かった。暑さがまったく感じられない。わたしは冷静でいろと自分に言い聞かせつづけた。悲鳴をあげるな。臆病者《おくびょうもの》になるな。腕から半ダースものヒルをつまみ取り、胸からはもっと多数のヒルを取った。

クリスはわたしに背を向けて訊いた。「ゴーディ、まだついてるかい？　もしついてたら、取ってくれないか、ゴーディ」クリスの背中にはまだ五、六匹のヒルが、グロテスクな黒いボタンのように、縦に並んでついていた。わたしはぐにゃぐにゃした骨のないやつらを取ってやった。

わたしは自分の足のヒルを払い落とすと、背中のヒルをクリスに取ってもらった。ようやく少しばかり人心地がついてきた――そして初めて自分の体を見おろし、睾《こう》丸《がん》にヒルの親玉ともいうやつがべったりくっついているのに気づいた。それは血を吸って、通常の大きさの四倍ほどにふくれあがっていた。黒っぽい灰色の表皮が、青ずんだ赤紫色に変わっている。そのとき初めて、わたしは自制心を失った。少なくとも表面上は見苦しいさまを見せなかったが、内心はそうだった。

手の甲でなめらかで粘着性のあるヒルを払いのける。ヒルは落ちなかった。もう一度払いのけようとしたが、どうしても手が動かない。わたしはクリスの方を向き、話しかけようとしたが、できない。しかたなく指でさした。すでに青ざめていたクリスの顔が、さらに蒼白になった。

「どうしても取れない」わたしは震えるくちびるのあいだから声を押し出した。「きみなら……できる……」

だがクリスは頭を振り、くちびるを引きつらせながらあとずさりした。「できないよ、ゴーディ」クリスはわたしの股間《こかん》から目を離せずにいる。「悪いけど、おれにはできない。だめだ。いや、だめだ」くるっとうしろを向くと、ミュージカル・コメディに出てくる執事のように、片手を腹に押しあて、ビャクシンの茂みの中に吐いた。

自力で取らなくてはならない。妙ちきりんな恥毛のように、べったりとくっついているヒルを見ながら、わたしはそう思った。自力で取って、クリスの介抱をしてやらなくてはならない。強くなれ。これが最後のヒルだ。最後の。最後のやつ。

わたしはふたたび手を伸ばし、ヒルをつまみ取ると、指のあいだではさみつぶした。手のひらと、手首の内側に、わたし自身の血がなまあたたかく流れていく。わたしは泣きだした。

泣きながら衣服をぬぎすてたところへ行き、服を着た。泣きやみたかったが、とめどなくあふれてくる涙をとめることはできないような気がした。さらに悪寒《おかん》が走り、いっそうひどいことになってきた。まだ裸のまま、バーンがわたしのところに走ってきた。

「取れたか、ゴーディ？　おれの、取れた？　取れてる？」

バーンはわたしの前で、カーニバルの舞台の上の気の狂ったダンサーのように、くるくる回った。

「取れた？　どう？　な？　取れたかい、ゴーディ？」

バーンの目は、メリー・ゴー・ラウンドのしっくいの馬の目のように、大きくみひらかれ、白目をむいていて、わたしからそれたままだった。

わたしはバーンにうなずきながら、まだ泣いていた。泣くのがわたしの新しいキャリアになりそうだった。わたしはシャツを着て、喉《のど》まできちんとボタンをかけた。ソックスと靴をはく。少しずつ涙がおさまってきた。やがて間歇《かんけつ》的な嗚咽《おえつ》がもれるだけとなり、それもまもなく止まった。

クリスが手のひらいっぱいの楡《にれ》の葉で、口をぬぐいながらわたしに近づいてきた。その目は大きくみひらかれ、声を出さずにあやまっていた。

全員、服を着てしまうと、その場に突ったって、一瞬、たがいに顔を見あわせ、次に土手をのぼりはじめた。わたしは一度だけうしろをふり向き、わたしたちがはね回り、悲鳴をあげ、うめきながら踏みしだいた下生えの上に落ちている、つぶれたヒルをながめた。ヒルはぺちゃんこに見えた……だが、やはり、気味が悪かった。

それから十四年後に、初めてわたしの小説が売れたとき、わたしは初めてニューヨークに行った。〝三日間の祝賀会があります〟担当編集者は電話で言った。〝やつぎばやのおべんちゃら攻めにあいますよ〟と。だが、もちろんそれは、純然たるおべんちゃらの三日間だった。

ニューヨーク滞在中、わたしはごく平均的なおのぼりさんのすることを、みんなしてみたかった——ラジオ・シティ・ミュージック・ホールでショーを観《み》る、エンパイア・ステート・ビルのてっぺんにのぼる(世界貿易センター・ビルなどくそくらえ。一九三三年にキング・コングがのぼったエンパイアこそ、わたしにとってはつねに世界一高いビルなのだ)、夜のタイムズ・スクエアを訪れる。わたしの担当編集者のキースは、自分の街を案内するのがなによりうれしそうだった。わたしたちのおのぼりさん観光の最後は、スタッテン・アイランド・フェリーに乗ることだった。手すりに寄りかかっていたわたしは、はからずも、なかばふくらんだ使用済みのコンドームが、たくさん波間に浮かんでいるのをみつけた。一瞬、わたしはすべてを思い出した——いや、おそらく、実際にタイム・トラベルを経験したのだと思う。どちらにしろ、ほんのいっとき、わたしは過去に存在し、土手を半分のぼったところで足をとめて、つぶれたヒルをふり返っていたのだ。ヒルは死んで、ぺちゃんこになっていた……だが、やはり、気味が悪かった。

キースはわたしの顔からなにかを読みとったにちがいない。なぜならこう訊いたからだ。〝ちっともきれいなものじゃありませんね〟と。

　わたしは彼に弁解しないでくれ、ニューヨークに来てフェリーに乗り、使用済みのゴム製品を見る必要などなかったのだ、と言いたい気持だったが、なにも言わず、くびを振っただけだった。本当は、こうも言いたかった。人がものを書くたったひとつの理由は、過去を理解し、死すべき運命に対し覚悟を決めるためなのだ、だからこそ、作品の中の動詞は過去形が使われている、わがよき相棒のキースよ、百万部売れているペーパーバックでさえそうなのだ、この世で有効な芸術形式は、宗教と、ものを書くこと、この二つしかないのだ、と。

　ご推察のとおり、その夜、わたしはしたたかに酒を飲んだ。

　そしてキースにはこう言っただけだった。〝ちょっと他のことを考えていたんだ。それだけのことだよ〟。なににもまして重要なことは、なににもまして口に出して言いがたいものだ。

22

わたしたちは線路に沿ってさらに進んだ——どれぐらい歩いたのかは正確にはわからない。わたしはあれこれともの思いにふけっていた。いいさ、なんとか収拾をつけてみせる。どっちにしろ終わったことだ。たかがヒルじゃないか、こんちくしょう。考えているさいちゅうに、目の前にふっと白い波が現われ、わたしは倒れてしまった。かなり激しい倒れかたをしたにちがいないのだが、枕木《まくらぎ》の上はまるで暖かくてやわらかい羽毛ベッドのような感じだった。手の感覚が鈍く、たよりない。みんなの顔は実体のない風船のようで、何マイルもの高みから見おろされている気がした。したたかなパンチをくらった拳闘《けんとう》選手が、キャンバス地のリングの上に倒れこんだとき、レフェリーが選手を見おろし、よどみなく十数えているシーンと似ている。みんなの声がおだやかな振幅をもって聞こえ、遠くなったり近くなったりした。

「彼を……？」

「……みんな……」

「……太陽のことを考えておけば……」

「ゴーディ、おまえ……」

わたしはなにやらわけのわからないことを言ったらしい。みんなの顔が本当に不安そうになったからだ。

「つれて帰った方がいいな」テディが言った。とたんにまた目の前が白くなった。その白さが去ったとき、わたしはもうだいじょうぶだという気がした。わたしの傍《そば》にクリスがしゃがみこんでいた。「おれの言ってることがわかるかい、ゴーディ？意識はあるか？」

「うん」わたしは起きあがった。目の前に黒い点々がうわっと現われたが、それもやがて消えた。もしかするとまたもどってくるかもしれないと思い、そのままじっとしていたが、黒い点々は二度と現われなかったので、わたしは立ちあがった。

「ちびりそうになるぐらい、びっくりしたぜ、ゴーディ」クリスは言った。「水、飲みたいか？」

「うん」

クリスは半分ほど水の入った水筒を渡してくれた。わたしはなまぬるい水を三口飲み、喉《のど》をうるおした。

「なんだって気絶なんかしちまったんだ?」バーンは心配そうに訊《き》いた。

「悪いまちがいをしてね、おまえの顔を見ちゃったんだよ」わたしは答えた。

「ぎいーっひっひっひ」テディが奇妙な笑いを爆発させた。「ゴーディ、このやろ!ばかやろ!」

「ほんとにだいじょうぶか?」バーンは念を押した。

「うん。平気だ。ちょっと……あそこでやなことがあっただろ。あの吸血鬼のことを考えてたもんでね」

三人ともまじめな顔でうなずいた。わたしたちは日陰で五分間の休憩をとり、それからまた歩きだした。線路の片側をわたしとバーン、もう一方の側をクリスとテディ。みんな、目的地に近くなってきたと思いこんでいた。

23

わたしたちが勝手に思いこんでいたほど、目的地には近づいていなかったし、もし二分間だけ時間をさいて道路地図を見るだけの頭脳《あたま》があったら、その理由ものみこめていただろう。わたしたちはレイ・ブラワーの死体は、ロイヤル・リバーの土手の突きあたり、バック・ハーロウ・ロードの近くにある、と知っていた。ロイヤル・リバーには、GS&WM鉄道の別の線のトレッスルが架かっている。したがって、わたしたちはこういうふうに考えていた。つまり、ロイヤル・リバーに近づきさえすれば、ビリーとチャーリーが車をとめ、レイ・ブラワーに会った地点、バック・ハーロウ・ロードに近づける、と。また、ロイヤル・リバーはキャッスル・リバーから十マイルしか離れていないので、人目に立たずに目的を遂げられるとも考えていた。

だが、それは、直線距離にして十マイル、という話であり、キャッスル・リバーとロイヤル・リバーのあいだを、トレッスルが直線で結んでいるわけではなかった。それどころか、ザ・ブラックスと呼ばれる土壌のもろい丘陵地帯を避けて、非常に浅いループを描いている。とにかく、地図を見さえすれば、そのループがはっきり見え、十マイル歩くのではなく、約十六マイル歩かなければならないのだとわかっただろう。

正午が近くなり、過ぎてしまったのに、ロイヤル・リバーがまだ見えないとわかったとき、クリスはその事実に疑問をもちはじめた。わたしたちは足をとめ、クリスは高い松の木にのぼって周囲を見渡した。そしておりてくると、簡潔にして充分な報告をした。ロイヤル・リバーに着くのは、早くとも午後の四時頃《ごろ》になってしまうし、それも、わたしたちが全速力をだして歩けば、かろうじて成功するだろう、とのことだった。

「ちえっ、くそっ！」テディが叫んだ。「なら、今からどうすんだよ？」

わたしたちはおたがいに、疲れ、汗にまみれた顔を見あわせた。四人とも腹がへっているし、怒りっぽくなっている。大冒険は長い強行軍に変わってしまった――ほこりっぽくて、ときどき恐ろしいことのある強行軍に。それに、今頃はもう家でもわたしたちのいないことに気づいているだろうし、マイロ・プレスマンが警察に電話をかけなかったにしても、トレッスルで追っかけっこをした列車の機関士が、連絡をしたかもしれない。わたしたちはヒッチハイクでキャッスル・ロックに帰る案をだしたが、四時といえば、日が暮れるまでに三時間しかない時刻だし、暗くなってからでは、四人の子どもを乗せて田舎道を走ってくれる人など、いないに決まっている。

わたしは今朝出会った鹿《しか》が、緑の草を食べていた、もの静かでおちついた光景を思い出そうとしたが、それさえも、ほこりっぽくてつまらないもののように思えた。あの鹿も、誰《だれ》かの狩猟小屋の炉棚《ろだな》の上に、狩猟記念品の首の剝製《はくせい》となって、生きているときのような目の光を出そうと、死んだ目につやだしのスプレーをかけられた鹿とくらべて、格段にいいものだとは思えなくなった。

とうとうクリスが言った。「とにかくもう少し進んでみよう。行こうぜ」

クリスはくるりと背を向け、顔をうつむけて、ほこりだらけの運動靴《ぐつ》で線路に沿って歩きだした。足もとに落ちる影はほんのわずかなものにすぎない。一、二分ためらったあと、わたしたちも一列縦隊につながって、クリスを追いかけた。

24

その当時と、その思い出を書いている現在とをつなぐ何年もの歳月のあいだ、わたしはあの九月の二日間のことについて、少なくとも意識的に、ことこまかに思い出したことはほとんどない。あの記憶によって意識の表面にうかんでくる連想は、砲撃によって水面にうかんでくる死後一週間たった溺死《できし》人《にん》の遺体と同じように、不快きわまりないものだからだ。ともあれ、結果として、わたしたちが線路を歩きつづけていくと決めたことを、疑問に思ったことはなかった。これは言いかえれば、わたしたちがどうするかを決めたことに対して疑問をもつのではなく、どうしてそう決めたのかということに対して疑問をもった、ということだ。

だが今はもっと単純な筋書きが心にうかぶ。もしあのとき、そんな疑問を持ち出していたら、きっと即座に却下ということになっていただろう——トレッスルを歩いていくというのは、あのとき話しあったとおり、わたしたちにとってはなによりも理路整然とした、すばらしいことのように思われたのだ。しかし、もしその疑問が持ち出され、即座に却下ということにならなかったら、その後起こったようなうきめを見ずにすんだだろう。もしかすると、クリスもテディもバーンも、まだ生きていたかもしれない。いや、彼ら三人はあのとき森の中とか、線路で死んだわけではない。この作品の中で死ぬのは、吸血ヒルとレイ・ブラワーだけだし、公正を期したいというのなら、レイ・ブラワーはこの話が始まる前に、すでに死んでいたのだ。だが、誰《だれ》がフロリダ・マーケットに食料の買い出しに行くかで、コインを投げた四人のうち、実際にいまだに生き残っているのは、たったひとりしかいない。それは本当だ。やさしい読者諸氏といっしょにいて、婚礼に招かれた客の役をつとめている、三十四歳のもと海兵隊員だけ（ここで、みなさんはあわてて表紙カバーの写真を見て、わたしの目に例の呪《のろ》いがこもっていないか、確かめておられるのではないだろうか）。もしみなさんが、わたしにある好意を感じてくださったとすれば、みなさんが正しい——が、わたしにはそれなりの理由があるのかもしれない。わたしたち四人全員が大統領になるには若すぎるし、未成熟だとみなされる年齢のときに、四人のうち三人は死んでいた。そして、ささいな出来事が、時間を経るうちに、だんだん大きな反響を呼ぶものだとしたら、そう、わたしたちがあっさりと行動を起こし、ヒッチハイクでさっさとハーロウに行っていたら、彼ら三人は今日《こんにち》もまだ生きていただろう。

わたしたちはヒッチハイクをして、国道七号線でシロ教会まで行くこともできた。シロ教会はハイウェイとバック・ハーロウ・ロードの交差点に建っていたのだ（少なくとも一九六七年まではそこにあった。その年に浮浪者のいぶったままの煙草《たばこ》の吸いさしが原因だといわれる火事で、焼け落ちたが）。そしてほどよい幸運のおかげで、その前日の日没までには、死体のある場所にたどりついていただろう。

しかし、その疑問は持ち出されなかった。その疑問は、しっかりした支持のある議論や、社交的修辞にみちた論争で却下されることもなく、不平、不満、屁《へ》、中指を立てるジェスチュアをもって却下されることにもならなかっただろう。そういう論争は、ことばが重要な役割をはたし、〝おとといおいで〟とか、〝あほくさい〟とか、かの昔なつかしくも信頼性のあるいざというときのセリフ、〝おまえのかあちゃんは死んだガキを育ててんのか？〟とかいうような、辛辣《しんらつ》ではなばなしい付録をともないながら、進行していったはずだ。

ことばにされていないこと——これはあまりにも根本的なことでありすぎるために、ことばにできないのかもしれない——は、きわめて重要な考えなのだ。それは爆竹を鳴らしたり、ハリソン州立公園で、女子用トイレの壁の節穴からのぞき見をしようとしたりするような、くだらない時間つぶしとはちがう。初めて異性と寝るとか、軍隊に入るとか、そういうことと同等のことなのだ。そう、初めて正規の酒を買うこともそうだろう——州の許可を受けた店へすっと入り、上等のスコッチを選び、店員に徴兵カードと運転免許証を見せ、顔には得意な笑みをうかべ、手には褐色《かっしょく》の紙袋を持って店から出てくる。わたしたちの古いブリキ板でふいた屋根の樹上の小屋よりも、もう少し権利や特典の多いクラブのメンバーと認められるようなことなのだ。
基本的な出来事はすべて、高度の儀式、通過儀礼、変化が起こる魔法の通廊をともなっている。コンドームを買う。聖職者の前に立つ。右手をあげて誓いのことばを述べる。あるいは、なんなら、途中で自分と同い年のやつと会うために線路を歩いていくことは、家へ来る途中のクリスを迎えに、わたしがパイン・ストリートを歩いていくのと同じだし、または、テディの家へ行く途中のわたしを迎えに、彼がゲーツ・ストリートを歩いてくるのと同じなのだ。線路を歩いていくのが当然のことのように思えたのは、通過儀礼というのは魔法の通廊だから、つねに通路——これは結婚のときに通るものでもあるし、埋葬されるときに運ばれるものでもある——が用意されている。わたしたち四人の子どもの通廊は、二本並んだレールだった。わたしたちはそのあいだを、なんだかわからないが、なにやら意味のあることに向かって、歩を進めていったのだ。おそらく、誰でも、そういうものに向かうのに、ヒッチハイクはしないだろう。また、わたしたちは正しい判断をくだしていたのかもしれない。つまり、わたしたちが考えているより、ヒッチハイクはむずかしいのがわかるのではないか、と。当時はすでに、ヒッチハイクをするということ自体が、そもそも最初からあやぶまれる状況に、変わってしまっていたのだ。ヒッチハイクは容易ならざる危険な行為となっていた。

ザ・ブラックスのあたりをてくてく歩いていたわたしたちは、ビル・テシオ、チャーリー・ホーガン、ジャック・マジェット、ちぢれっ毛のノーマン・ブラコウィッツ、ビンス・デイジャルダン、クリスの兄のアイボール、それにエース・メリルといった面々が、死体をひと目見ようと、くりだしてきているのを、少しも知らなかった——まったく気味の悪いことに、レイ・ブラワーは有名になってしまい、わたしたちの秘密は、通例のロードショウと化していたのだ。わたしたちが徒歩旅行の最後の行程についたとき、年上の不良たちは、エースのおんぼろ五二年型フォードと、ビンスのピンクの五四年型ステュードベイカーとに分乗していた。

ビリーとチャーリーは二人のだいそれた秘密を、三十六時間守りぬいた。そして玉突き場で、チャーリーがうっかりエースにしゃべってしまい、ビリーはブーム・ロード橋で釣《つ》りをしているときに、うっかりジャック・マジェットにしゃべってしまった。エースもジャックも、母親の名にかけて秘密は守るとおごそかに誓い、その結果、昼頃《ごろ》までには、不良仲間全員がそれを知ったという次第だった。こんなやつらが自分の母親のことをどう思っているか、これで容易に察しがつくというものだ。

彼らが全員玉突き場に集まると、ちぢれっ毛ブラコウィッツが死体を〝発見〟すれば、みんな英雄（ラジオやテレビのインスタント・パーソナリティになれるのは言うまでもなく）になれる、と一説ぶった（もちろん、前にどこかで聞いたことのある説にすぎない）。ちぢれっ毛は、二台の車のトランクに釣具《つりぐ》をたくさんつめこんで行けばいい、と主張した。死体をみつけたあとなら、どんな話をでっちあげても百パーセント信じてもらえる。おまわりさん、おれたち、ロイヤル・リバーでカワカマスを釣ろうと思ってたんですよ。へへへ。おれたちの釣ったもの、見てくださいよ。

というわけで、わたしたちが現場に近づきかけた頃、彼らはキャッスル・ロックからバック・ハーロウ・ロードに至る道を、フル・スピードで車を走らせていた。

25

二時を過ぎると、空に雲がかかりだしたが、最初、わたしたちは誰《だれ》ひとりとして、そのことを重視しなかった。六月の初めから雨がふっていないのに、なぜ今、雨の心配などする必要がある？　しかし南の空の雲は、むくむく大きくなり、打ち身のような紫色のでっかい入道雲になって、ゆっくりとわたしたちの行く手に移動しはじめた。わたしはじっくりと雲を観察し、二十マイル（あるいは五十マイル）先で雨がふっていることを示す水の膜がくっついていないかどうか確かめた。だがまだ雨はふっていない。雲が依然としてむくむく大きくなっているだけだ。

バーンの踵《かかと》に水ぶくれができてしまい、わたしたちはひと休みした。そのあいだにバーンは年を経たオークの木の樹皮から苔《こけ》をはぎとり、左の運動靴《ぐつ》の踵のところにつめこんだ。

「雨になるかな、ゴーディ？」テディが訊《き》いた。

「そう思うよ」

「そいつはいいや！」テディはため息をついた。「くそったれにいい一日の、くそったれにいい終わりかただ」

わたしは笑い、テディは軽くウインクした。

ふたたび出発したが、バーンの傷ついた足をいたわって、ペースを少し遅くした。二時から三時にかけての一時間のあいだに、陽光の照りかたがどんどん変わりだし、わたしたちは必ず雨になると確信した。暑さはあいかわらずだし、ぐんとむし暑くなってきたが、わたしたちには雨がふるとわかった。鳥もわかった。鳥たちはどこからともなく現われて、せわしく空を飛びかいながら、するどい声で鳴き、さえずっている。それに、光だ。ぎらぎらと照りつけていた光が、フィルターでもかけられたように、くすんできた。ふたたび長く伸びかけていた、わたしたちの足もとの影もまた、ぼやけて輪郭がはっきりしなくなっている。太陽は厚い雲のうしろに見え隠れするようになり、南の空は銅色に変わってしまった。重々しく近づいてくる入道雲の大きさと、無言の脅威に、わたしたちはすっかり魅せられていた。ときどき雲の中で巨大なフラッシュバルブが光るらしく、一瞬、紫色がかった雲の色が、明るい灰色に変わった。いちばん手前の雲の腹から、ぎざぎざの稲妻がぴかっと光るのが見えた。その光は、わたしの網膜に青いイレズミとなって残るほどに明るかった。稲妻が光ったあと、長く、震える雷の音がとどろいた。

わたしたちは雨につかまってしまうことで、少しばかりぐちってみたが、それは口先だけのことにすぎない――もちろん、わたしたちは雨を待ちこがれていたのだ。きっと涼しくなり、生き返った気分になるだろう……ヒルのこともきれいさっぱり忘れさせてくれるだろう。

三時半を少し過ぎた頃《ころ》、木々のあいだに水の流れが見えた。

「あれだ！」クリスが歓声をあげた。「あれがロイヤル・リバーだ！」

わたしたちは元気をとりもどし、足を速めた。もう嵐《あらし》がすぐそこまで近づいてきている。空気は激しく動き、あっというまに十度ぐらい気温が下がったようだ。足もとを見ると、影はすっかり消えていた。

わたしたちは二人ずつ組になり、各組で線路の土手のわきを見ながら進んだ。吐き気がするほど緊張し、口中は渇《かわ》き、心臓はどきどきいっている。また太陽が雲のうしろに隠れてしまった。そして今度は二度と顔を出さなかった。一瞬、旧約聖書のさし絵のように、厚い雲の縁が黄金《こがね》色にいろどられ、次に赤紫色に変わり、雲がぐんぐん動いてその腹の中に太陽をのみこんでしまうにつれ、太陽のあるあたりは赤紫色に染まっていった。昼だというのに暗くなってきた――雲がおそろしい速さで、残っている青空をおおいつくしていく。わたしたちはまるで馬のように、川の匂《にお》いがはっきりわかった——あるいはそれは、今にもふりだしそうな雨の匂いだったかもしれない。頭上には満々と水をたたえた海があり、それは薄い膜に閉じこめられてはいるものの、まばたきするほどの時間内にその膜が破れ、大氾濫《だいはんらん》を起こすだろう。

わたしは下生えの中を見ようとしていたが、どうしても荒れた空の方に目がいってしまう。暗さをましていく空の色からは、なんでも好みの運命を読みとることができる——水、火、風、雹《ひょう》。涼しい風が吹きだし、モミの木の葉を鳴らしている。いきなり、頭のまうえからとしか思えないほど、すさまじい稲妻が光り、わたしは悲鳴をあげて目をおおった。神がわたしの写真をお撮りになった。腰にシャツを巻きつけ、むきだしの胸にとり肌《はだ》をたて、両頰《りょうほお》にスラグの汚れをつけた少年の写真を。六十ヤードも離れていないところで、大木が引き裂かれ倒れる音が聞こえた。つづいて聞こえた雷の音に、わたしはすくみあがった。家にいて、おもしろい本でも読んでいたい。安全なところで……地下のジャガイモの貯蔵庫のようなところで。

「ふええ！」バーンがかん高い、絶え入りそうな声で叫んだ。「うへっ、あれ、見て！」

バーンが指をさしている方を見ると、GS&WM鉄道の線路の左側のレールに沿って、青白い火の玉がころがっていくのが見えた。火の玉は、どこから見てもやけどしたネコそっくりに、バチバチシュウシュウ音をたてていた。わたしたちはびっくり仰天して、体をねじまげ、すごい速さで火の玉が通過していくのを見送ったが、初めて、そんなものが存在することを知った。わたしたちの後方二十フィートぐらいのところで、火の玉はふいにシュン！　と音をたてて消え、あとに油っぽいオゾンの匂いを残した。

「どっちにしても、おれ、こんなとこでなにしてんだろ？」テディがつぶやいた。「すごいじゃないか！」クリスは仰天した表情だったが、うれしそうに叫んだ。「ぜえったい信じられないような、すごいことだぞ！」だがわたしはテディと同じ意見だった。空を見あげると、めまいを起こしそうだ。なんだか不可思議な、大理石でできた深い峡谷をのぞきこんでいるような気がする。また稲妻が光り、わたしたちはくびをすくめた。今度は前よりもオゾンの匂いがきつく、切迫している。間髪を入れず、雷鳴がとどろいた。

雷鳴でまだ耳鳴りがしているとき、バーンが勝ちほこった叫び声をあげた。「あそこ！　あそこだ！　ほら、あそこ！　みつけたぞ！」

今でも、そうしようと思えば、そのときのバーンの姿が目にうかぶ――椅子《いす》の背にもたれて目を閉じさえすればいい。バーンは船のへさきにいる探検家のように、左側のレールの上に立ち、ちょうど光った稲妻の明るさをさえぎろうと、片手を目の上にかざし、もう一方の手を伸ばして指さしている。

わたしたちはバーンのもとに駆け寄り、彼の指の先を見た。わたしは内心でこう思っていた。バーンの想像力がお先走っているだけだ。ヒルに、暑さに、この嵐……バーンの目はジョーカーの札を見ているんだ、と。だが、そうではなかった。次の瞬間、わたしはそうであってくれればよかった、と思ったが。ほんの短い一瞬に、わたしは死体なんか見たくなかったことを、たとえそれがウッドチャックの轢死体《れきしたい》であろうと、決して見たくなかったことを思い知った。

わたしたちが立っているところは、春の初めの雨が土手の一部を洗い流してしまい、四フィート規格の軌間が砂利の多い、不安定な断崖《だんがい》となっていた。鉄道会社の修理班が、黄色いディーゼル機関の修理カートで来たようすはない。もしかすると土手が崩れたのはつい最近のことで、まだ報告が届いていないのかもしれない。崩れた土手のふもとには、じめじめした湿地の下生えがもつれあい、いやな臭《にお》いを発している。そして野生のブラックベリーの、とげだらけの茂みの中から突き出ているのは、青白い手だった。

そのとき呼吸をしていた者がいただろうか？　わたしはしていなかった。

風が強くなってきた――荒っぽい強い風は一定の方向から吹いてくるのではなく、四方八方から跳びはね、ぐるぐる旋回し、たたきつけるように、わたしたちの汗ばんだ肌に、開いた毛穴に吹きつけてくる。だが、わたしはほとんど感じなかった。心のどこかで、テディが〝落下傘《らっかさん》隊、降下！〟と叫んでくれるのを待っていたし、もし号令がかかれば、わたしは気が変になるかもしれないと思っていた。そのとき、すぐにも、死体をそっくり見ればよかったのだろうが、わたしたちが見たのは、ぐんにゃり伸びた片方の手だけだった。溺死《できし》した少年の手のように、それはおそろしいほど白く、五本の指は曲がっていた。その手がすべてを語っていた。その手は世界じゅうの墓地を説明していた。現在でも、残虐《ざんぎゃく》な話を聞いたり読んだりするたびに、あの手が目にうかんでくる。どこかに、その手の先の方に、レイ・ブラワーの死体があるのだ。

稲妻が走った。わたしたちの頭の上で自動車競争《ドラッグ・レース》が始まったかのように、稲妻が光るたびに雷鳴がとどろいた。

クリスが声を発した。それは悪いことばではなく、乾草《ほしくさ》をたばねる農機がエンストを起こしたときに、細長い牧草の茎をくわえた口から発せられる田舎なまりの悪態でもなかった。クリスのそれは、意味のない、抑揚もない、長い音でしかなかった。たまたま声帯を通過してでてきた吐息にすぎなかった。

バーンは無意識にくちびるをなめていた。まるで、ハワード・ジョンソンの二十九番フレイバーとか、チベット・ソーセージ・ロールとか、異星のエスカルゴとかいった未知のごちそうを味わっているようだったが、同時に、胸の悪くなるような気味の悪いものを食べているようでもあった。

テディひとりが平然と見ていた。風が彼の脂《あぶら》っぽく湿った髪を耳の上からもちあげ、うしろにとき流すようにもてあそんでいる。彼の顔はまったく無表情だった。あと知恵で、そこになにかが見えた、たぶん、見た、と言えるのだが……そのときは、無表情にしか見えなかった。

線路の両側の森が、たった今わたしたちの存在に気づき、批評を始めたというように、ざわざわと大きくざわめきだした。雨がふりだしたのだ。

頭や腕に十セント玉ほどの大きさの雨が落ちてきた。土手は一瞬のうちにまっ黒になった——が、からからに渇いた地面が水分をすっかり吸いとってしまい、すぐにもとの色にもどった。

大粒の雨は五秒間ほどふったかと思うと、ぱったりやんでしまった。わたしはクリスを見た。クリスも目をぱちくりさせてわたしを見た。

そして、空のシャワーの鎖を引っぱったかのように、嵐が襲ってきた。ざわめきは声高な主張と化した。まるで、わたしたちが死体を発見したことを非難し、驚いているかのようだ。大学へ入るまでは、誰も感傷的虚偽などということは教えてくれない……そのときでさえ、よほどのばかでなければ誰でも、無生物も感情をもつと、心底から信じるだろうと思った。

クリスは土手の崩れた個所《かしょ》を跳びこした。髪はもうずぶぬれで、頭にぴったりはりついている。わたしもクリスにつづいた。すぐあとからテディとバーンがやってきたが、最初にレイ・ブラワーの死体に近づいたのは、クリスとわたしだった。死体はうつぶせになっていた。クリスがわたしの目をのぞきこむ。その顔はこわばり、きびしかった――おとなの顔だった。クリスが声を出して語りかけてきたかのように、わたしはかすかにうなずいた。

レイ・ブラワーは土手の上の線路のあいだで無残な姿をさらしているのではなく、比較的傷も少なく、土手の下に横たわっていた。これは、逃げようとして列車にはねられ、頭から落ちたためだろう。彼は跳びこもうとするダイバーのように、両腕を伸ばし、頭を線路の方に向けて倒れていた。落ちたところが湿地帯だったために、彼の重みで地面にくぼみができていた。くぼみには水がたまり、今は沼のようになっている。彼の髪は黒っぽい赤毛だ。湿気のせいで、先端がわずかにカールしている。血が流れているが、多量に、ではなく、胸がむかつくこともなかった。たかっている蟻《あり》の方が多い。無地のダーク・グリーンのTシャツに、ブルージーン。足ははだしで、数フィートうしろの丈の高いブラックベリーの茂みに、汚れたロウ・トップのケッズの靴《くつ》がひっかかっていた。一瞬、わたしは不思議に思った――なぜ彼はここなのに、彼のテニス・シューズはあそこにあるんだ？　そして納得した。ベルトの下に卑怯《ひきょう》なパンチをくらったような気分だった。妻や、子どもたちや、友人たち――彼らはみんな、わたしのように想像力があるのは、すばらしいことだと思っている。現金を生みだしてくれるのは別として、退屈になったときはいつでも、頭の中にささやかな映画をうつしだすことができるからだ。たいていの場合、彼らの言うことはあたっている。だが、ときどき、想像力のやつがくるりと寝返って、長い歯で嚙《か》みついてくるのだ。食人者の歯のように先のとがった歯で。むしろ見ない方がいいものを、曙光《しょこう》がさしそめるまで眠らせてくれないものを、見せられてしまう。あのときわたしは、そういうもののひとつを見た。完璧《かんぺき》な確実さと明確さをもって、見た。レイ・ブラワーは靴がぬげるほど強くはねとばされたのだ。列車は彼の肉体から生命をはねとばすと同時に、靴をもはねとばしたのだ。

それがようやくわたしを得心させた。この子は死んでいる。病気でもなく、眠っているのでもない。この子はもう二度と、朝起きることもないし、リンゴを食べすぎて腹をくだすこともないし、毒ヅタをつかむこともないし、むずかしい数学のテストの時間に、タイコンデローガ・ナンバー2の先端についた消しゴムを、すり減らすこともない。この子は死んでいるのだ。死んでしまったのだ。この子は友達と泉の水をびんに詰めに行くこともできないし、ズックの袋を肩に、溶けだした雪から顔をのぞかせた、返却代がもらえる空きびんを回収に行くこともできない。今年の十一月一日の午前二時に目をさまして、バスルームに駆けこみ、ハロウィーンの安いキャンディを大量に吐くこともできない。教室で女の子の三つ編みを引っぱることもできない。誰かの鼻を殴って血まみれにしたり、または、血まみれにされたりすることもない。この子は、なにひとつ、できないし、しないし、しようとしないし、なにもせずにいることもないし、しなければならないことも、するはずのことも、できるはずのことも、しないのだ。ターミナルが〝否《いな》〟と告げている装置の側にいるのだ。一セント入れなければならないヒューズ。えんぴつ削り機のけずりかすや、昼食時のオレンジの皮の匂《にお》いのする、教師の机の横のゴミ箱。窓が破れ、地所に〈侵入禁止〉の札が立ち、屋根裏部屋はコウモリの巣となり、地下室はネズミでいっぱいの、町はずれの幽霊屋敷。

ミスター、マダム、若き紳士淑女諸君、この子は死んでしまった。わたしは一日じゅうそう言いつづけていられるし、地面の上の彼の素足と、茂みにひっかかった彼の汚れたケッズの靴とのあいだの距離については、正確なことを言いたくない。その距離は三十インチ以上、十の百乗光年だ。彼は自分の靴と離れ、すべての希望をあきらめたかなたにいる。彼は死んだ。

ふりそそぐ雨、光る稲妻、とどろく雷鳴の中で、わたしたちはレイ・ブラワーをあおむけにしてやった。

彼の顔にも首にも、蟻や虫が一面にたかっていた。Tシャツの丸衿《まるえり》をちょこちょこと出たり入ったりしている。彼の目は両方とも開いていたが、おそろしくちぐはぐな開きかただった――片方の目はほとんど白目をむいていて、瞳《ひとみ》の弧の部分がほんの少し見えているだけだし、もう一方の目は、まっすぐに嵐をみつめている。くちびるの上の方と、あごに、乾いた血のあぶくがこびりついていた――たぶん鼻血だろう――し、顔の右側にはひどい裂傷と打撲傷があった。にもかかわらず、その死に顔は決して不快ではない、とわたしは思った。かつて、わたしは兄のデニスの部屋のドアを力まかせに押して入っていき、この子よりもっとひどい打ち身と、血まみれの鼻になって出てきたことがある。しかし、そのあとの夕食では、二度もおかわりをした。

テディとバーンはわたしたちのうしろに立っていたので、レイ・ブラワーのひっくり返った片方の目に視力が残っていたら、きっと、わたしたちの姿はホラー映画の棺をになう人に見えただろう。

レイ・ブラワーの口からカブト虫がはい出してきて、うぶ毛のない頰の上をよたよたと歩き、イラクサの葉にとびうつるとどこかへ行ってしまった。

「今の、見たか?」テディが奇妙な、かん高い、絶え入りそうな声を出した。「こいつの体ん中、虫けらでいっぱいなんだ! 脳みそも――」

「黙れよ、テディ」クリスにそう言われ、テディはほっとしたように口をつぐんだ。

空に青い稲妻が走り、少年の片方の目がきらりと光った。彼が発見されたことを、同い年ぐらいの少年たちに発見されたことを、喜んでいるのだと信じられる気がした。彼の胴体はふくれあがり、屁《へ》のなごりのようなガスっぽい臭いが、かすかにただよっている。

吐き気がこみあげてきそうで、わたしは顔をそむけたが、胃の中は空っぽで、しっかりとおちついていた。わたしはいきなり喉《のど》に指を二本突っこみ、自分の力で吐こうとした。吐いたらさっぱりするような気がして、どうしても吐く必要があったのだ。だが、わたしの胃は少しひきつっただけで、またおちついてしまった。

ざあざあとふりしきる雨の音と、雷鳴とが、この湿地灌木《かんぼく》地域の数ヤードうしろを通っているバック・ハーロウ・ロードに近づいてくる車の音を消していた。まったく同様に、彼らが車をとめた道の行きどまりの地点から、下生えをがさがさ踏みしめながら近づいてくる音も、消してしまった。

わたしたちが初めて彼らに気づいたのは、嵐の咆哮《ほうこう》に負けずにはりあげたエース・メリルの声のせいだった。その声はこう叫んでいた。「よう、なんだっておめえたち、こいつのこと知ってんだ?」

26

尻《しり》を突っつかれたように、わたしたちはとびあがり、バーンは悲鳴をあげた——あとで彼が白状したところによると、一瞬、その声が死んだ少年から発せられたのかと思ったのだそうだ。

湿地帯のはずれ、木が生えていて道路の行きどまり地点を隠しているところに、ふりしきる雨のグレイのカーテンでなかばもうろうとしていたが、エース・メリルと、アイボール・チェンバーズの姿が見えた。二人とも赤いナイロンのハイ・スクール・ジャケットを着ている。それは正規の学生なら学校の売店で買えるし、大学のスポーツ選手には無料で配られるものだ。二人のダックテイル型の髪の毛は、ぺったりと頭にはりつき、雨とバイタリスの整髪剤とがまじりあって、人工の涙のように、頰《ほお》をつたって流れている。

「くそったれめ！」アイボールが言った。「そいつはおれの弟だ！」

クリスは口を開いてアイボールをみつめている。ぬれてぐったりした汚れたシャツは、まだ、彼のやせた腰に巻きつけられていた。雨にぬれて色が濃くなったグリーンのパックは、裸の肩からぶらさがっている。

「行っちまえよ、リッチー」クリスは震える声で言った。「おれたちが彼をみつけた。おれたちに優先権がある」

「優先権なんざ、くそくらえよ。おれたちが報告するさ」

「いや、だめだ」最後の瞬間になってひょっこり現われた彼らに、わたしは急に怒りを覚えていた。こういうことを考慮に入れていたら、こんなことになるのではないかと少しでも考えていたら……だが、なんにしても、今度こそ、年上の体の大きな連中に横盗《よこど》りさせるわけにはいかない――彼らがほしがるものを、まるで当然の権利のように、正当で唯一《ゆいいつ》の方法といわんばかりに容易に、横盗りさせるわけにはいかない。彼らは車でやってきた──それがわたしをなによりも激怒させた。彼らは車でやってきたのだ。「こっちは四人だ、アイボール。やってみなよ」

「おうとも、やるさ、心配すんな」アイボールは答えた。そして彼とエースの背後の木々が揺れた。チャーリー・ホーガンと、バーンの兄貴のビリーが、悪態をつき、目に入る雨をぬぐいながら姿を現わした。わたしは腹に鉛の弾を撃ちこまれたような気がした。その気分は、チャーリーとビリーのうしろからジャック・マジェット、ちぢれっ毛のブラコウィッツ、ビンス・デイジャルダンが現われると、ますますひどくなった。

「こっちはこれで全部だ」エースはにやにや笑っている。「で、そっちはたった──」

「バーン！」ビリーが恐ろしい、叱責《しっせき》の口調で叫んだ。〝わたしの非難は最初から正しい〟という口調だ。ビリーはしずくのしたたる手を握りしめて拳固《げんこ》をつくった。「このくそガキめ！　ポーチの下にいたんだな！　この盗み聞き野郎！」

バーンはすくみあがった。

チャーリー・ホーガンはすっかり頭にきてかんしゃくを起こした。「ちびののぞき屋のおまんこなめの尻ふき野郎！　こてんこてんにぶちのめしてやる！」

「ふん。ああ、やってみな！」ふいにテディがわめいた。雨滴のついたメガネの奥の目が、異様に輝いている。「こいよ、受けてやるぜ！　こいよ！　こいったら、うどの大木め」

ビリーとチャーリーに二度の誘いは必要なかった。二人は同時に前に足を踏みだし、ふたたびバーンはすくみあがった——過去の殴打およびまだ受けていない殴打の幻を、ありありと思いうかべているにちがいない。バーンはすくみあがった……が屈しなかった。彼には仲間がいるし、わたしたちはこれまで運命を共にしてきた仲だし、二台の車に分乗してここまでやってきたわけではない。

だがビリーとチャーリーのうしろには、エースがいて、二人の肩に触れるだけであと押しの役を果たしている。

「いいか、よく聞けよ、てめえら」エースはわたしたちが吹き降りの嵐《あらし》の中に立っていることを忘れているかのように、辛抱づよくしゃべった。「てめえたちより、おれたちの方が人数が多い。体もでかい。一回だけチャンスをくれてやるから、さっさと行っちまいな。どこへ行けとは言わん。散ってくれりゃいいのさ」

クリスの兄貴がくすくす笑い、ちぢれっ毛はエースの機知をほめるように、彼の背中をぽんとたたいた。不良少年仲間のコメディアン、シド・シーザー。

「だから、おれたちがそいつをいただく」エースはにんまり笑った。そのおだやかな笑いは、玉突き場でエースが玉を突こうとかまえているときに、生意気な口出しをするというおそるべきミスを犯した無学なチンピラの頭を、キューでぶちのめす前にエースの顔にうかんでいたおだやかな笑みと、まったく同じ類《たぐい》のものだった。「てめえらが行っちまったら、おれたちがそいつをいただく。てめえらがここに残るってんなら、てめえらをさんざんぶちのめして、やっぱり、おれたちがそいつをいただく。それにな」エースは泥棒《どろぼう》にも三分の理を通そうとつけ加えた。「そいつをみつけたのはチャーリーとビリーなんだから、どっちみち、この二人に優先権があるのさ」

「そいつら、腰ぬけだったじゃないか！」テディはすぐさま言い返した。「バーンに話を聞いたぞ！ そいつらは意気地なしの腰ぬけだ！」テディは顔をゆがめ、哀れっぽい声でチャーリー・ホーガンのものまねをしてのけた。「〝あんな車、かっぱらわなきゃよかったのによ！ 女といちゃつくのに、バック・ハーロウ・ロードへなんか行かなきゃよかった！ おい、ビリー、どうする？ おい、ビリー、おれのパンツはくそだらけになっちまったみたいだ！ おい、ビリー……〟」

「いいかげんにしろ」チャーリーはまた一歩前に出た。怒りで顔がゆがみ、狼狽《ろうばい》でふくれあがっている。「ガキめ、おまえの名前がなんであろうと、今度鼻をつまむ必要があるときにゃ、喉《のど》に手をやらなきゃならないと覚悟しな」

　わたしははっとしてレイ・ブラワーを見おろした。彼は片方の目で静かに雨を、わたしたちよりはるかに上の方を見ていた。あいかわらず雷はごろごろ鳴っているが、雨はいくぶん弱まってきた。

「言いたいことがあるのか、ゴーディ？」エースはチャーリーの腕を軽くかかえている。つきそいの訓練士が癖の悪い犬を抑えているようだ。「少なくともてめえには、兄貴のセンスがちいっとはあるにちがいない。みんなに手をひけと言ってやんな。チャーリーにその四つ目のガキをちょいとかわいがらせてやったら、おれたちはおれたちの仕事にかかる。どうするね？」

　エースがデニーのことを持ち出したのは、まちがいだった。わたしはエースと論をたたかわし、バーンがチャーリーとビリーが優先権を放棄した話を聞いて以来、二人にはなんの権利もないと、エース自身よく承知していることを指摘してやりたかった。キャッスル・リバーのトレッスルの上で、疾走してくる貨物列車に、わたしとバーンがあやうく轢《ひ》かれそうになった話を、してやりたかった。マイロ・プレスマンと、彼の大胆不敵――愚かだとしても――な相棒の、驚異の犬チョッパーの話。吸血ヒルの話。わたしがエースに本当に言いたかったのは、エース、フェアにやろうぜ、ということばだった。そういうことだ。だが、エースがデニーのことを持ち出したために、わたしの口からはわかりやすい理屈のかわりに、自分への死刑宣告のことばしか出てこなかった。「おれのでかぶつをなめるんだな、けちなチンピラ野郎め」

　驚きのあまり、エースの口は完璧《かんぺき》なＯの字を形づくった——その表情は思いがけなくなさけないものだったため、他《ほか》の状況でなら、いわば大笑いのもととなっただろう。他の連中——湿地帯の両側にいる——も、啞然《あぜん》としてわたしを見ていた。

　わたしは、といえば、我ながら信じられず、麻痺《まひ》したように突っ立っていた。あわやというときに、発狂した臨時代役の俳優が舞台で銃を発射し、台本にもないセリフをとうとうと弁じたようなものだ。他人に向かってなにをなめろなどと言うのは、母親を持ち出して悪態をつくのと同じぐらい悪い。わたしは目の隅《すみ》で、クリスがナップサックを肩からはずし、やっきになって中をかきまわしているのを捕えたが、べつに気にしなかった——とにかく、そのときは。

「オーケー」エースはやさしい声をだした。「やっちまえ。誰《だれ》にもけがをさせるなよ。ただし、ラチャンスのちびはべつだ。おれがあいつの腕を両方ともたたき折ってやる」

　わたしはまっ青になった。トレッスルの上では小便をちびらずにすんだが、それは体内に放出すべきものがなかったからにちがいない。エースは本気だった。当時から現在に至る長い年月のあいだに、いろいろなことに関して考えを変えたが、この件に関しては変わらなかった。いったんエースがわたしの両腕をへし折ると言ったら、それは絶対に本気なのだ。

小降りになっている雨の中を、連中はわたしたちの方に向かってきはじめた。ジャック・マジェットはポケットから飛び出しナイフを取り出し、刃を立てた。刃わたり六インチの鋼《はがね》が、午後のうす暗い、紫色がかった灰色の中で、ちかっと光る。いきなりテディとバーンがわたしの両隣にきて、腰をおとし、闘う姿勢をとった。テディは血気にはやり、バーンは進退きわまって顔をゆがめ、やけくそ、という感じだった。

大きい連中は足並みをそろえ、水をはねかして進んでくる。嵐のせいで、湿地帯がちょっとした沼のようになっていたからだ。レイ・ブラワーの死体は、わたしたちの足もとに、水びたしの樽《たる》のようにころがっている。わたしも闘いのかまえをとった……そのとき、クリスが父親の引き出しから失敬してきたピストルを撃った。

バーン！

ああ、なんとすばらしい音だったことか！　チャーリー・ホーガンは空中にとびあがった。まっすぐわたしの方に近づいてきていたエース・メリルは、ぐいっと体をひねり、クリスの方を向いた。その口はふたたびOの字を形づくっていた。アイボールは完全に肝をつぶしたようだ。

「おい、クリス、それ、おやじのじゃないか」アイボールは言った。「おまえ、ぶちのめされる——」

「きさまにはなんの関係もないだろ」クリスの顔はすごいほど蒼《あお》く、生命のすべてが目にこもっているようだった。クリスの目は閃光《せんこう》を発していた。

「ゴーディの言ったとおりだ。きさまたちはけちなチンピラの集団にすぎない。チャーリーとビリーはせっかくの優先権をほしがらなかったんだし、きさまたちもみんな、それを承知している。二人が優先権を使おうと言ってたら、おれたちだってここへは来なかった。二人はどこかへ行き、秘密をばらしたあげく、エース・メリルに自分たちの考えを預けたんだ」クリスの声は高くなり、絶叫となった。「だけど、きさまたちに彼は渡さない、わかったか？」

「まあ、聞けよ」エースは言った。「てめえの足を撃っちまわないうちに、そいつをおろした方がいいぜ。ウッドチャックを撃ってもしかたあるめえ？」エースはおだやかな笑みをうかべて、ふたたび歩きだした。「ちっこいちびの小便くさい尻のろくでなしだよ。おれがてめえにそのくそったれの銃を食らわしてやろう」

「エース、とまらないと撃つぞ。神に誓って撃つ」

「そしたら、監獄行きさ」エースはためらいもせずに節をつけて言った。まだ笑みをうかべている。他の者たちは魅せられたように、エースをみつめていた……わたしとテディとバーンがクリスをみつめているように。エース・メリルは何マイル四方にもわたって、悪名をとどろかせている不良だし、わたしにはクリスがはったりを言っているとは思えない。となると、どうなるか？　エースは十二歳のガキが本当に撃つとは思っていない。わたしはエースはまちがっていると思った。エースに父親の銃を取りあげられる先に、クリスはエースを撃つだろう。その数秒間のあいだに、わたしはひどいトラブルが、最悪の事態が起こると覚悟した。もしかすると殺人事件だ。それというのも、原因は死体の優先権が誰にあるか、ということなのだ。

クリスは深い悲しみをこめて、静かに言った。「どこがいい、エース？　腕か、足か？　おれには選べない。おれのかわりにきさまが選べ」

エースは立ちどまった。

27

エースのあごがガくりと落ちた。わたしはその顔に急に恐怖の色がうかぶのを見た。それはクリスのことばのせいではなく、声の調子のせいだったのだと思う。クリスはいっそう悪い事態になることを、心から悲しんでいた。もしそれがはったりなら、やはり最高の出来と言わずばなるまい。年上の連中は心底から信じこんだ。導火線の短いサクランボ大のかんしゃく玉に、誰《だれ》かがマッチを近づけてしまったかのように、ひるんだ表情だった。

エースはゆっくりと自分を取りもどした。ふたたび顔の筋肉が引きしまり、くちびるはきっと引き結ばれた。そして重大な仕事の相手を見るような目で、クリスを見た——自分の会社を合併するとか、クレジットの限度額を交渉するとか、ボールをシュートするとか、そういうときの目つきだ。それは恐怖が消えてしまったか、あるいは、すっかり隠しおおせているか、どちらであろうと、それを相手に知らせようとして、相手の出方を待っている好奇心に満ちた表情と言ってもいい。エースはふたたび、撃たれることはないという勝ち目を計算し、思ったほど勝ち目は強くないと判断したらしい。だが、それでもやはり危険な相手だった——おそらく、前以上に危険だと言えよう。そのときから、わたしは初めて、もっともなまなましい瀬戸ぎわの作戦というものを目撃しているのだ、と自覚した。二人ともはったりをきかせているのではない。二人とも真剣に勝負している。

「オーケー」エースは静かな声でクリスに言った。「だが、これですむと思うなよ、のぼせ野郎」

「いや、そんなまねはできないよ」クリスは答えた。

「ちびのくそったれ！」アイボールが大声をだした。「このおとしまえは必ずつけてやるからな！」

「うるさいんだよ」クリスはアイボールに言い返した。

アイボールは怒りのためにことばにならない声を発しながら、前に進み出ようとした。クリスはアイボールの正面十フィートの水たまりに、弾を撃ちこんだ。弾は激しく水をはねかした。アイボールは悪態をついてとびすさった。

「オーケー、で、どうしろってんだ？」エースは訊《き》いた。

「きさまたちはさっさと車に乗って、とっととキャッスル・ロックへ帰れ。そのあとは好きにすればいい。だけど、彼を運んでいくわけにはいかない」クリスはずぶぬれの運動靴《ぐつ》の爪先《つまさき》で、軽く、うやうやしく、レイ・ブラワーに触れた。「わかったか？」「だが、そのうち、おまえをぶちのめしてやるからな」エースはまた笑顔を見せはじめた。「わかってるんだな？」

「そうなるかもしれない。そうならないかもしれない」

「めためたにぶちのめしてやる」エースはにこにこ笑っている。「傷だらけにしてやる。てめえにそれがわからないとは、信じられないよ。体じゅうぶっこわして、病院に入れてやる。本気だぜ」

「さっさと家へ帰って、おふくろさんともっとなにしたらどうだ？　きさまのおふくろさんは、きさまのやりかたが大好きだって聞いてるよ」

エースの笑顔が凍りついた。「今のことだけで、てめえを殺してやる。おふくろの悪口は誰にも言わせない」

「きさまのおふくろは金のために寝るんだってな」クリスにそう言われ、エースは青ざめ、その顔色はクリスの幽霊のような白さに近づきつつあった。クリスはさらにつづけた。「きさまのおふくろはジュークボックス用の五セント玉《ニッケル》ほしさに、男のあれを口にくわえるんだってな。きさまの——」

そのとき、どっと、嵐《あらし》がぶり返してきた。今度は雨ではなく、雹《ひょう》まじりの嵐だ。木々はざわめいたり、おしゃべりをするかわりに、B級映画のわざとらしいジャングルの太鼓の音を実際にうちならしているようだ――それは、大きな氷の粒が木の幹をたたく音だった。肩に小石大の雹があたってひりひりしだした――まるで、知覚力のある悪意をもったなんらかの力あるものが、雹を投げているようだ。それよりも悪いことに、雹はレイ・ブラワーのあおむけになった顔を、おそろしい音をたてて打ち、わたしたちはあらためて彼のことを、彼の悲惨にも終わりのない忍耐を思い出した。

一番にバーンの気力がくじけ、すすり泣きまじりの悲鳴をあげた。ぎごちなく、大《おお》股《また》で土手をよじのぼっていく。テディは一分ほどもちこたえていたが、両手で頭をかばいながら、バーンのあとを追った。年上の連中の方では、手近な木の下にビンス・デイジャルダンがあわてて逃げこみ、ちぢれっ毛のブラコウィッツがビンスのあとを追った。だが他《ほか》の者たちはその場を動かず、エースはまたもやにやにや笑いはじめていた。

「おれから離れるなよ、ゴーディ」クリスは低く震える声で言った。「離れずにいてくれよ」

「ちゃんとここにいるよ」

「行っちまえよ」クリスはエースに言った。どういう魔法を使ったのか、その声は少しも震えていなかった。まるで頭の悪い小さな子を、教えさとしているような言いかただった。

「必ずてめえをぶちのめしてやる」エースは言った。「てめえはそのつもりでも、おれたちは絶対に忘れないからな。今日は愉快だったぜ、ぼうや」

「それはよかった。さっさと行って、おととい来なよ」

「必ずてめえを待ち伏せしてやるからな、チェンバーズ。必ず――」

「消え失《う》せろ！」クリスはどなり、銃をかまえなおした。エースはあとずさりした。

エースはくいいるようにクリスをじっとみつめると、うなずき、踵《くびす》を返した。「来い」仲間に言う。そして肩越しにもう一度クリスを、次にわたしを見た。「また会おうぜ」

彼らは湿地帯と道路を隔てている木々の向こうにもどっていった。わたしとクリスは雹が鞭《むち》のように肌《はだ》をうち、赤いあざをつくり、周囲に真夏の雪のように積もっていくのにもかかわらず、その場にじっと立っていた。耳をすましていると、木の幹を打つ雹の激しいカリプソの太鼓の音にかぶさって、二台の車が発進する音が聞こえた。

「ここにいてくれ」クリスはそう言うと、湿地帯を横切りはじめた。

「クリス！」わたしはうろたえた。

「見てくる。ここで待ってて」

クリスの姿が見えなくなってから、長い時間がたったような気がした。きっとエースとアイボールが待ち伏せしていて、クリスを捕まえたにちがいない。わたしは仲間といえばレイ・ブラワー以外に誰もいない場所で、誰か——誰でもいい——が帰ってくるのを待っていた。しばらくすると、クリスが帰ってきた。

「やったよ」クリスは言った。「みんな帰った」

「本当に？」

「うん。車二台とも」クリスは頭の上に両手をさしあげ、銃を両手で握りしめ、チャンピオンをまねて重ねた両手を振ってみせた。その手をおろすと、クリスはわたしにほほえんだ。そんなに悲しそうな、そんなにおびえた微笑は見たことがない。「おれのでかぶつをなめろよ、か——おまえ、そんなにでかいって、誰に言われたんだ、ラチャンス？」

「四つの郡でいちばんでかいんだぞ」わたしはがたがた震えていた。

一瞬、クリスとわたしは暖かい目を見かわし、たがいの目の中にあるものを読みとって当惑したのだろう、同時に二人とも目を伏せてしまった。わたしはふいに、強烈な恐怖にうたれた。クリスは足を交互に動かしてパチャパチャと水音をたて、それを見たことをわたしに伝えてよこした。レイ・ブラワーの目は、ギリシアの彫刻の目のように、大きく、白く、まばたきもせず、瞳《ひとみ》がなかった。なにごとが起こったのか一瞬にして理解しただけではなく、恐怖を少しも感じていないことを知らせる目だった。彼の目には白い雹が積もっていた。雹はもう溶けかかっていて、レイ・ブラワーがおのれのグロテスクな立場——二組の愚かな田舎の少年のグループの争いのもととなり、おそまつな賞品となりさがってしまった——を嘆くかのように、頬《ほお》を雹の溶けた水がつたって流れていた。彼の着衣もまた、雹でまっ白になっている。経かたびらにつつまれて横たわっているようだ。

「おい、ゴーディ、ヘイ」クリスが震えながら言った。「ヘイってばさ。こいつにとっちゃ、お話にならないクリープショーだったろうな」

「彼にわかるとは思えない——」

「おれたちが昨日の夜聞いた声は、こいつの幽霊だったのかもしれないな。今日起こることを、こいつは知っていたのかもしれない。ひどいクリープショーだったな。ほんと」

背後で木の枝が音をたてた。やつらが背後に回ったのだと思い、わたしはくるっとふり向いたが、クリスはちらっと無造作な一瞥《いちべつ》をくれたきり、死体に目をもどしてじっとみつめていた。音の主はバーンとテディだった。二人ともジーンズがびしょぬれで、脚にぺったりはりつき、顔には犬がたまごを吸ったときのようなにやにや笑いをうかべていた。

「これからどうする？」クリスが訊いた。わたしは背筋がぞくっとした。クリスはわたしに話しかけているのだろう、もしかすると……だが、クリスの目は死体に向けられたままだった。

「運んで帰るんじゃないのか？」テディはけげんそうに訊き返した。「おれたちは英雄になる。そうじゃないのか？」テディの視線はクリスからわたしに、わたしからクリスに動いた。

はっと夢からさめたように、クリスは目をあげた。くちびるがめくれている。テディに向かって大股に足を踏みだし、両手をテディの胸にあてて乱暴にぐいと押した。テディはよろめき、両手をぐるぐる回してバランスをとろうとしたが、尻《しり》もちをついて水をはねかした。仰天したマスクラットのように、目をぱちくりさせてクリスを見あげている。バーンはクリスの頭がおかしくなったのではないかというように、不安そうな目でクリスを見た。クリスは狂気とは無縁のところにいた。

「そのでかい口を閉じておけ」クリスはテディに言った。「落下傘部隊《らっかさん》はおれを見捨てた。おまえはけちな、口先だけの腰ぬけ《チキン》だ」

「雹のせいだよ！」テディは怒ると同時に恥じて叫んだ。「あいつらのせいじゃないよ、クリス！　おれは嵐がこわいんだ！　どうしようもないほどこわいんだ！　おふくろの名にかけて誓うけど、あいつらなんか、あっというまにのしてたよ！　だけど、おれは嵐がだめなんだ！　くそっ！　しかたがなかったんだよ！」テディは水たまりに尻もちをついたまま、また泣きだした。

「おまえはどうなんだ？」クリスはバーンの方を向いた。「おまえも嵐がこわかったのか？」

バーンはクリスの怒りに肝をつぶしながら、うつろに首を振った。「あのね、おれはみんな逃げるもんだと思ったんだ」

「そんならおまえは読心術が使えるんだな。まっ先に逃げたのはおまえだったんだからら」

バーンは二回唾《つば》をのみこんだが、なんとも答えなかった。

クリスは目を怒らせ、大きくみひらいて、バーンをにらみつけた。そしてわたしの方を向いた。「少しだけ、こいつを埋めといてやろうよ、ゴーディ」

「きみがそう言うんならね、クリス」

「本気さ！　ボーイ・スカウトでやるみたいにしよう」クリスの声は奇妙にうわずり、かん高くなった。「ボーイ・スカウトそっくりにさ。少しだけ——ポールとシャツとで。ハンドブックどおりに。いいかい、ゴーディ？」

「ああ。きみがそうしたいなら。でも、あいつらが——」

「あいつらはくそったれだ！」クリスは叫んだ。「おまえたちはそろいもそろって腰《チ》ぬ《キ》け《ン》なんだな！　消えちまえ、臆病者《おくびょうもの》！」

「クリス、あいつら、警官に電話をかけるかもしれないよ。おれたちに仕返しをするつもりで」

「こいつはおれたちのものなんだから、連れて帰るんだ！」

「あいつら、おれたちのためにならないように、あることないこと言いふらすよ」わたしはクリスに言った。

わたしのことばは説得力に欠け、愚かしく、インフルエンザにかかっているようにみじめったらしく聞こえた。「あることないこと言って、みんなで嘘《うそ》をつくに決まってる。嘘がどんな厄介《やっかい》な立場に人を追いこむか、知ってるだろ。あのミルクの代金のとき——」

「かまうもんか！」クリスはわめき、こぶしをふりあげてわたしに突っかかってきた。だが、片方の足がレイ・ブラワーの肋骨《ろっこつ》にぶつかり、ばしゃっと水のはねる音がして、死体が揺れた。クリスはつまずいてばったり倒れた。わたしは彼が立ちあがり、わたしの口もとを殴りつけるだろうと覚悟して待っていたが、クリスは倒れたまま動かなかった。頭を土手の方に向け、ダイバーが跳びこもうとしているように両手を頭の上に伸ばし、わたしたちが最初にレイ・ブラワーを発見したときに死体がとっていたと同じかっこうで、うつぶせに倒れたままだった。わたしはあわててクリスの足もとに目をやり、靴をはいているのを確認した。いきなりクリスが声をあげて泣きだした。こぶしで地面をたたき、いやいやをするように顔を左右に振っている。テディとバーンはじれったそうにクリスを見ていた。クリス・チェンバーズが泣くところなど、誰《だれ》も見たことがなかったからだ。わたしはすぐにクリスに背を向けて土手をのぼり、レールの上に腰をおろした。テディとバーンもついてきた。わたしたちは雨のふりしきる中、口もきかずにじっとすわっていた。安物を売っている雑貨屋や、いつも破産の一歩手前の線をあやうく渡っているように見える、みすぼらしいギフト・ショップで売っている〈見ざる、言わざる、聞かざるの猿《さる》〉のように。

28

二十分ほどすると、クリスが土手をのぼってきてわたしたちの側《そば》にすわった。雲が切れはじめている。雲の切れ目から光の矢がおりてくる。この四十五分間で、茂みは三度ばかり緑の濃度を増した。クリスの体の前の方は泥《どろ》だらけだ。髪は泥を塗り固めてとがらせたように、つんつん立っている。きれいなのは目のまわりだけで、そこだけ白い輪ができている。

「おまえの言うとおりだな、ゴーディ」クリスは言った。「最後の優先権は誰のものでもないんだ。なにもかもグーチャーだ、そうだな?」

わたしはうなずいた。五分たった。誰ひとりなにも言わない。わたしはとあることを思いついた——万一、エースたちがバナーマンに電話をかけたら。わたしは土手をおり、クリスが立っていたところまでもどった。膝《ひざ》をついてしゃがみ、水と草の中をていねいに指で梳《す》いた。

「なにしてんだ?」テディがやってきた。

「左の方だと思う」クリスが指をさす。

わたしは左側を見た。一、二分のあいだに薬莢《やっきょう》を二個みつけた。さわやかな光をあびて薬莢はちかりと光った。わたしはそれをクリスに渡した。彼はうなずき、ジーンズのポケットに薬莢をつっこんだ。

「さあ、行こうか」クリスは言った。

「おい、待てよ!」テディは必死の声で抗議した。「おれは彼を連れて帰りたいんだ!」

「よく聞けよ、まぬけ」クリスは言った。「もし彼を連れて帰ったら、おれたちは全員少年院送りだぞ。ゴーディが言ったとおりだ。あいつらは好きなだけ話をでっちあげるだろう。おれたちが彼を殺した、ってあいつらが言ったらどうする? おまえ、どうする?」

「そんなの、かまやしねえさ」テディはふくれた。そしてばかばかしいほど期待をこめた目で、わたしたちを見た。「それにさ、二、三カ月少年院に入りゃすむんだろ。勲章みたいなもんじゃないか。つまりさ、おれたちはたったの十二歳なんだから、ショウシャンク刑務所には入れられれっこないよ」

クリスはものやわらかに言った。「前科があったら、軍隊に入れないぜ、テディ」

それはまっかな嘘《うそ》だ――が、そう言うより他《ほか》はないように思えた。テディはくちびるを震わせ、長いあいだクリスの顔を見ていた。そしてやっとのことで声をふりしぼった。「だめなのか？」

「ゴーディに訊《き》いてみな」

テディはすがるようにわたしを見た。

「クリスの言うとおりだだ」わたしは自分がひどく下劣な人間になった気がした。「クリスの言うとおりだよ、テディ。軍隊に志願したら、まっ先に前科調査課を通して、おまえの経歴が調べられる」

「冗談じゃねえなあ！」

「トレッスルをもどろう」クリスが言った。「そして線路から離れて、別の方向からキャッスル・ロックに入ろう。誰かにどこに行ってたって訊かれたら、ブリックヤード・ヒルにキャンプに行って迷ったんだと言うんだ」

「マイロ・プレスマンはもっとこまかいこと知ってるよ」わたしは念を押した。「それにフロリダ・マーケットのずるおやじも」

「そうだな、じゃ、マイロ・プレスマンにおどされたんで、ブリックヤードに行くことに変更したんだと言おう」

わたしはうなずいた。それならうまくいくだろう。テディとバーンが忘れずにそう言い通しさえすれば。

「親たちが顔を合わせてたらどうする？」バーンが訊いた。

「そんな心配、てめえでしなよ」クリスは言った。「うちのおやじはまだ酔っぱらってるさ」

「なら、行こうか」バーンはわたしたちとバック・ハーロウ・ロードのあいだに、衝《つい》立《た》てのように並んでいる木々を見ながら言った。なんだか、今にもバナーマンがブラッドハウンドに引きずられて、木々のあいだから駆けこんでくるのではないかと恐れているふうだ。「なんにも起こらないうちに、帰ろう」

わたしたちは全員立ちあがった。出かける用意はできていた。鳥が狂ったように鳴いている。たぶん雨を、光を、虫を、世界じゅうのあらゆることを喜んでいるのだろう。わたしたちはひもでつながれているように、いっせいにくるりと回れ右をして、レイ・ブラワーの死体を見た。

彼はそこに横たわったままだ。またひとりぼっちになった。わたしたちが引っくり返したときに両腕がおりたので、今は手足が大の字に広がっていて、太陽の光を歓迎しているように見える。一瞬、葬儀屋によって別れのあいさつのためにととのえられたどんな死の場面よりも、自然なようすに見えた。あざや、あごと鼻の下にこびりついた血や、膨張しかけている体が目につく。太陽が顔を出すとともに、ヤグルマソウが花開き、死体を囲んでゆったりとささやきあっている。閉めきった部屋の中で屁《へ》をしたときのように、胸は悪くなるが害のない、ガスっぽい臭《にお》いがただよっている。彼はわたしたちと同い年なのに、死んでしまった。わたしはなにもかも自然に見えるという考えを、きっぱり却下した。恐怖とともにわきに押しやったのだ。

「オーケー」クリスは元気よく言ったつもりだろうが、その声は古ぼけたちり払い用のブラシから、乾いた剛毛をひとつかみ抜いたように、喉《のど》の奥からかさかさととび出してきた。「駆け足」

わたしたちは来た道を速足でもどりはじめた。誰も口をきかない。他《ほか》の者のことは知らないが、わたしは考えるのに忙しくてしゃべる暇がなかった。レイ・ブラワーの死体のことで、いろいろと思い悩むことがあったのだ――そのときも悩んだし、こうして書いている今もまた悩んでいる。

レイ・ブラワーの顔の右側にあったひどい打ち身のあと、頭蓋《ずがい》の裂傷、血まみれの鼻。それ以外にはべつに傷はなかった――少なくとも目に見える傷は。酒場のけんかでもっとひどい状態になっても、酒を飲みつづける人もいる。だのに、彼はまちがいなく、列車にはねられたのだ。でなければ、なぜ靴《くつ》が両方ともぬげてしまうことがある？　それになぜ、機関士は彼に気づかなかったのか？　列車は彼を高くはねとばしはしたが、生命は奪わなかったのだろうか？　状況を正しく組み合わせてみると、そうだったのかもしれないと思われる。彼が逃げようとしたところに、列車がきあわせて、通過するさいに彼の斜め側面に激しくぶつかったのだろうか？　彼は列車にはねとばされて宙に舞い、土手の崩れたところを越えてうしろ向きにころがり落ちたのだろうか？　意識のあるまま横たわり、何時間も暗い中で震えながら、世界から切り離されて、時も、場所もわからないまま生命を失ったのだろうか？　もしかすると恐怖のあまり死んだのかもしれない。かつて、尾の羽のつぶれた鳥が、わたしの手の中で、恐怖のせいで死んだ。鳥は体を震わせ、軽いけいれんに襲われながら、くちばしを開いたり閉じたりして、黒くつぶらな目でわたしを見ていた。そしてけいれんがとまり、くちばしは半分開いたきりで凍りつき、黒い目は生気を失ってどんよりとくもってしまった。レイ・ブラワーもそうだったのかもしれない。激しいおびえが生きていく気力を奪い、死んでしまったのかもしれない。

だが、まだもうひとつ、なによりもわたしの頭を悩ませていたことがあった。レイ・ブラワーはベリー摘みに行くといって出かけた。摘んだベリーを入れるために、つぼを持って出かけたと、ニュースのアナウンサーが言っていたような気がする。町にもどってから、わたしは図書館に行き、古い新聞を確かめてみると、やはりわたしの記憶していたとおりだった。彼はベリー摘みに行き、バケツかつぼ――そんなような容器――を持っていた。だが、わたしたちの目にはふれなかった。わたしたちは彼を発見したし、彼の運動靴もみつけた。彼は容器を、チェンバーレインと、彼が死んでいたハーロウの湿地とのあいだのどこかで、投げ捨てたにちがいない。きっと初めのうちは、その容器こそ家と安全な場所をつなぐものであるかのように、しっかりと握りしめていただろう。だが、恐怖がつのるにつれ、まったく孤独だという気持が増すにつれ、自力でなんとかする以外に助かるチャンスはないという思いが強くなるにつれ、彼は線路のどちらかの側の森の中に容器を投げ捨て、その行方すら気にしなかったことだろう。

今でも、もどって探してみようかと思うことがある――異常だとお思いになるだろうか？　今でも、新品に近いフォードのバンを運転して、バック・ハーロウ・ロードの行きどまりまで車を走らせ、たったひとりで、輝ける夏の朝の思い出を得てみたいと思うことがある。そんなとき、妻や子どもたちは、スイッチを入れさえすれば、闇《やみ》に光をもたらすことのできる、はるか遠くの別の世界にいる。そうしてみたらどうだろうかと思うことがある。過去からわたしのパックを引きずり出し、特別注文のバンのリア・バンパーの上に乗せ、わたしは慎重にシャツをぬいで、腰に巻きつけるのだ。胸と肩にミュスコール虫除け薬《むしよけ》をたっぷり塗りつけ、森の中に分け入って、かつての湿地帯、かつてわたしたちが彼を発見した場所に行ってみる。そこには、彼の体の形どおりに、黄色い草が生えているだろうか？　むろん、生えてはいまい。なんのしるしもないだろう。だが、まだ疑問のとけないわたしは、理性ある男の服装——革の肘《ひじ》あてのついたコーデュロイのジャケットを着たもの書き——と、ゴルゴンの神話を信じてはねまわっていた子ども時代とのあいだに、薄い膜が存在することに気づく。今は丈の高い雑草におおわれている土手にのぼったわたしは、チェンバーレインに向かって、錆《さ》びたレールと朽ちた枕木《まくらぎ》の横を、のろのろと歩きだす。

ばかげた空想だ。二十年前のブルーベリー用のバケツを探す大遠征。バケツは森の奥深くに投げ捨てられたか、画一住宅《トラクト・ハウス》のために半エーカーもの土地を平らにならしたブルドーザーに押しつぶされてしまったか、丈高く生い茂った雑草やイバラに深くおおわれて見えなくなっているか。だがわたしは、バケツがまだそこに、廃止になった古いGS&WM鉄道の線路のわきのどこかに、あると確信しているし、ときどき、矢も盾もたまらず、探しに行きたい衝動に駆られる。それはつねに、早朝で、妻がシャワーをあび、子どもたちがボストンから送られてくる38チャンネルの『バットマン』や、漫画の『スクービィ・ドゥー』を観《み》ているときに襲ってきて、わたしはかつて地球を股《また》にかけて、歩き、話し、ときには爬虫類《はちゅうるい》のように腹で這《は》いずりまわった、前青年期のゴードン・ラチャンスに、いちばん近い気分になるのだ。あの少年はわたしだ、と思う。そしてあるひとつの思いが、まるで冷たい水の奔流のように、わたしをこごえさせる。〝どの少年のことだ？〟と。

お茶をすすりながら、キッチンの窓から斜めにさしこむ陽光をながめながら、家の一方の端のテレビの音と、もう一方の端のシャワーの音とを聞きながら、前の晩にビールを飲みすぎたせいで目の奥がどくどくと脈うっているのを感じながら、わたしはそのバケツをみつけることができる気になる。錆《さび》の奥できれいな金属の面が、輝かしい夏の陽光にきらめいているのが見える。わたしは土手をおり、ぼうぼうと生い茂って、バケツの取っ手にからみついた雑草をかきわけ、そして……どうする？　そう、単に時間の深みから拾いあげてやればいい。そして手の中で何度もそれを引っくり返し、その感触を不思議に思い、それに最後に触れていた者ははるか昔に墓に入っていることを思って、驚くだろう。その中に紙きれが入っているだろうか？　〝助けて、迷子《まいご》になっちゃった〟と書いてある紙きれが。もちろん、あるはずがない——ベリー摘みに出かける少年は、紙もえんぴつも持っていかないものだ――が、ちょっと想像してみるだけだ。わたしは畏怖《いふ》を感じ、日食のように心がかげっていくだろう。とはいえ、この手の中にくだんのバケツを持つ、というのは、単なる考えにすぎない。それは、彼が死んだのと同様にわたしが生きていることの象徴であり、どの少年――五人のうちのどの少年――が死んだのかという証拠なのだ。バケツをこの手にすること。こびりついた錆と、失《う》せてしまった輝きとから、歳月を読みとること。バケツが寂しい場所で錆びつき、輝きを失っていたあいだ、わたしはどこにいたかを考える。どこにいて、なにをしていたか、誰を愛し、どこにいて、どのように過ごしていたか。わたしはバケツを手に、歳月を読みとり、その感触を味わい……どんな残骸《ざんがい》でもいい、かつてのわたしの面《おも》かげが残っていないか、じっと見入るだろう。わかってもらえるだろうか？

29

わたしたちはレイバー・デイの前日、日曜日の午前五時を少し過ぎた頃《ころ》、キャッスル・ロックに帰り着いた。ひと晩じゅう歩きとおしたのだ。全員足に豆ができていたし、死にそうなほど腹が減っていたが、文句を言う者はいなかった。わたしは頭が割れそうに痛み、疲れきって足が引きつり、燃えるようだった。二度、貨物列車を避けるために、あわてて土手をおりなければならなかった。一本はわたしたちと同じ方向へ行く列車だったが、スピードが速すぎてとび乗ることはできなかった。キャッスル・リバーに架かっているトレッスルに着いたのは、夜明けの光がさしそめる頃だった。クリスはトレッスルを、川を、わたしたちを見た。

「しようがない。渡るよ。もし列車に轢《ひ》かれたら、二度とエース・メリルに会わずにすむな」

わたしたちは全員トレッスルを渡った——よたよたと渡ったという方があたっているかもしれない。列車は来なかった。ゴミ捨て場に着くと、わたしたちはフェンスをよじのぼり（こんなに朝早くには、日曜日の朝早くには、マイロもチョッパーもいない）、まっすぐにポンプのところへ行った。バーンがポンプを押し、わたしたちはかわるがわる冷たい水に頭をぬらし、体にかけ、もう入らないというぐらいたっぷり水をむさぼり飲んだ。朝の空気がひんやり感じられたので、シャツを着た。そして足を引きずって町に入り、例の使用されていない駐車場の前の歩道で立ちどまった。樹上の小屋を見ていたおかげで、たがいに顔を合わせずにすんだ。

「それじゃ」ようやくテディが口を開いた。「水曜日に学校でな。たぶんその日まで眠りこけてるよ」

「おれもだ」バーンが言った。「へたばっちゃって動けない」

クリスは歯のあいだから抑揚のない口笛を吹いてみせただけで、なにも言わなかった。

「なあ、おい」テディはばつが悪そうにクリスに話しかけた。「怒っちゃいないんだろ、な？」

「うん」クリスの暗い、疲れきった顔が急にほころび、やさしく明るい笑みがうかんだ。「おれたちはやった、そうだろ？　おれたちはたいへんなことをやってのけたんだ」

「そうだ」バーンはうなずいた。「おまえはすごいよ。今度はおれがビリーにやられる」

「だから、なんだよ？」クリスは言った。「おれはリッチーにやられるだろうし、ゴーディはエースにやられるだろう。テディも誰《だれ》かにやられるさ。だけど、おれたちはやったんだ」

「そうだな」そうは言ったものの、バーンの声には生彩がなかった。

クリスはわたしを見た。「おれたち、やったよな？」静かにそう訊《き》いた。「その価値はあった、だろ？」

「そのとおりだ」わたしは答えた。

「やんなるな」テディが〝わたしには興味がありません〟という乾いた口調で言った。「みんな、テレビの〈ミート・ザ・プレス〉ショウみたいな話しかたしてるぜ。なあ、おれと握手してくれないか。おれ、大酒飲んで家へ帰ってさ、おふくろがおれのことを〝十人の指名手配者リスト〟にのっけてないか見てみるよ」

わたしたちはわっと笑い、テディは〈ああ神よ、今度はなんだというのです？〉式の驚いた顔を見せた。わたしたちはテディと握手した。テディとバーンはそれぞれの家の方に向かって歩きだしたし、わたしもそうすべきだった……が、わたしは一瞬、ためらった。

「いっしょに行こう」クリスが言った。

「うん、いいよ」

一ブロックかそこいら、わたしたちは無言で歩いた。キャッスル・ロックの町は、曙光《しょこう》の中でおそろしいほど静まりかえっていた。わたしは疲れが失《う》せて、すがすがしい気分になるのを感じた。わたしたちは起きているが、世界は眠っている。わたしは角を曲がるたびに、カービン・ストリートのはずれにわたしだけのあの鹿《しか》が立っているのではないか、と期待に似た気持をもった。カービン・ロードのはずれでは、GS&WM鉄道の線路が工場の荷積み場を通っている。

クリスが先に話しだした。「あいつら、言うだろうな」
「絶対言うさ。だけど、今日明日じゃないだろう。きみがそのことを心配してるんなら、ちがうよ。彼らがしゃべるのは、ずっと時間がたってからだと思う。何年もあとかもしれない」

クリスは驚いてわたしを見た。
「彼らはおびえているんだよ、クリス。特にテディは、軍隊に入れてもらえなくなるんじゃないかってね。でもバーンもおびえてる。きっと眠れない夜もあるだろう。この秋には、彼らがちょろりと口をすべらしそうになる機会が、何度もあると思うけど、しゃべらないだろうな。そのあとは……どうなるかな？　すごく変に聞こえるかもしれない……でも、あの二人は、どんなことがあったかということすら忘れてしまうよ」

クリスはゆっくりうなずいた。「おれ、そんなふうには考えなかった。おまえは人をよく見てるんだな、ゴーディ」

「そうありたいと思ってる」

「だって、そうだぜ」

わたしたちは、また一ブロック、黙ったまま歩いた。

「おれはこの町から出て行けないだろうな」クリスはため息をついた。「夏休みにカレッジから帰省したときに、七時から三時の勤務が終わったあと、スーキーの店でおれやテディやバーンに会えるぜ。おまえにその気があればね。ただし、おまえはたぶん、おれたちに会いたいなんて思わなくなるだろうな」クリスは嫌《いや》な笑いかたをした。

「自分を卑下するのはやめろよな」わたしはわざと荒っぽく聞こえるように言った──そのとき、森の中でクリスに聞いた話のことを考えていたのだ。〝シモンズばあさんのところに金を持っていって、白状したかもしれない。金は全額ちゃんとあったのに、どっちみち、おれは三日間の停学処分を受けたのかもしれない。なぜなら、結局金は現われなかったからだ。それから、次の週に、シモンズばあさんは新しいスカートをはいて学校に来たかもしれない……〟。あのまなざし。クリスのあのまなざし。

「自己卑下はしないよ、おとうちゃん」クリスは言った。

わたしは人さし指で親指をこすった。「世界一小さなバイオリンが『おまえの悩みなんか気にしてやしない』を演奏いたしまあす」

「彼はおれたちのものだった」朝の光の中でクリスの目は暗かった。

わたしの家に近い道の曲がり角で、わたしたちは立ちどまった。六時十五分だ。町の方を見ると、テディのおじさんの文房具屋の前に、『サンデイ・テリグラム』紙のトラックがとまっていた。ブルージーンとTシャツの男が、新聞の束を放《ほう》り投げている。束になっている新聞は逆さまに歩道に落ち、色刷りの漫画（一面はいつも『ディック・トレーシー』か『ブロンディ』だった）が見えた。やがてトラックは動きだし、運転手は急行列車通過駅のある町（オティスフィールド、ノルウェー＝サウス・パリス、ウォーターフォード、ストーンハム）に、外の世界を配りに行った。わたしはクリスにもう少しなにか言いたかったのだが、どういうふうに言えばいいのか、わからなかった。

「握手してくれないか」クリスは疲れた声で言った。

「クリス……」

「握手」

わたしはクリスの手を握った。「またな」

クリスはにこっと笑った――前と同じ、やさしい、明るい笑顔だった。「おれが嫌じゃなかったらな、まぬけづら君」

クリスは笑いながら歩み去った。わたしのように傷ついていないというように、わたしのように足に豆ができているわけではないというように、わたしのように蚊や、スナノミや、ブユに悩んだわけではないというように、足どりも軽く、優美な歩きかただった。まるでこの世に悩みはひとつもないと言わんばかりの、屋内水道設備もなく、破れた窓にはビニールが貼《は》ってあり、家の前ではたぶん不良の兄貴が待っているにちがいない、たった三部屋の家（小屋、という方が真実に近い）に帰るのではなく、豪邸に帰るところだと言わんばかりのくったくのなさだった。たとえなにか言うべきことばを思いついたとしても、わたしは結局、なにも言えなかっただろう。口に出したことばは、愛情という機能をこわしてしまう。もの書きにとって、そう言わなければならないのはいまいましいことだが、わたしはそれが真実だと信じている。悪気はなくても、鹿に話しかけたりしたら、鹿は尻尾《しっぽ》をひと振りして、あっというまに逃げていくだろう。ことばは有害なものなのだ。ロッド・マキューンがみんなにそう思ってもらいたがっているほど、愛というのは、甘ったるい詩ではない。愛には牙《きば》がある。噛《か》みつくのだ。その傷は決して癒《いや》されない。無言であること、ことばを組み合わせたりしないことが、そういう愛の傷をふさぐ役目を果たす。逆に、ジョークがその役を果たすこともある。そういう傷がふさがったら、それと同時にことばも死ぬ。わたしが言うのだから、信じてくれていい。わたしはことばで生計を立てている。だから、それがよくわかるのだ。

30

裏口のドアは鍵《かぎ》がかかっていたので、わたしはマットの下からスペア・キーを取り出し、家に入った。キッチンには誰《だれ》もいないし、静かで、きちんと片づいている。スイッチを入れると、流しの上の蛍光灯《けいこうとう》がジーッと音をたてるのが聞こえた。わたしが母親より先に起きているなど、本当に何年ぶりかのことだ。最後にそういうことがあったのはいつか、思い出せないぐらいだ。

わたしはシャツをぬぎ、洗濯機《せんたくき》の横のプラスチックの汚れ物入れにいれた。流しの下からきれいに洗ってあるぼろ布を取り、体をふいた——顔、くび、腹、あちこちのくぼみ。それからパンツをぬぎ、肌《はだ》がひりひりしてくるまで股《また》をよくこすった——睾《こう》丸《がん》は特に念入りに。吸血ヒルのせいで赤くはれていたところは、早くも薄れていたが、いくらこすってもきれいにならないような気がした。現在でもあそこに三日月形の小さな傷が残っている。一度、妻にそれはなにかと訊《き》かれたことがあったが、わたしは無意識のうちに、嘘《うそ》をついていた。

ぼろ布で体をぬぐったあと、わたしはぼろ布を捨てた。汚れてしまったからだ。

たまごを一ダースみつけたので、六個使ってスクランブルド・エッグをこしらえた。たまごが半熟になると、つけあわせに細切りのパイナップルを添え、ミルクを半クォート用意した。すわって食べようとしたとき、母親がキッチンに入ってきた。白髪《しらが》まじりの髪はうしろで丸めてある。色あせたピンクのバスローブを着て、キャメルを喫《す》っていた。

「ゴードン、どこに行ってたんだい？」

「キャンプ」わたしは食べはじめた。「バーンの家の裏庭でやるつもりだったんだけど、ブリックヤード・ヒルに変更したんだ。バーンのママがかあさんに電話しとくって言ってた。電話、きた？」

「とうさんと話をしたんじゃないかねえ」母はわたしの横をすりぬけて流しの前に立った。ピンクの幽霊のようだ。蛍光灯は母の顔に親切とは言いがたい。顔色を黄色っぽく見せてしまうからだ。母はため息をついた……すすり泣きのようなため息だった。

「朝早くは、いちばんデニーのことが思い出されてねえ。あの子の部屋をのぞいても、いつも空っぽなんだよ、ゴードン。いつもね」

「ああ、そいつはよかった」

「あの子はいつも窓を開けて寝て、毛布を……ゴードン、なにか言ったかい？」

「べつに、なんにも」

「……毛布をあごまでかけてたっけ」母は最後まで言い終えた。そしてわたしに背を向け、窓を開けはじめた。わたしは食事をつづけた。体が小刻みに震えていた。

31

わたしたちの秘密は、結局、知られずにすんだ。

いや、レイ・ブラワーの遺体が発見されなかったというわけではない。遺体は発見された。だが、わたしたちの仲間も、年上の不良仲間も、どちらも面目を施すことはなかった。最終的にエースは匿名《とくめい》電話という手が、いちばん安全だと判断したにちがいない。なぜなら、電話だと死体のある場所が報告しやすいからだ。わたしが言いたいのは、わたしたち四人の親は誰《だれ》も、わたしたちがレイバー・デイのウイークエンドになにをしていたか、知らないままだった、ということだ。

クリスの父親はクリスがきっとそうだと言ったとおり、あいかわらず飲んだくれていた。彼の母親は、ミスター・チェンバーズが飲み騒いでいるときはたいていいつもそうするように、ルイストンの妹のところへ行っていた。幼い子どもたちをアイボールにあずけて行ってしまったのだ。アイボールはエースや不良仲間たちと逃げ出すことによって、責任を果たした。九歳のシェルドン、五歳のエメリー、二歳のデボラは、自分たちの人生を自分たちの手にゆだねられ、取り残されてしまったのだ。

テディの母親は二晩目には心配になり、バーンの母親に電話をかけた。子どもの遊び場を見に行く気などまったくないバーンの母親は、みんなバーンのテントにいると答えた。前の夜、テントに明りがついていたので、わかるのだと言った。テディの母親がテントの中で、煙草《たばこ》を喫っているのでなければいいがと言うと、バーンの母親はあの明りは懐中電灯の明りのように見えたし、バーンやビリーの友達が煙草なんか喫うはずがないと答えた。

わたしの父はうわの空でいくつか質問をしてきたが、わたしのあたりさわりのない答えに、なんとなく困ったような顔をして、ときどきいっしょに釣《つ》りに行こうと言った。それで終わりだった。その後一、二週間のうちに、各自の親が顔を合わせていたら、わたしたちの秘密はばれていただろう……だが、そんなことはなかった。マイロ・プレスマンもなにもしゃべらなかった。わたしの推測では、わたしたちとのやり取りや、わたしにチョッパーをけしかけたとわたしたち四人に証言されることを、充分に考えた結果だと思う。

だから、この話は表沙汰《おもてざた》にはならなかった――が、それで終わったわけではなかった。

32

その月も終わりに近いある日、学校から帰る途中、五二年型のフォードが歩道の縁石の上に乗りあげ、わたしの行く手をさえぎった。この車を見まちがえるはずがない。ギャングの車のように、サイドの白いタイヤ、スピナー付きのホイール、高くあげたクロームのバンパー、バラの花を埋めこんだ透明合成樹脂《ルーサイト》製のつまみを取りつけたハンドル。後部ボンネットに描《か》かれた悪魔と片目のジャック。その下に、ゴチックのローマン体活字で、〈鬼札《ワイルド・カード》〉と書いてある。

車のドアが開いた。エース・メリルとちぢれっ毛のブラコウィッツがおりてきた。

「けちなチンピラさ、そうだな?」エースはおだやかに笑みをうかべている。「おれのおふくろは、おれのやりかたが好きなんだ、そうだな?」

「おとしまえをつけてやるぜ、ぼうや」ちぢれっ毛は言った。

わたしは歩道に教科書を放《ほう》り出して逃げた。尻《しり》に火がついたように必死で走ったが、一ブロックもいかないうちに、二人に追いつかれてしまった。エースにフライングタックルをかけられ、わたしは前のめりに舗道に倒れた。セメントにしたたかにあごを打ちつけ、目の前に星が飛んだだけではない。星座が、星雲が、全部見えたほどだ。二人に捕まったとき、わたしは泣き出していたが、それは、肘《ひじ》や膝《ひざ》にすり傷ができて血が流れていたせいではなく、かといって恐怖のせいでもなかった——広漠《こうばく》とした、無力な怒り、そのせいだった。クリスは正しかった。レイ・ブラワーはわたしたちのものだったのだ。

わたしは身をよじり、ひねり、もう少しで二人の手から逃げられそうになった。が、ちぢれっ毛に股間《こかん》をがんと膝で蹴《け》られてしまった。その痛みは想像を絶するものであり、くらべものがないほどすさまじかった。痛みの限界が、古い簡素なワイド・スクリーンがヴィスタヴィジョンに広がったようなものだった。わたしは悲鳴をあげた。

悲鳴をあげるのがいちばんいいように思えた。

エースに顔に二発パンチをくらった。腕を長くのばして振りまわすノックアウト・パンチだった。一発目はわたしの左目の側《そば》に入った。そっちの目で見えるようになるには、四日はかかるだろう。二発目は鼻に決まり、クリスピー・シリアルを噛《か》んでいるとき頭の中に響くような、ボリッという音がした。そのときミセス・チャルマースが関節炎でひきつる手に杖《つえ》を握り、口の端にハーバート・タレイトンをくわえて、自宅のポーチに出てきた。ミセス・チャルマースはさっそくエースたちにどなった。

「これ！　これ、そこの子たち！　やめなさい！　おまわりさん！　おまわりさーん！」

「おれの目につくところをうろつくなよ、弱虫」エースはにやにや笑いながらそう言うと、わたしを放してうしろにさがった。わたしは起きあがろうとして、体を折り曲げ、痛めつけられた睾丸《こうがん》を手のひらでつつみこんだ。ひどく気分が悪く、吐き気がして、死にそうだった。そしてまだ泣いていた。だがちぢれっ毛がわたしの周囲を歩きまわりだしたとき、毛皮の内ばりのあるバイク用のブーツの上に、先細のブルージーンがぴったりはりついている足が目に入った。わたしはその足に組みつき、ジーンズの上からふくらはぎに食いついた。満身の力をこめて噛みついてやった。ちぢれっ毛はかすかに悲鳴をあげた。片足でぴょんぴょん跳びはねながら、なんとも信じがたいことに、わたしを卑劣漢よばわりした。わたしが片足跳びをしているちぢれっ毛を見ていると、エースに左手を踏みつけられた。親指と人さし指の骨が折れた。骨の折れる音が聞こえたのだ。それはクリスピー・シリアルのような音ではなかった。プレッツェルを噛んだときの音だった。エースとちぢれっ毛は、エースの五二年型フォードにもどっていった。エースは尻のポケットに両手を突っこんでぶらぶらと、ちぢれっ毛は片足跳びをしながら肩越しにわたしに悪態をつきながら。わたしは歩道の上に丸くちぢこまって横たわり、泣いていた。エビー・チャルマースおばさんが腹だたしげに力をこめて杖を突きながら、わたしの方にやってきた。そしてわたしに医者を呼ぶ必要があるかと訊《き》いた。わたしは起きあがり、やっとのことで泣きやみ、医者はいらないと断わった。

「ろくでなしどもめ！」エビーおばさんはどなった――彼女は耳が聞こえないので、いつもどなっている。「あんたがどこをやられたか知ってるよ。あんたのだいじなタマタマ、広口《メーソンジャー》びんぐらいの大きさにはれあがっちまうだろうね」

おばさんはわたしを家に入れてくれ、鼻にぬれた布を当ててくれ――鼻はもう夏のカボチャに似てきだしていた――て、大きなカップで薬くさいコーヒーを飲ませてくれ、おかげで少し気分がおちついた。おばさんはあいかわらず大声で医者を呼ぶと言いつづけ、わたしは断わりつづけた。とうとう彼女はあきらめ、わたしは家に帰った。這《は》うようにのろのろと。睾丸はまだメーソンジャーほど大きくはれあがってはいなかったが、その途上にあった。

父と母はひと目わたしを見たとたん、逆上してしまった――率直に言えば、両親がわたしのざまに気づいたことに、わたしは一種の驚きを感じた。誰《だれ》がこんなことをしたんだ？　面通しすればわかるか？　これは『裸の町』と『アンタッチャブル』を見のがしたことのない父親の質問だ。わたしは面通ししてもわからないと思うと答えた。疲れてるんだと言った。実際、ショック状態にあったのだと思う――ショックと、少なからず、エビーおばさんのコーヒーのせいで酔っていたのと。あのコーヒーは、少なくとも六〇パーセントはＶＳＯＰのブランディだったにちがいない。わたしは両親に、相手はよその町のやつらか、〝上の町〟――この言いかたで誰でもルイストン／オーバーンだとわかる――のやつらだと思う、と言った。

両親はわたしをステーション・ワゴンに乗せ、ドクター・クラークソンのところに連れていった。現在も元気でいるドクター・クラークソンは、当時でさえ、安楽椅子《いす》にすわって神とさしむかいのつきあいをしても不思議ではないぐらい、年をとっていた。その老医師にわたしは鼻と指の治療をしてもらい、母は痛みどめの薬の処方箋《しょほうせん》をもらった。ドクター・クラークソンはなんとか口実をつくって両親を診察室から追い出すと、ボリス・カーロフがイゴール老人に近づいていくときのように、足を引きずり、顔を前につきだすようにしてわたしのところにもどってきた。

「誰にやられたのかね、ゴードン?」

「わからないんです、ドクター……」

「嘘《うそ》をついているな」

「いいえ、ドクター。あっ痛《つう》」

ドクターの青白い頰《ほお》に血の色がさしてきた。「なんだってきみをこんな目にあわせたばかどもをかばうんだ?　そいつらに尊敬されるとでも思っているのか?　笑われて、大ばか呼ばわりされるのがおちだ。そいつらはこう言うだろうよ。〝このあいだ、おれたちがさんざんぶちのめした大ばか野郎が通ってるぜ。ヘイヘイ!　ホッホー!　へへへのへ!〟とな」

「知らないやつらでした。本当です」

ドクターの指はわたしをゆすぶりたくてむずむずしているようだったが、まさか、そんなまねはできない。しかたなく、ドクターは白髪頭《しらがあたま》をふりふり、不良少年のことをぶつぶつこぼしながら、わたしを両親に引き渡した。きっとその夜、友である神と葉巻とシェリーを楽しむついでに、この一件をうちあけることだろう。

わたしとしては、エースやちぢれっ毛や他《ほか》の不良どもに、尊敬されようが、ばかと思われようが、なんとも思われずにすもうが、どうでもよかった。気になるのはクリスのことだった。クリスの兄のアイボールは、クリスの腕を二カ所も折り、顔をカナダの日の出のようにした。クリスの肘の骨折はスチールのピンでつながなければならなかった。通りの先のミセス・マクギンは、クリスが両方の耳から血を流しながら、地面のやわらかい路肩《ろかた》をよろよろ歩いているところを見ている。クリスは『リッチー・リッチ』の漫画本を読んでいたという。ミセス・マクギンは中央《C》メイン《M》総合病院《G》の救急治療室にクリスを連れていった。クリスはそこの医師に、暗い地下室の階段をころげ落ちたのだと説明した。

「そうか」その医師も、ドクター・クラークソンがわたしに対して愛想《あいそ》づかしをしたように、クリスにまったくうんざりしてしまい、バナーマン巡査に電話をかけにいってしまった。

医師がオフィスから電話をかけているあいだに、クリスは腕が動いて折れた骨がこすれあわないように、まにあわせの吊《つ》り包帯をかばいながら、そろそろと廊下を歩き、公衆電話に五セント入れ、ミセス・マクギンに電話をかけた——あとでクリスに聞いた話では、それが彼にとっては初めてのコレクト・コールで、ミセス・マクギンが支払いを受けてくれないのではないかと、死ぬほど心配だったが、彼女は受けてくれたそうだ。

「クリス、だいじょうぶなの?」ミセス・マクギンは訊いた。

「ええ、ありがとうございました」クリスは言った。

「ついててあげなくてごめんなさいね。でもパイをオーブンに——」

「いえ、いいんです、ミセス・マクギン。あの、うちのドアの前にビュイックがとまってますか?」ビュイックはクリスの母親が運転している車だ。十年も乗っているため、エンジンが熱くなると、ハッシュ・パピーの靴《くつ》を焼いているような臭《にお》いがした。

「ええ、とまってるよ」ミセス・マクギンは用心深く答えた。チェンバーズ一家には深入りしないのがいちばんだ。貧しい白人のくず。ぼろ家に住む貧乏なアイルランド人。

「かあさんに地下におりて、ソケットから白熱電球をはずすよう、伝えてもらえませんか」

「クリス、あたし、本当に、パイが——」

「伝えてください」クリスはかまわずに先をつづけた。「今すぐやってくれって。兄貴を監獄に送りたくないんなら、すぐやってくれって」

長い長い間《ま》があったあと、ミセス・マクギンは頼みを承諾した。彼女がなにも尋ねなかったので、クリスは嘘をつかずにすんだ。実際、バナーマン巡査はチェンバーズ家にやってきたが、リッチー・アイボール・チェンバーズは監獄に送られなかった。わたしやクリスほどの目には遭わなかったが、テディとバーンもさんざんに殴られた。バーンは家に帰ったとたん、ビリーの待ち伏せにあった。彼は棒を持ったビリーに追いまわされたあげく、四、五回したたかに殴られると、意識を失ってしまった。バーンは気絶しただけだったのだが、ビリーは弟を殺してしまったのかとおびえ、それ以上殴るのはやめた。テディはある日の午後、例の使用されていない駐車場から家に帰るところを、三人にとっつかまった。殴られてメガネをこわされた。テディは抵抗して戦ったが、暗闇《くらやみ》の中の盲人のように、手探りで相手をさがしもとめているテディのようすに気づくと、三人の不良たちは手を引いた。

わたしたちは朝鮮戦争の急襲隊の生き残り兵士のような姿で、学校に行った。なにがあったのか、正確なことを知っている者は誰もいなかったが、わたしたち四人が年上の大きな連中とかなり深刻なやりあいをして、れっきとしたおとなの男のようにふるまった、ということは、みんなも理解したようだ。いくつか噂《うわさ》がとびかった。どれもこれもまったく見当ちがいの話でしかなかった。

ギプスが取れ、打ち身のあざが消えると、テディとバーンがわたしたちの仲間から離れていった。彼らは自分たちが君臨できる、同年配の新しいグループを作ることを、思いついたのだ。グループの大半の者は腰ぬけだった――小心で、いじけた、ろくでなしの五年生ばかり――が、バーンとテディはその連中を樹上の小屋に出入りさせ、こき使い、ナチの将軍のようにいばって歩いた。

クリスとわたしは樹上の小屋に行く回数が徐々に徐々に減っていき、しばらくすると、そこは不戦勝で彼らのものとなった。一九六一年の春、わたしが一度だけ樹上の小屋を訪ねたとき、そこが乾草棚《ほしくさだな》で射精したような臭いを放っているのに気づいた。思い出せるかぎりでは、わたしはそれ以来、二度と小屋へ行っていない。

テディとバーンは次第に廊下や、三時半以降の居残り組の常連になっていった。わたしたちはうなずきあい、ハーイとあいさつをかわす。それだけの仲となった。しかたのないことだ。友人というものは、レストランの皿洗《さらあら》いと同じく、ひとりの人間の一生に入りこんできたり、出ていったりする。そこにお気づきになったことはないだろうか？　しかし、水中の死人たちが無情にもわたしの足を引っぱっていた、あの夢のことを思うと、そうなるべくしてなったのだという気がする。ある者は溺《おぼ》れてしまう、それだけのことだ。公平ではないが、しかたがないのだ。ある者は溺れてしまう。

33

一九六六年、バーン・テシオはルイストンのアパート——ブルックリンやブロンクスではスラムと呼ばれる類《たぐい》のアパート——が全焼した際に、死んだ。消防署の話では、午前二時に出火し、夜明けまでに建物は地下の穴蔵にあった石炭の燃えがらを残して、全焼してしまったという。そのアパートでは盛大なパーティがあった。バーンはそれに出席していた。ベッドルームのひとつで、誰《だれ》かが火のついた煙草《たばこ》をもったまま、眠りこんでしまった。もしかすると、バーンはふわふわと夢の世界をただよい、例の一セント玉のつまったびんのことでも考えていたのかもしれない。バーンと他《ほか》の四人の遺体は、歯で身元を照合された。

テディは悲惨な自動車事故で死んだ。一九七一年のことだったか、あるいは七二年の初めの頃《ころ》だったと思う。わたしは成長する過程でよくこう言われたものだ。〝ひとりで外出すれば、おまえは英雄だ。誰か他人といっしょなら、金魚のフンにすぎない〟と。もの心ついてなにかをほしがるような年になってからずっと、兵役につくことしか頭になかったテディは、空軍に拒絶され、徴兵検査では4-Fの等級だった。彼のメガネと補聴器を見た者なら誰でも、しかたのないことだと納得するだろう――テディ以外の者なら誰でも。ハイ・スクールで三年生のとき、テディは学生指導顧問を嘘《うそ》つきのくそ野郎呼ばわりして、三日間の停学をくらった。指導顧問は、しょっちゅう（毎日のように）やってくるテディを観察し、新兵調査のために、テディの経歴台帳を調べてみた。そしてテディに、別の仕事につくことを考えるべきではないかと言った。そのとたん、テディは逆上してしまったのだ。

テディは欠席、遅刻、追試をくりかえし、一年留年した……が、ちゃんと卒業した。彼は旧式のシボレー・ベル・エアを持っていて、かつてはエースや、ちぢれっ毛や、他の不良たちがうろついていた場所を、今度はテディがうろつくようになっていた。玉突き場、ダンス・ホール、（現在はなくなった）スーキーの店、（これは現在もある）メロウ・タイガー。最終的にテディはキャッスル・ロック公共事業団に就職し、失望感を代理の仕事で埋め合わせていた。

事故はハーロウで起こった。テディはベル・エアに友達（そのうち二人は、一九六〇年にテディとバーンが取りしきっていたグループの一員だった）を満載し、みんなでマリファナ二本と、ポポフという名のウオッカ二本を回しのみしていた。車は電柱に激突した。電柱は妙なかっこうに傾き、車は六回転した。必死になって車から出てきた女の子は、現在も生きている。彼女は中央《C》メイン《M》総合《G》病院（看護婦や雑役婦たちはそこをC&T病棟《びょうとう》と呼んでいた——キャベツ《C》とカブ《T》の病棟という意味だ）に、六カ月入院していた。そして、情け深い、目に見えない者の手によって、人工呼吸装置にプラグをさしこんでもらえたのだ。テディ・デュシャンは死後、その年いちばんの金魚のフン賞を受賞した。

　クリスはジュニア・ハイ・スクール一年生のとき、カレッジ・コースに登録した——彼もわたしも、長く待つと手遅れになる、とわかっていたからだ。決して追いつけなくなるとわかっていたからだ。カレッジ・コースを選んだことで、クリスはみんなにいろいろなことを言われた。両親はクリスを気取り屋だと思い、友達は、たいていの者が彼を腰ぬけあつかいし、指導顧問はクリスが勉強についていけるわけがないと思い、教師の大部分は、ダックテイル・ヘアや、革ジャン、技師用ブーツといういでたちのクリスを、予告なしに教室で実体化する幻だとしてまったく無視した。そういうブーツや、ジッパーのたくさんついた革ジャンが、代数やラテン語や地球科学のような格調高い問題と関連のある人々に、不快感を与えることは否《いな》めまい。そういう装いは、職業訓練コースにのみ通用するものなのだ。クリスはキャッスル・ビューや、ブリックヤード・ヒルの中流家庭の、身なりのいい陽気な男女生徒にまじって、沈思黙考する怪物グレンデルのように勉強した。この怪物は、いつなんどきクラスメートたちにとびかかり、二重にグラスパックをほどこしたマフラーの音のような、すさまじい咆哮《ほうこう》をあげ、ペニー・ローファーの靴《くつ》や、ピーター・パン・カラーや、ボタン・ダウンのペイズリー模様のシャツや、いっさいがっさいを含めて、クラスメートたちを頭から食ってしまうかもしれないのだ。

最初の年、クリスは十回以上、やめる寸前までいった。特に彼の父親は、自分の方がおやじより偉いと思っているのだろう、〝大学に行って、おやじを破綻者《はたんしゃ》あつかいしたいのだろう、と嫌味《いやみ》を言い、クリスを責めた。一度など、うしろから父親に、頭にラインゴールド・ワインのびんをたたきつけられ、クリスはまたもやCMG救急治療室に世話になり、四針も縫うことになった。クリスの幼なじみの友人たちは、大部分が学校に行くより喫煙場のある場所にたむろするのが専門となってしまい、路上で彼をからかった。指導顧問は彼に、少なくともいくつか職業訓練課程の授業をとれば、決して全課目に落第点はつけない、と強引にせまった。もちろん、なににもまして最悪なことがあった。クリスは最初の七年間の学校教育をおざなりにしていたため、今になって、それが文字どおり、つけとなってもどってきたのだ。

わたしとクリスはほとんど毎晩、いっしょに勉強し、ときにはぶっつづけで六時間も勉強したりもした。わたしはこのぶっつづけの勉強には疲れきって、いつもぬけてしまったし、ときにはおそろしくなってやめたこともあった――ものすごく高くついたつけに対し、クリスの信じられないような怒りに、恐れをなしてしまったのだ。クリスは代数の序論を理解しようとする前に、テディやバーンと玉突きをして、遊びほうけていた五年生のときの分数を復習しなければならなかった。ラテン語で〈天にまします我らが父よ〉を読みこなそうとする前に、どれが名詞で、どれが前置詞で、どれが目的語なのか、教えてもらわなければならなかった。彼の文法で、きちんと分類できるのは、〝ファック動詞〟のことばだけだった。文章構成の考えかたはいいし、構成力も悪くないのだが、文法がめちゃめちゃだし、まるでショット・ガンを撃ちまくるように、句読点をうちまくるのだ。クリスはウォーリナーの文法の本を一冊ぼろぼろにすると、ポートランドの本屋で、新しいのを一冊買った――それは実際にクリスのものとなった最初のハードカバーの書物で、彼にとっては風変わりな聖書と言える存在になった。

だが、ハイ・スクールで三年生を迎える頃には、クリスも認められるようになった。

わたしもクリスも最優等はとれなかったが、わたしは七番、クリスは十九番だった。二人ともメイン州立大学に受かったけれど、わたしはオローノ・キャンパス、クリスはポートランド・キャンパスと別れ別れになった。クリスは法学部に行ったのだ。信じられるか？　もっとラテン語をやることになるのだ。

ハイ・スクール時代、わたしとクリスはよく会っていたが、二人のあいだに女の子が入りこんでくることはなかった。そんなふうに言うと、わたしたちがホモだったように聞こえるだろうか？　それならば、わたしたちの古い友人の大部分を、テディとバーンをも含めなければならないだろう。だが、女の子を入りこませないこと、それが生き残るための唯一《ゆいいつ》の方法だった。わたしたちは深い水の中で、たがいにしがみついていたのだ。クリスのことは充分に説明したと思う。わたしがクリスにしがみついていた理由は、あまり定義できない。キャッスル・ロックと工場の影からのがれたい、というクリスの願望は、わたしにとって、最高の一部分になるように思われたし、クリスひとりをのるかそるかの人生に残していくことはできなかった。もしクリスが溺《おぼ》れたら、わたしの一部も彼とともに溺れてしまっただろう。

一九七一年も終わりに近い頃、ポートランドで、クリスは三個入りのスナック・バケットを買いに、〈チキン・ディライト〉へ行った。彼の前で、二人の男がどっちが先に列に並んだかで言い争っていた。一方がナイフを抜いた。わたしたちの仲間うちでいちばん仲裁役がうまかったクリスは、二人のあいだに割って入り、喉《のど》にナイフを突き立てられた。ナイフを握っていた男は、四つの施設を転々としてきた経歴の持主だった。そしてほんの一週間前に、ショウシャンク州刑務所から出てきたばかりだった。クリスは即死だった。

わたしは新聞でその記事を読んだ――クリスは修士課程の二年目を終えるところだった。わたしの方は一年半前に結婚して、ハイ・スクールで国語を教えていた。妻は妊娠しており、わたしは本を書こうとしていた。その記事――ポートランドのレストランで、学生不運にも刺される――を読むと、わたしは妻にミルクセーキを飲みに行ってくると言った。車で町から出ると、車をとめ、わたしはクリスを思って泣いた。三十分近く泣いたようだ。妻を愛していたが、妻の前では泣けなかった。そんなまねをしたら、弱虫になってしまう。

わたし？

前にも言ったとおり、現在わたしは作家になっている。多くの批評家はわたしの書くものをクズだと思っている。わたしは何度となく、批評家たちは正しいと思う……が、クレジット・デスクや、病院の受付で、書類の職業欄に〝フリーランス・ライター〟という文字を書きこむたびに、ひどく興奮してしまうのだ。わたしの話は、おとぎ話に似て、ひどくばかばかしく聞こえるだろう。

わたしの最初の本は売れ、映画化され、映画は好評で、そのうえ大ヒットをとった。これはすべて、わたしが二十六歳になるまでに起こったことだ。二冊目の本もまた映画化されたし、三冊目もそうだ。さっきも言ったが、ひどくばかばかしい話が、だ。その間、妻はわたしが家の中をうろつくのを気にしなかったようだ。わたしたちには三人の子どもがいる。わたしの目から見ると、妻も子どもたちも完璧《かんぺき》のように思えるし、たいていの場合、わたしは幸福だ。

だが、これもまた前に言ったように、ものを書くということは、決して容易ではないし、かつてのように楽しくもない。電話がじゃんじゃん鳴る。ときどきわたしは頭痛に、それもひどい頭痛に襲われ、薄暗い部屋に行って横になり、頭痛がおさまるのを待たなければならないことがある。医者は本物の偏頭痛ではないと言う。〝ストレス頭痛〟だと名づけ、仕事のペースを遅くしろとアドバイスする。ときにはわたしは自分のことが心配になる。奇妙な癖だ……とはいえ、それをきっぱりやめることはできないらしい。そして、自分のしていることが本当になにか意味のあることなのか、自分は〝ごっこ遊び〟で人間が金持ちになれる世界を作ろうとしているのだろうか、と不安になる。

しかし、エース・メリルに再会したときはおもしろかった。わたしの友達は死んでしまったが、エースは生きている。最後に子どもたちを父の家に連れていったとき、三時の時報がなった直後に、工場の駐車場から出てくるエースを見かけたのだ。

エースの五二年型フォードは、七七年型フォードのステーション・ワゴンに変わっていた。バンパーの消えかけたステッカーには〈一九八〇年にはレーガン＝ブッシュを〉とあった。エースの髪はクルーカットに刈ってあり、太っていた。わたしが憶《おぼ》えているするどい、ハンサムな顔は、雪崩《なだれ》のような肉の中に埋もれてしまっていた。わたしは子どもたちを父にあずけて、町に新聞を買いに来ていたのだ。メインとカービンの角に立ち、道を渡ろうと待っていると、エースがちらりとわたしを見た。別の時間の広がりの中で、わたしの鼻をへし折った、今は三十二歳になる男の顔に、わたしを認めたしるしなど、まったく見られなかった。

わたしはフォードのワゴンが、メロウ・タイガーの横の舗装をしていない駐車場にとまり、エースが車からおりて、ズボンを引っぱりあげ、メロウ・タイガーの中に入っていくのを見守っていた。エースが酒場の扉《とびら》を開けたとき、わたしは酒場の中に充満しているカントリー・ウェスタンの一節を、樽《たる》から直接注《つ》いだニック・アンド・ガンセットのすっぱい匂《にお》いを想像することができた。彼が扉を閉めて、いつもと同じスツールにでかい尻《しり》をすえ、常連たちの歓迎のあいさつを受けているようすも、想像できた。エースのスツールは、彼が二十一歳のときから毎日——日曜日以外は——最低三時間、彼の体重を支えてきたのだろう。

わたしは思った。そう、これが現在のエースだ、と。

左手を見ると、今はもう川幅が狭くなっているが、少しは水がきれいになったキャッスル・リバーが、キャッスル・ロックとハーロウを結ぶ橋の下を流れているのが見えた。上流のトレッスルはなくなったが、川はまだ流れている。そしてわたしもまた、そうだ。

マンハッタンの奇譚《きたん》クラブ

——冬の物語——

——The Breathing Method

ピーター・ストラウブとスーザン・ストラウブに

1　クラブ

雪と風の寒気きびしいその夜、わたしはふだんよりもいくぶん手早く服を着た――それは認める。一九七×年、十二月二十三日のことだ。だが、クラブの他《ほか》のメンバーもわたしと同じだったかどうかは疑問だ。ニューヨークでは天気が荒れ模様の日に、タクシーがなかなかつかまらないというのは周知の事実なので、わたしは無線タクシーを呼んだ。八時に迎えにきてもらうよう、五時半には予約しておいた――妻は片方の眉《まゆ》をつりあげたが、なにも言わなかった。八時十五分前には、わたしは東58ストリートのアパート（一九四六年以来、わたしと妻のエレンはずっとここに住んでいる）の天蓋形《てんがいがた》のひさしの下に立っていたし、タクシーが約束の時間に五分遅れると、いらいらとそのへんを往《い》きつもどりつしていた。

結局タクシーは八時十分に到着し、わたしは寒風からのがれられるのがうれしくて、当然運転手に向けるべき怒りもどこかへいってしまっていた。昨日カナダから降りてきた寒冷前線のしわざである冷たい風は、本気で任務をまっとうしていた。タクシーの窓にひゅうひゅうとうなりをたててぶつかり、ときどき運転席の無線の音をかき消し、バネの上の大きなチェッカーを揺らした。店はたいてい開いているが、ぎりぎりの瞬間まで買い物をしようという客の姿は、ほとんど見られない。たまに見かける外国人たちは、寒くてたまらないか、苦痛を感じているか、どちらかのように見える。

その日は一日じゅう雪がちらついたり、やんだりしていたが、今また降りはじめ、うっすらと積もったかと思うと、路上で竜巻《たつまき》のように渦《うず》を巻いたりしている。その夕方、事務所から家に帰るときには、雪とタクシーとニューヨークという都会とが組み合わさり、かなり厄介《やっかい》なことになると考えていたものだ……が、もちろん、実際にそうなってみるまではよくわからなかった。

セカンド・アベニューと40ストリートの交差点を、大きな安ぴかもののクリスマス・ベルが、精霊のように宙を飛んでいった。

「ひでえ夜だ」運転手が言った。「明日は死体置き場に、二ダースもの余分な死体が並びますぜ。アル中たちのね。それにショッピング・バッグ・レディたちの死体も」

「そうだろうな」

運転手は考えこんだ。「まあね、いい厄介ばらいさね」考えこんだあげくにそう言う。「福祉費が助かる、そうでしょう?」

「きみのクリスマス精神は、その広さと深みとを蹴《け》ちらかすものだね」

運転手はまた考えこんだ。「お客さん、きっすいのリベラリストかい？」

「わたしは有罪とみなされるおそれのあるときは、返事を拒否することにしている」

わたしがそう答えると、運転手は〝おれはなんだっていつも知ったかぶりをするやつにとっつかまるんだろう〟というふうに、鼻を鳴らした……が、それきり口も閉ざしてくれた。

セカンド・アベニューと35ストリートのところでタクシーを降りると、わたしは吹きつける風にさからって上体を曲げ、手袋をはめた手で帽子をおさえながら、クラブに向かって半ブロックほど歩いた。たちまち、全生命力が体内の奥深くに追いやられてしまい、ガス・オーブンのパイロット・ランプほどの大きさの青い炎が、ちろちろと燃えているにすぎない状態になってしまったようだ。摂氏約三度で、人間は寒さを敏感に、すばやく感じるようになるという。そういうときは、家にいて、煖炉《だんろ》の前に陣取っている方がいい……少なくとも電気ヒーターの前にいる方がいい。摂氏三度では、熱い血は復原力さえもたない。それは学術的な報告以上のことだ。

突風はやんだが、砂のように乾いた雪があいかわらず顔を打っている。わたしは二四九Bの玄関ドアにつづく階段に砂がまいてあるのを見て、うれしくなった――もちろん、スティーブンズの心づかいだ。スティーブンズは老齢者の錬金術の基本をよくのみこんでいる。鉛が黄金に変わるのではなく、骨がガラスのようにもろく変わるのだ。そういうことを考えていると、わたしは神がグラウチョ・マルクスのように、ずいぶんいろいろなことを考えているにちがいないと信じる気になった。

ふと気づくと、スティーブンズその人が目の前にいて、ドアを開けてくれていた。一瞬後、わたしは建物の中にいた。マホガニーの鏡板がはってある廊下を通り、開閉の跡のついた床の上の四分の三のところまで開いてある両開きのドアから、図書室兼読書室兼バーの部屋に入る。部屋の中は暗く、ところどころに明りだまりがある――読書用スタンドの灯《ひ》だ。それより明るく、たっぷりした明りが、樫《かし》の寄せ木張りの床を照らしているし、大きな煖炉から、樺《かば》の木の薪《まき》がはぜる音が聞こえてくる。煖炉の火は部屋の反対側にまで熱気を放っている――炉辺のぬくもりが恋しい男性ないしは女性を歓迎するための火ではない。紙の音がする――乾いた、多少、いらついた音。ヨハンセンと彼の『ウォール・ストリート・ジャーナル』誌だ。十年後には、ヨハンセンが株を読んでいるその読みかただけで、彼の存在がわかるようになるだろう。おもしろい……そしてまた、なんとなく奇妙なものでもある。

スティーブンズはわたしがコートをぬぐのを手伝ってくれながら、小声でひどい夜ですねとつぶやいた。WCBSが明朝までに大量降雪があると放送しているという。わたしはまったくひどい夜だとあいづちをうち、ふり返ってもう一度天井の高い広い部屋を見まわした。ひどい夜、燃えさかる炎……そして怪談。さっき、二十三度の血液は過去の遺物だと言っただろうか？　そうかもしれない。だが、そう考えると、わたしの胸の中がほんのりと暖かくなった……それは煖炉の炎のためでもなく、スティーブンズのいかめしくも頼りがいのある歓迎の態度のためでもなかった。

今日はマッキャロンが話をする番にあたっている、と思いあたったためだった。

わたしがこの東35ストリート二四九Bの褐色《かっしょく》砂岩の建物を訪れるようになって、十年になる。ほぼ——決して正確にではない——定期的な間隔で通ってきた。個人的な好みで言わせてもらえば、わたしはここを〈紳士のクラブ〉と考えており、かのグロリア・スタイナム以前の、古きよき時代の遺物として楽しんでいる。しかし、現在に至るも、本当のところはどうなのか、また、そもそもどういうふうにして成立したクラブなのか、まったくわからない。

エムリン・マッキャロンが話——呼吸法の話——をした夜は、当時十三名はいたと思われるクラブメンバーのうち、雪と風の荒れ狂うひどい天候をついて出かけてきたのは六人にすぎなかった。いつも顔を見せる常連が八人しかいなかった年も、少なくとも二十人かそれ以上はいた年も思い出せる。

　このクラブがどういうふうにして成立したのかは、スティーブンズが知っていることと思う——わたしがただひとつ確信をもって言えるのは、どのぐらい長い年月なのかは知らないが、スティーブンズは最初からいた、ということだ……スティーブンズは絶対に見かけよりも年をくっている。見かけよりもずっと年寄りなのだ。彼にはかすかにブルックリンなまりがあるが、それにもかかわらず、三代つづいたイギリス人の執事と同じぐらい、すきのない正確な態度と、そつのない堅苦しさをそなえている。スティーブンズの芸術的ともいえる寡黙《かもく》ぶりは、ときとして腹だたしいほどの魔力であり、彼の薄い微笑は、ロックされ、かんぬきをかけられた扉《とびら》でもある。わたしはクラブの記録というものを見たことがない——スティーブンズが保管しているとしても。会費の受け取りをもらったことがない——会費は不用だった。クラブの事務員に電話をもらったこともない——事務員はいないし、東35ストリート二四九Bには電話がないのだ。また、ここには賛成を示す白いマーブル玉と、反対を示す黒い玉を入れる箱もない。おまけに、このクラブ——クラブと呼んでよければ——には、名前がない。

わたしが初めてクラブ（どうしてもこう呼ばせてもらわなければならない）を訪れたのは、ジョージ・ウォーターハウスの客としての資格でだった。ウォーターハウスは、わたしが一九五一年来働いている法律事務所の、トップの座を占める人物だ。ニューヨークでも三本の指に入る法律事務所で、わたしの昇進ぶりは着実ではあったが、きわめて遅々たるものだった。わたしは努力家であり、仕事にかけては頑固者《がんこもの》だし、一種の穴あけ器のような存在だ……が、才能、素質というものはもちあわせていない。わたしが昇進という巨大な階段を、一歩ずつ昇りつづけているあいだに、才能や素質を発揮しはじめた同期の者たちがたくさんいる――わたしは別に驚きもせずにそういう人たちを見ていた。

ウォーターハウスとは一九六×年の秋までは、あいさつをかわしたり、毎年十月に開かれる事務所の義務的な夕食会で同席したりする程度の仲で、ほとんどつきあいはなかった。それが、十一月初旬のある日、ひょっこり彼がわたしのオフィスに顔を出した。

それだけでも充分異例のことなので、わたしは目がくらむような思い（思いがけない昇進）を相殺《そうさい》する不吉な思い（解雇）にとらわれた。それほど不思議な賓客だった。ウォーターハウスはベストに〝ファイ・ベータ・カッパ〟のキーを鈍く光らせながら、ドア口に寄りかかり、さしさわりのない世間話をしていた――どの話も重要でもなければ、中身のある話とも思えなかった。わたしは彼が早くあいさつを切りあげて、仕事の話にとりかかってくれないかと思っていた。〝さて、このケーシーの事件だが〟とか、〝サルコウィッツの市長の任命を調査するよう依頼を受けていた件だが〟とかいうことばを待っていた。だが、そういう事件はひとつもないようだった。ウォーターハウスは時計に目をやると、楽しいおしゃべりだった、もう行かなくてはならないと言った。

わたしがまだ目をぱちくりさせ、呆然《ぼうぜん》としているところに、ウォーターハウスがもどってきて、ざっくばらんな口調で言った。「たいてい木曜の夜に、わたしが出かける先があるんだよ。一種のクラブかな。ほとんど年寄りばかりだが、何人かはいい友人がいる。きみにその好みがあれば、じつにすばらしいワイン・セラーもある。ときどき誰《だれ》かがおもしろい話をしたりするんだ。よかったらいつか来ないかね、デイビッド。わたしのゲストとして」

わたしは口ごもりながら返事をした――現在でもそのときなんと言ったか、はっきりわからない。ウォーターハウスの誘いに心底仰天していたのだ。気まぐれで言ってみた、というふうに聞こえたが、ウォーターハウスの目には〝気まぐれ〟な色などどなかった。もじゃもじゃの渦《うず》を巻いた白い眉《まゆ》の下には、アングロ＝サクソン特有の氷のような青い目があった。わたしがどんな返事をしたか憶《おぼ》えていないのは、その誘い――とらえどころのない、不思議な誘い――が、特別の意味をもつものだとふいに気づいたからだ。ウォーターハウスが話をしているあいだ、わたしがずっと早く本題に入ってくれないかと待っていた、その本題がこれだったのだ。

その夜の妻の反応は、驚くほど腹だたしいものだった。わたしはウォーターハウス、カードン、ロートン、フイレザー、それにエフィンガムと、およそ十五年間共に働いてきたが、現在手にしている中間職以上に昇進できるという期待をもてないのは、充分明確に意識していた。妻はウォーターハウスの誘いを、金時計の代用としようとする事務所の費用節約策だ、と考えていた。

「おじいちゃんたちが戦争の話をして、ポーカーをするだけよ」妻は言った。「そんなひと夜と、年金をもらうようになるまで図書館で楽しく過ごすのと……あら、ベックのオン・ザ・ロックをダブルにしてしまったわ」妻はわたしに暖かくキスしてくれた。わたしの顔に表われていたものを読みとったのだろう――共に過ごしてきた年月を思えば、妻がわたしの心中を読みとるのに長《た》けているのは、神もよくご存じだ。

数週間というもの、なにごともなく過ぎていった。ウォーターハウスの奇妙な誘い

――一年に十回も顔を会わせないような人物、十月の恒例の事務所パーティを含め年に三回ぐらいしか、社交的な席上で顔を会わすことのない人物からの誘いというのは、まさしく奇妙としか言いようがない――のことを考えるたびに、ウォーターハウスの目にあった表情をわたしが見まちがえたのか、本当は気まぐれに誘ったものの、それを忘れてしまったのではないか、と思うようになった。それとも、誘ったのを後悔しているのか――ううむ！　そんなときのある日の午後遅く、当のご本人がわたしのところへやってきた。七十歳近いというのに、まだ肩幅はがっしりしていて、スポーツマン・タイプに見える。わたしは足のあいだにブリーフケースをはさみ、トップコートに手を通そうとしていた。ウォーターハウスは言った。「クラブで一杯飲《や》る気があるなら、今夜はどうかね？」

「はあ……あの……」

「よろしい」ウォーターハウスはわたしの手に紙切れを押しつけた。「そこの住所だ」

その夜、ウォーターハウスは件《くだん》の建物の玄関階段の下でわたしを待っていてくれた。そしてスティーブンズがドアを開けて招じ入れてくれた。ウォーターハウスが請け合ったとおり、ワインは極上だった。いわゆる〝引きまわしての紹介〟というものはなかった――わたしはそれを紳士気取りのなせるわざと受け取ったが、あとで考えを改めた——が、二、三人は自分の方からわたしにあいさつをしてくれた。そのうちのひとりがエムリン・マッキャロンで、当時すでに六十代も終わりに近い年齢だった。マッキャロンは片手をさしだし、わたしは軽くそれを握った。彼の手は乾いていて、革のような感触で、強かった。カメに似ていた。彼はわたしにブリッジをやるかと訊《き》いた。わたしはできないと答えた。

「まったくもって結構しごく」マッキャロンは言った。「あの罰あたりなゲームが、今世紀の夕食後の知的な会話というやつを、すっかりぶちこわしにしてくれた。思いつくかぎりでは、あんなものは他《ほか》にないな」きっぱりとそう言いながら、マッキャロンは図書室の暗がりの方へと歩いていった。そこには無数といえるほど本のつまった書棚《しょだな》が並んでいた。

わたしはウォーターハウスを探したが、彼の姿は見えなかった。若干おちつかず、場ちがいな気持をいだきながら、わたしは煖炉の方にぶらぶらと歩いていった。さきほども言ったとおり、煖炉はとてつもなく大きい——わたしのようにニューヨークでアパート住いをしている者にとっては、この煖炉でポップコーンを作ったり、トーストを焼いたりする他に、いったいどれほどたくさんのことができるのか、とても想像できないほどの大きさだ。東35ストリート二四九Bの煖炉は、牛を丸ごと一頭焼けるぐらい大きい。炉棚《マンテル》はついていない。そのかわり、がっしりした石のアーチがついている。このアーチの中央に、わずかに突出したかなめ石がはめこまれている。かなめ石はわたしの目の高さにあり、薄暗い照明にもかかわらず、石に刻まれた銘を読むにはなんの苦労もなかった。銘にはこうあった。〝語る者ではなく、語られる話こそ〟と。

「ここにいたのか、デイビッド」わたしの肘《ひじ》のところでウォーターハウスの声が聞こえ、わたしはとびあがった。別に彼に見捨てられたわけではなかったのだ。ウォーターハウスはわたしには未知の場所に、飲み物を取りに行っていただけだった。「きみはスコッチ・ソーダだったね？」

「ええ、ありがとうございます、ミスター・ウォーターハウス」

「ジョージ、だよ」ウォーターハウスは言った。「ここではただのジョージだ」

「では、ジョージ」ファースト・ネームで呼ぶのは、いささか面《おも》はゆい気持だったが、わたしはさからわなかった。「いったい――」

「乾杯」

わたしたちはグラスをあげて、酒を飲んだ。

「スティーブンズがバーを仕切ってる。うまい飲み物を作るよ。彼に言わせると、ちょっとした、だが、きわめて重大なコツがあるんだと」

スコッチはわたしの混乱した気持や、ばつの悪さを鈍くしてくれた（鈍くはなったものの、そういう感情そのものは依然として残っていた――ここへ来る前、クロゼットの中を三十分近くもにらみ、なにを着るか迷ったものだ。そして最終的に、ダーク・ブラウンのズボンと、それにまあまあマッチする粗いツイードのジャケットに決め、タキシードとか、ブルージーンにL・L・ビーンの作業衣ふうシャツ、といった人々の集まりの中にはまりこまずにすめばいいと思っていた……どちらにしろ、服装の問題に関しては、まったくの杞憂《きゆう》にすぎなかったようだ）。新しい場所と新しい立場にいる者にとっては、いかにささいなものであれ、社交的な行動というものが、非常に決定的な認識をもたらしてくれる。手にグラスを持ち、義務的に小さく乾杯をした瞬間、わたしはこの快適なクラブのどんな点をも見のがしていないことを、確かめてみたくてたまらなくなった。

「ゲスト・ブックかなにかにサインしなくていいんでしょうか？」わたしは訊いてみた。「なにかそういうものがありますか？」

ジョージ・ウォーターハウスは少しばかり驚いたようだ。「そんなものはないな。少なくとも、わしにはそんなものがあるとは思えない」薄暗い、静かな部屋を見まわした。ヨハンセンが『ウォール・ストリート・ジャーナル』をがさがさいわせている。部屋の向こうはじの戸口から、スティーブンズが入ってきた。白いメスジャケットのせいで幽霊のように見える。ジョージはエンドテーブルにグラスを置き、煖炉に薪を一本放《ほう》りこんだ。煙突の黒い喉《のど》を、火花がらせん状に昇っていく。

「これ、どういう意味なんでしょうか?」わたしはかなめ石の銘を指さした。「なにかご存じですか?」

ジョージはまるで初めて読むというように、じっくりと銘を読んだ。〝語る者ではなく、語られる話こそ〟。

「わからんでもないな」ジョージは言った。「また来たら、きみにもわかるかもしれない。うむ、たぶん、ひとつふたつ、思いつくことがあるだろうな。そのうちにはね。じゃ、愉快にやりたまえ、デイビッド」

ジョージは行ってしまった。不慣れな場にのるかそるかで取り残された身としては、いささか奇妙かもしれないが、わたしは本当に愉快にやった。ひとつには、わたしが大の本好きだというところにもってきて、ここには興味を惹《ひ》かれる貴重な本のコレクションがあったためだろう。わたしはゆっくりと書棚に沿って歩き、ほの暗い明りの中でできるかぎり背表紙を確かめ、ときどき本を抜き出してみたり、足をとめて狭い窓から、セカンド・アベニューの交差点の方を眺《なが》めてみたりした。わたしは窓辺で立ちどまり、つや消しの縁のメガネごしに、交差点の信号が赤から青、青から黄色へ変わり、また赤に変わるのを見守っていた。そしてふいに、いかにも不思議な――かつ、ありがたい――やすらぎに満たされるのを感じた。あふれんばかりに感じたわけではない。じわじわとしみ入るように感じたのだ。誰かがこう言っているのが聞こえてくるようだ。〝そう、そのとおり、信号には大きな意味があるのだ。ストップ・アンド・ゴー信号を見ていると、誰でもやすらぎを感じるものなのだよ〟。

わかっている。信号には意味などない。それは認めよう。だが、まったく同様に、感情というものはある。信号のおかげで、わたしは初めて、自分が育ったウィスコンシン州の農家で過ごした冬の夜のことを思い出した。すきま風の入る二階のベッドに横たわり、ひゅうひゅうと吹きすさぶ一月の風が、何マイルもはりめぐらされた防雪《ぼうせつ》柵《さく》に、砂のように乾いた雪が吹きつけられる戸外と、二枚のキルトの下でぬくぬくと暖まっている自分の体とのあいだのコントラストを、はっきりと胸に刻みこんだ夜の思い出。

書棚には法律書も何冊かあったが、どれもかなり奇妙な本だった。『英国の法律のもとにおける国土分割およびその結果の判例二十題』というタイトルの本がある。

『ペット判例集』というのもあった。その本を開いてみると、それはペットを尊重する判例（これはアメリカの法律だった）を扱う法律家に関係のある法律の学術書だとわかった——莫大《ばくだい》な金を遺産相続した飼いネコの件から、鎖を切って郵便配達夫に重傷を負わせたオセロットの件まで、さまざまな判例がのっていた。

ディケンズ全集、デフォー全集、トロロープの無限とも思えるような数の全集もあった。エドワード・グレイ・セビルという名の作家の小説全集（全十一冊）もあった。これは美しいグリーンの革の装丁で、背表紙に金文字で入っている出版社の名は、ステッダム&サンとなっていた。しかし、セビルという名も、出版社の名も、聞いたことがない。セビルの最初の本『我らが同胞』の奥付は、一九一一年発行となっている。最後の本『破壊者』は一九三五年発行だ。

セビルの全集がおさまっている棚の二段下には、大判の二つ折り本があり、全集狂の創始者が慎重に数を増やしていこうとした計画をさまたげていた。その隣には、有名な映画の名場面ばかりを集めた二つ折り本があった。一ページ全面に映画の名場面の写真がのっていて、隣りあったページには、その写真と組になるような、あるいはその写真に霊感を与えられたような、自由詩が書かれていた。きわめて非凡な内容とはいえないまでも、執筆している詩人たちは、そうそうたる顔ぶれだった——ロバート・フロスト、メリアン・ムア、ウィリアム・カーロス・ウィリアムズ、ウォーレス・スティーブンズ、ルイス・ザコフスキイ、エリカ・ジョング等々。ぱらぱらとめくっていくと、中ほどに、マリリン・モンローが地下鉄の換気口の上でスカートをおさえている、かの有名な写真と並んだアルジャナン・ウィリアムズの詩をみつけた。その詩には『弔鐘』という題がついていて、こういうふうに始まっていた。

スカートの形は
——こう言える——
鐘の形
脚は鐘の舌……

そんなぐあいだ。ひどくまずい詩、というわけではないが、ウィリアムズの最高傑作でないことは確かだし、最上の部類に近い作品でもない。わたしは何年にもわたってアルジャナン・ウィリアムズの詩を読んできているので、自信をもってそう批評できる。だが、マリリン・モンローに関するこの詩（写真と切り離されていてさえ、詩にはマリリン・モンローの名が入っている——ウィリアムズは詩の最後をこうしめくくっている。〝ぼくの脚はぼくの名を痛めつける、マリリン、わがいとしの君よ《マ・ベル》〟）は、まったく記憶になかった。その夜以来、わたしはこの詩を探しているが、いまだにみつからない……もちろん、だから、どうだ、ということではない。詩というものは小説や法律上の意見とは異なるものだ。詩は舞い散る木の葉のようなものであり、『完璧《かんぺき》なるなになに』というスタイルを冠した廉価版《れんかばん》作品集というのは、嘘《うそ》っぱちに決まっている。詩というものは、ソファの下に迷いこんでいってしまう運命をもっている——それが詩の魅力のひとつであり、耐えられる理由のひとつなのだ。とはいうものの——。

頃合《ころあ》いを見はからって、スティーブンズが二杯目のスコッチを持ってやってきた（そのときわたしは、エズラ・パウンドの詩集を手に、椅子《いす》にすわりこんでいた）。二杯目のスコッチは、一杯目同様うまかった。わたしはスコッチをちびちびと飲《や》りながら、メンバーの二人、ジョージ・グレグソンとハリー・スタイン（ハリーはエムリン・マッキャロンが〝呼吸法〟の話をしてくれた夜よりさかのぼること六年前に、死んだ）が、高さが四十二インチ以上あるとはとうてい思えない特別なドアから、部屋を出ていくのを見送った。そんなドアがあるとすれば、アリスが迷いこんだウサギ穴のドアぐらいだろう。二人はドアを開けっぱなしにしていったので、図書室につづく奇妙な出入り口の向こうから、すぐに玉突きの玉のカチッという、低く抑えられた音が聞こえてきた。

スティーブンズが傍《そば》に来て、スコッチのおかわりはどうかと訊いた。わたしはまことに遺憾ながら辞退した。スティーブンズはうなずいた。「たいへんけっこうでございますな」スティーブンズの表情はひとつも変わらなかったが、なぜか、彼を喜ばせたらしいということは、ぼんやりわかった。

それからしばらくすると、笑い声がひびき、わたしは驚いて本から目をあげた。誰《だれ》かが煖炉《だんろ》に粉末の化学薬品の包みを投げこみ、炎が瞬間的に、多彩な色を発したのだ。わたしはまたもや少年時代のことを思い出した……が、それはなつかしくもなければ、感傷的でロマンティックな、郷愁に満ちた思い出でもなかった。わたしは神のみぞ知る理由で、それを強調したい気持を強く感じた。子どものときにしたことについて何度も考えたが、その記憶は非常に明確で、うれしいことに、後悔と結びついてはいない。

ふと気づくと、他の人々はほぼ全員、炉辺に椅子を引き寄せ、半円形になっていた。スティーブンズが、熱々《あつあつ》のソーセージを山盛りにした湯気の立つ皿《さら》を運んできていた。ハリー・スタインも、例のウサギ穴のドアからこちらにもどり、せわしげに、かつうれしそうに、わたしに自己紹介をしてくれた。グレグソンは撞球室《どうきゅうしつ》に残っている——音から判断すると、玉を突いているようだ。

一瞬ためらったあと、わたしもみんなの仲間入りをした。話が披露《ひろう》された——気持のいい話ではなかった。話し手はノーマン・ステットだったし、その話を再録するのが目的ではないのでやめておくが、その話というのが電話ボックスの中で溺《おぼ》れ死んだ男の話だ、と述べておけば、内容の程度がおわかりいただけると思う。

ステット（彼もまた今は亡《な》き人となっている）の話が終わると、誰かが「その話、クリスマス用に取っておくべきだったな、ノーマン」と言った。どっと笑い声があがったが、むろん、わたしにはなぜだかわからなかった。少なくとも、そのときはわからなかった。

それからウォーターハウスが話をしたが、そんなウォーターハウスは、千年ぶっつづけに夢を見たとしても、夢の中にも現われっこないだろう。エール大学出身の、ファイ・ベータ・カッパ会員であり、白髪《しらが》で三つ揃《ぞろ》いのスーツに身を固めた、一会社というよりは大企業というにふさわしい、屈指の法律事務所の所長——そのウォーターハウスが、こともあろうに、屋外便所にはまりこんだ女の教師のある話をしたのだ。その屋外便所は女の教師が教えていた一教室しかない学校の裏に建っていた。教師が屋外便所の二つある穴のうちのひとつにはまりこんだ日は、たまたま、ボストンのプルーデンシャル・センターで開かれている〈ニューイングランドの昔の生活〉展に、屋外便所が運んでいかれる日でもあった。屋外便所が平台型のトラックの荷台に積みこまれ、固定されているあいだ、教師はもの音ひとつたてなかった。当惑と恐怖のあまり、口がきけなくなっていたからだ、とウォーターハウスは言った。そして、ラッシュ・アワー時に、サマービルの一二八号線を走っているとき、屋外便所の扉《とびら》が吹きとばされ——。

だが、この話も、このあとにつづいて披露される話も、ここでは割愛しよう。聞いたばかりで、まだわたしの話とはなっていないからだ。やがて、スティーブンズがそんな話よりもはるかにましなブランディを運んできたのだ。極上といってもいいほどすばらしいブランディだった。ブランディのびんが回り、ヨハンセンがグラスをあげた——誰かさんはもう少しで乾杯を口に出して言いそうになったものだ。〈語る者ではなく、語られる話こそ〉。

わたしたちはその銘に従って飲んだ。

それからまもなく、人々はひとり、またひとりと帰りだした。時間が遅いというわけではない。どちらにしろ、まだ真夜中にはなっていなかった。だが、五十代が六十代になると、〝遅い時間〟というやつがどんどん早くなってくるものなのだ。スティーブンズにコートを着せかけてもらい、袖《そで》に腕を通しているウォーターハウスを見ると、わたしも帰った方がいいという合図だと思った。ウォーターハウスがわたしにひとことも断わらずに帰ろうとしているのを見ると、おかしいなと思った（彼ならひとこと断わって帰ってしかるべきなのだ。もしわたしが図書室に行って書棚《しょだな》にパウンドの詩集を返し、四十秒後にもどってきていたとしたら、彼が帰ってしまったあとになっていたことだろう）が、その夜クラブにいた他の人々が、黙って帰ってしまったことについては、少しも奇妙に思わなかった。

わたしがウォーターハウスのすぐあとから外に出ていくと、彼はわたしを見て驚いたかのように、あたりをちらりと見まわした——まぶしい光に目がくらんで驚いたようにも見えた。「いっしょにタクシーに乗っていくかね？」ウォーターハウスは、この人けのない吹きっさらしの街路で、偶然出会ったといわんばかりに、わたしに訊《き》いた。

「ありがとうございます」わたしはタクシーの相乗りに誘ってもらったことだけではなく、いろいろな意味をこめて礼を言ったつもりだった。わたしの声にまぎれもなくそれが表われていると確信していたのだが、ウォーターハウスはタクシーの相乗りに対する礼にしか受けとっていないように、軽くうなずいただけだった。空車ランプをつけたタクシーがゆっくりと走ってくる――ジョージ・ウォーターハウスは、マンハッタン全島のどこを探してもタクシーなんか一台もいないと断言できるような、ニューヨークのおそろしく寒い夜でも、雪の夜でも、タクシーをつかまえることのできる運のいい人種らしい――と、ウォーターハウスは手をあげてタクシーをとめた。

タクシーの中はほっとするほど暖かく、料金メーターがカチッカチッと距離を刻んでいく音を聞きながら、わたしはウォーターハウスにおもしろい話だったと言った。十八歳のとき以来、あれほど自然に、大笑いした記憶はなかったので、おべっかを使う気などさらさらなく、すなおにそう言ったのだ。

「ほう、それはごていねいに」ウォーターハウスの声は冷ややかなまでに丁重だった。わたしはいっぺんに気持が沈み、頰《ほお》がぴくっとひきつるのを感じた。ドアが閉まったのを知るためには、つねにその音を聞く必要はないのだ。

わたしのアパートの正面の縁石でタクシーがとまると、わたしはもう一度ウォーターハウスに礼を言った。今度は彼も前よりわずかに暖かみを見せた。「急に誘ったのに、来てくれてよかったよ」ウォーターハウスは言った。「よかったら、また来るといい。招待なんぞ待つ必要はないよ。二四九Bでは、そんな儀式ばったまねは歓迎されんのでね。話を聞きたいのなら木曜日がうってつけだが、クラブは毎晩開いているよ」

するとこのわたしがメンバーに受け容《い》れてもらえるのだろうか？

その質問がくちびるまで出かかった。わたしは当然訊いてみるつもりだった。訊く必要があるような気がしたからだ。わたしが頭の中でじっくり考え、適切な文句かどうか胸の内で反芻《はんすう》している（厄介《やっかい》きわまる法律家のやりかただ）うちに——たぶん、これは少しばかり不作法だったのだろう——ウォーターハウスはタクシーの運転手に車を出させてしまった。あっと思うまもなく、タクシーはパーク・アベニューをさして走り去っていった。わたしは一瞬、歩道に突っ立ち、トップコートの裾《すそ》をむこうずねのあたりにはためかせながら、考えこんでいた。彼はわたしがあの質問をしようとしていたのを知っていた——知っていながら、わたしが口を開く前に、わざと運転手に車を出させた……いや、まったくばかばかしい。誇大妄想《こだいもうそう》だ。そのとおりだ。が、真実でもあった。望むなら、なにもかも笑いごとにしてもいい。笑いごとにしたからといって、本質的なものが変わることなどありえないのだが。

わたしはゆっくりとアパートのドアまで歩き、中に入った。

靴《くつ》をぬごうとベッドに腰かけたとき、エレンは六十パーセントは眠っていた。くるりと寝返りをうち、喉《のど》の奥で尋ねるように、はっきりしない声を発した。わたしはおやすみと言った。

妻はまたねぼけた声を出した。今度はことばらしきものに近い。「どうだった?」わたしはシャツのボタンをはずしかけたまま、一瞬ためらった。そしてその短い時間に、はっきりとこう考えた。妻に話してしまうと、もう二度とあのドアの向こう側を見られなくなる、と。

「まあまあだった。じいさんたちが戦争の話をしてたよ」

「あたしの言ったとおりね」

「だが、悪くなかったよ。また行くことになるかもしれん。事務所での立場がよくなるかもしれないし」

「事務所ね」エレンは軽くあざけるように言った。「あなたって、ほんとに愛すべき頑固者《がんこもの》なんだから」

「人を知るのに必要なんだよ」わたしはそう言ってみたが、エレンはもう眠りにもどっていた。わたしは服をぬぎ、シャワーをあび、体を拭《ふ》き、パジャマを着た……そして、そのままベッドへ直行する(すでに一時を過ぎている)かわりに、ローブを引っかけて、ベックのびんを手に取った。キッチン・テーブルを前にすわり、ちびちびとベックを飲みながら、窓の外のマディソン・アベニューの寒ざむとした谷間を眺《なが》め、あれこれと考えた。クラブでも飲んでいたせいで、アルコールで頭が少しぼうっとしている――わたしにしてみれば、今夜は思いがけず大酒を飲んでいるのだ。だが、気分は少しも悪くないし、二日酔いになりそうなおそれもない。

エレンにどうだったと訊かれたとき、わたしの心にうかんだ考えは、ジョージ・ウォーターハウスのタクシーに走り去られたときに心にいだいた考えと同じく、ばかげたものだった。自分の上司の古風なクラブで過ごしたまるっきり害のない夜のことを、妻に話したからといって、悪かろうはずがない……たとえ、話してはまずいことがあるとしても、わたしがしゃべってしまったと誰にわかるというのだ？　いや、さっきも考えたとおり、なにもかもばかげていて、誇大妄想的だ……だが、わたしの心は、すべてが真実だと語っていた。

＊　　＊　　＊

次の日、経理課と資料室のあいだの廊下で、ジョージ・ウォーターハウスに会った。会った？　すれちがった、という方が正確だ。彼は軽くうなずき、ひとこともしゃべらずに行ってしまった……何年もそうだったように。

その日は一日じゅう胃が痛んだ。あの夜が現実だったということを納得させてくれるのは、その、胃の痛みだけだった。

三週間が過ぎた。四週間……五週間。ウォーターハウスから二度目の誘いはなかった。わたしはふさわしくなかったのだ。合わなかったのだ。わたしは自分にそう言い聞かせた。胸ふさがれる、ゆううつな思いだった。どんなに絶望的なことも、結局は影が薄くなり、刺すような痛みも失《な》くなるように、この思いも薄れて消えていくだろう。だが、よりによってとんでもない瞬間に、わたしはあの夜のことを思い出した——図書室のあちらこちらにぽつんぽつんと灯《とも》っているスタンドの光、非常に静かで、心がなごみ、どことなく洗練されていた雰囲気《ふんいき》。学校の女教師が屋外便所にはまりこんだという、ウォーターハウスの途方もないばか話。狭い書架にただよっていたきつい革のにおい。なかでも、あの細い窓から、青、黄、赤へと変わる凍った景色を眺めていたことを思い出す。体じゅうで感じとった、あのやすらぎを思い出す。

その五週間のあいだに、わたしは図書館へ足を運び、アルジャナン・ウィリアムズの詩集を四冊調べてみた（わたしが持っている他《ほか》の三冊の分は、すでに調べてしまった）。そのうちの一冊は〈完全版〉として名高いものだった。おかげでなつかしい幾編かに再会はできたけれど、どの詩集を調べても『弔鐘』という詩はみつからなかった。

ニューヨーク市立図書館に足を運ぶついでに、エドワード・グレイ・セビルという作家の作品を、カード式目録で調べてみた。めぐりあったのは、ルース・セビルという女流作家のミステリイ小説だけだった。

よかったら、また来るといい。招待なんぞ待つ必要はない……。

とはいえ、当然ながら、わたしは招待を待っていた。ずいぶん昔、他人が気軽に〝いつでもお立ち寄りください〟とか、〝いつでも大歓迎よ〟とか言ったとしても、それをうのみに信じてはいけない、と母に教えられたものだ。わたしだって、まさか、お仕着せ姿の従僕が金めっきのお盆に招待の文句を刷りこんだカードをのせて、わたしのアパートのドアを訪れてくる必要がある、と思っているわけではない。そんなつもりはないが、なにかを待っていたのは確かだ。〝そのうちに来ないかね、デイビッド。わたしたちにうんざりしたのでなければね〟とか、そんな軽いことばでもいいのだ。そういうことなのだ。

だが、それさえもないとわかると、わたしはどうにかして再び訪れることを、真剣に考えはじめた――ときには、〝いつでも立ち寄ってもらいたい〟と本気で考えている人々だっているはずだ。わたしはどこかに、つねに人待ち顔に開いているドアがある、と想像した。母がつねに正しいとはかぎらない、と思いこもうとした。

……招待なんぞ待つ必要はない……。

とにかく、そういう経過をへたあげく、その年の十二月十日、わたしはまたもや粗いツイードのジャケットに、ダーク・ブラウンのズボンを身に着け、黒みがかった赤いネクタイを探していた。

「とうとうジョージ・ウォーターハウスが折れて、あなたにもどってきてくれって頼んだの？」エレンは訊いた。「他の狂信的愛国主義者のうるさがたたちと、いかがわしい巣窟《そうくつ》にとどまってくれって？」

「そのとおり」わたしはそう答えながら、妻に嘘《うそ》をつくのは、この十数年のうちで初めてのことだと考えていた……とたんに、初めてクラブへ行った夜、どうだったかという妻の質問に、嘘の返事をしたことを思い出した。じいさんたちが戦争の話をしてた、と答えたのだ。

「そうね、もしかすると、本当に昇進ってことになるかもね」妻はそう言った……が、たいして希望はもっていないようだ。妻の名誉のために断わっておくが、その口調は決して苦いものではなかった。

「もっとおかしなこともあったのさ」わたしは妻に行ってきますのキスをした。

「ブーブー」妻のからかいをあとに、わたしは家を出た。

その夜はタクシーに乗っている時間が、ひどく長く思われた。外は寒く、静かで、星がたくさん見える。旧式の大型チェッカー・タクシーだったため、わたしは自分がひどく小さくなり、初めて都会を見物する子どものような気分になった。例の褐色《かっしょく》砂岩の建物の前にタクシーがとまったとき、わたしは興奮して胸が高鳴っていた――建物と同じように、シンプルで、しかも完璧《かんぺき》に、興奮していた。だが、人生に欠かせない、そういうシンプルな興奮というやつは、いつのまにか、気がつかないうちに手の中からこぼれ落ちてしまい、年をとってふたたびそれをみつけると、最初に気づいたあと何年もたってから、クシに黒い髪の毛が一、二本からみついているのにふたたび気づいたときのように、そこはかとない驚きを感じるものだ。

運転手に金を払い、タクシーを降り、玄関ドアに通じる四段の階段まで歩く。階段をのぼろうとしたとき、興奮は単純な不安に変わった（年をくった者にはおなじみの感覚だ）。わたしはここで、いったいなにをしているのだろう？

ドアは厚い樫《かし》の木でできており、わたしの目には、それが城の扉《とびら》のように頑丈そのものに映った。見えるかぎりでは、ドアベルもなければノッカーもなく、軒の奥まった陰に人目につかないよう設置された有線テレビのカメラもない。もちろん、わたしを待っているウォーターハウスもいない。階段の手前に立ったまま、わたしはあたりを見まわした。急に東35ストリートが前よりも暗く、寒く、おそろしげな場所に見えてきた。褐色砂岩の建物群が、決して調査をされずにすむ、内緒ごとを隠すにはもってこいの場所だといわんばかりに、どこか秘密めいて見える。並んだ窓はまるで目のようだ。

どこかに、この窓のひとつの奥に、ひそかに人を殺そうと企んでいる男（あるいは女）がいるかもしれない、とわたしは思った。背筋にぞくっと寒けが走る。企んでいるところか……それとも、実行しているところか。

そのとき、ふいにドアが開き、スティーブンズが姿を現わした。

心からほっとした。わたしは決して空想癖の強い人間ではない――少なくとも平凡な状況ではそうだ――が、つい先ほど、最後に頭にうかんだ考えは、すべて、不気味なほど明快な予言と言えた。まっ先にスティーブンズの目を見なかったら、わたしはぺちゃくちゃとたわごとをしゃべっていただろう。スティーブンズの目は、わたしを見知らぬ者として見ていた。彼の目はわたしをまったく知らないと語っていた。

またもや、突発的に、不気味なほど明快に未来が見えた。今夜これからのことが、細部に至るまでありありと、わたしの脳裏にうかんだのだ。静かなバーで三時間過ごす。招かれざる客として、愚かにものこのことやってきたきまりの悪さを鈍らせるために、スコッチを三杯飲む（四杯かもしれない）。母の忠告を聞いていれば避けられた屈辱——度を越した者だけがその屈辱を知っている。

わたしはほろ酔いだが、決してごきげんとは言えない状態で、家へ帰るだろう。子どものように興奮と期待に満ちて、というよりはむしろ、単にシートにすわりこんで、タクシーに乗っているだろう。エレンには、しばらくぶりで行くとつまらなくてね……ウォーターハウスにポーカーのゲームで、第三歩兵隊のためにTボーン・ステーキを送らせる約束をして勝ったというあの話を、また聞かされたよ……彼らときたら、一点一ドルでハートの札を取らなかった者が勝つゲームをしているんだぜ、信じられるかい？……また行くかって？……行くかもしれないけど、わからないね……などと話している自分の姿が見える。そしてそれっきりになるだろう。わたしの屈辱感だけを残して。

そういうことはなにひとつ、スティーブンズの目には表われていなかった。その目に暖かい色が宿った。スティーブンズはかすかにほほえんでこう言った。「アドリーさま！　お入りください。コートをお取りしましょう」

わたしは階段をのぼった。わたしの背後でスティーブンズがドアを閉めた。暖かい内側にいるだけで、たった一枚のドアがなんとちがって感じられることだろう！　スティーブンズはわたしのコートをぬがせ、コートを手にどこかに行ってしまった。わたしはホールに残り、丈の高い大きな鏡に映った自分を見た。急速にやつれ、とても中年には見えない六十三歳の男の顔があった。しかし、その映像にわたしは満足した。

わたしは静かに図書室に入った。

ヨハンセンがいて、『ウォール・ストリート・ジャーナル』誌を読んでいた。別の光の孤島にはエムリン・マッキャロンがチェスボードをはさんで、ピーター・アンドリュースと向かいあっていた。マッキャロンは当時も今もやせっぽちで、細い刀身のような鼻の持主だ。一方、アンドリュースは巨大な、なで肩の体つきの男で、短気だった。ベストにたっぷりしたショウガ色のひげが垂れている。象牙《ぞうげ》と黒檀《こくたん》を刻んだ駒《こま》ののった盤を中に、顔をつきあわせている二人は、インディアンのトーテムそっくりだった。ワシ対クマ。

ウォーターハウスはむずかしい顔で、タイムズ紙を読んでいた。ちらっと目をあげると、驚きの表情も見せずにわたしにうなずき、また新聞の向こうに隠れてしまった。スティーブンズがスコッチを持ってきた。頼んだわけでもなかったが。

わたしはスコッチのグラスを手に、書棚《しょだな》の方へ行き、またあの不思議な、心そそられる緑色の装丁の全集をみつけた。その夜から、わたしはエドワード・グレイ・セビルの作品を読みはじめた。第一巻目の『我らが同胞』から手をつけた。全巻を読み終わった今、セビルの十一冊の作品すべて、今世紀最良の小説だと信じている。

その夜も終わり頃《ごろ》に話が――ひとつだけ――披露《ひろう》され、スティーブンズがブランディを運んできた。話が終わると、みんな立ちあがり、帰るしたくを始めた。スティーブンズが廊下に向いた両開きのドアのところから、声をかけた。低く、気持のいい声で、よくとおった。

「それでは、クリスマスにはどなたがお話をしてくださるのでしょう？」

みんないっせいにしかけていたことをやめ、たがいに顔を見あわせた。低い声で和気あいあいたる話がかわされ、わっと笑い声があがった。

スティーブンズはにこやかに、だが重々しく、グラマースクールの教師がさわがしい教室をまとめようとするときのように、ぽんぽんと二度手をたたいた。「さてさて、みなさまがた、どなたがお話をなさってくださるのです？」

なで肩でショウガ色のひげをはやしたピーター・アンドリュースがごほんと咳《せき》ばらいをした。「ずっと考えてたことがあるんだが。それがふさわしいかどうか、わしにはわからない。つまり、その──」

「きっとけっこうでございましょうね」スティーブンズが話をさえぎり、また、わっと笑い声があがった。アンドリュースは気を悪くしたようすもなく、スティーブンズの背中をぱしっとたたいた。人々が出ていくと、廊下から冷たい空気が流れこんできた。

まるで親切な魔法が働いたかのように、スティーブンズがわたしの傍《そば》に現われ、コートを広げてくれた。「おやすみなさいませ、アドリーさま。ごきげんよろしゅう」

「本当にクリスマスの夜に、みんな、集まるのかね?」わたしはボタンをかけながら訊《き》いた。アンドリュースの話を聞きそこなうと思うと、ちょっとがっかりしたが、クリスマスにはエレンと、ニューヨーク州東部のスケネクタデイの町まで行き、エレンの姉と休暇を過ごすと固い約束をしてあるのだ。

スティーブンズはショックを受けたという表情と、おもしろがっている表情とを、巧みに同時にやってのけた。「とんでもございません。クリスマスはご家族と過ごすべき夜でございます。その夜ばかりは。そうお思いになりませんか?」

「確かにそう思うよ」

「わたくしどもはいつも、クリスマスの前の木曜日に集まっております。実のところ、わたくしどものほぼ全員がそろうのは、一年のうちのその夜でございますよ」

スティーブンズが〝メンバー〟ということばを使わなかったことに、わたしは気づいた――偶然なのか？　それとも、故意に避けたのか？

「メイン・ルームでは、これまでもたくさんの話が披露されてまいりましたよ、アドリーさま。滑稽《こっけい》な話から悲惨な話、皮肉な話、センチメンタルな話まで、ありとあらゆる類《たぐい》の話が。ですがクリスマス前の木曜日には、いつも神秘的な話が語られます。少なくとも、わたくしが思い出せるかぎり、かなり昔から、その形式がとられております」

それで、わたしが初めてクラブを訪れたときに、ノーマン・ステットにクリスマスまで話をとっておけばよかったと、誰《だれ》かが言っていたことの説明がつく。別の質問がくちびるまで出かかったが、わたしはスティーブンズの目に警告の色があるのを見てとった。わたしの質問に答えない、という警告ではなかった。むしろ、質問そのものを控えた方がいい、という警告だった。

「アドリーさま、他《ほか》になにか？」

もうホールにはわたしたち二人しかいなかった。他の人たちはみんな帰ってしまった。ふいに廊下が暗くなり、スティーブンズの長い顔が青くなり、くちびるが赤みを増したように思われた。煖炉《だんろ》で木の節がはぜ、瞬間、磨《みが》きこまれた寄せ木張りの床が、赤い輝きに染まった。わたしは背後の、まだ見たこともない部屋のどこかから、なにかがすべるようなもの音が聞こえてきたような気がした。そんな音は好みではない。絶対に好みではない。

「いや」わたしの声は平静さに欠けていた。「別にないと思う」

「では、おやすみなさいませ」

わたしは敷居をまたいだ。背後で重いドアの閉まる音が聞こえた。ロックのかかる音が聞こえた。わたしは肩越しにふり返ることもせず、サード・アベニューの灯《ひ》の方に向かって歩きだした。なにやら恐ろしい悪霊《あくりょう》が、わたしの歩調に合わせてついてきているのが見えるとでもいうように、知らない方が幸せな、なんらかの秘密がかいま見えてしまうとでもいうように、わたしはふり向いてみるのがこわかった。四つ角に着くと、空車のタクシーがみつかり、わたしは手をあげて車をとめた。


「また戦争の話？」その夜、エレンはそう訊いた。妻は生涯唯一《しょうがいゆいいつ》の恋人であるフィリップ・マーロウとともに、ベッドに入っていた。

「ひとつふたつ、戦争の話があったかな」わたしはコートを掛けながら答えた。「ぼくはほとんどすわって本を読んでた」

「ブーブー言っていないときだけね」

「そういうことだ。ブーブー言っていないときだけ」

「ね、これ、聞いて。〝わたしが初めてテリー・レノックスを見かけたとき、彼は〈ダンサーズ〉のテラスの前にとめてあったロールス・ロイス・シルバー・レースの中で、酔いつぶれていた〟」エレンは本を読んだ。「〝顔は若々しく見えたが、髪は骨のように白かった。目を見れば彼が完全に酔っぱらっていることがわかるが、その他の点では、ディナー・ジャケットに身を固めた他の感じのいい青年と同じように見えた。この青年は大金を使わせることとしか目的としない安っぽいナイトクラブで、たっぷり金を使ってしまったにすぎない〟。すてきでしょ、ね？　これは――」

「『長いお別れ』」わたしは靴《くつ》をぬいだ。「三年に一度は、きみに同じところを聞かされているよ。きみのライフ・サイクルの一部になってるんだな」

エレンは鼻にしわを寄せてわたしを見た。「ブーブー！」

「ありがとう」

エレンは本にもどった。わたしはキッチンに行き、ベックのびんを取り出した。ベッドルームにもどると、エレンは『長いお別れ』を開いたまま、ベッドスプレッドの上に置き、じっとわたしをみつめた。「デイビッド、あなた、そのクラブとやらに入会するつもり？」

「かもしれないな……そう頼まれればね」わたしはおちつかない気分になった。またもやエレンに嘘《うそ》をついてしまったのだ。東35ストリート二四九Bに会員制度というものがあるのならば、わたしはすでにメンバーの一員なのだ。

「よかった」妻は言った。「あなたにはもうずっと前から、なにかが必要だったわ。あなたが気づいているかどうかはわからないけれど、それができたんですもの。あたしは女性の権利を守る会と、演劇観賞会に入ってる。でも、あなたにはなにかが必要だったわ。ともに年を重ねていける仲間がね」

わたしはベッドに近づき、エレンの傍に腰をおろすと、『長いお別れ』を取りあげた。それは真新しいペーパーバックだった。この本の初版ハードカバーを、エレンの誕生日にプレゼントした憶《おぼ》えがある。一九五三年のことだった。「ぼくたちは年寄りかね？」わたしはエレンに訊いた。

「そうだと思うわ」エレンは輝くようなほほえみをうかべた。

わたしは本を置き、エレンの胸に手を触れた。「こんなことをするには年をとりすぎているかな？」

エレンはレディらしく、上品に上掛けをめくった……そして、くすくす笑いながら、上掛けを床に蹴《け》り落とした。「おとうちゃま、あたちをぶって」エレンは言った。「エイト・ビートで殴ってちょうだい」

「ブーブー」わたしはそう答え、二人いっしょに吹きだした。

クリスマス前の木曜日がきた。その夜もふだんの夜とほぼ同じだったが、二つだけ特筆すべきことがあった。ひとつはいつもより人が多かったことで、十八人もいた。もうひとつは、いわく言いがたい、熱気にあふれる興奮した空気にあふれていたことだ。ヨハンセンはウォール・ストリート・ジャーナル誌にざっと目を通しただけで、マッキャロン、ヒュー・ビーグルマン、そしてわたし、というグループの仲間入りをしてきた。わたしたちは窓の側にすわり、あれこれと雑談をしていたが、最終的に情熱をこめて――そして陽気に――戦前の自動車の論議に花を咲かせた。

今にして思えば、いつもとちがうところは三つあったようだ――スティーブンズがすばらしくうまいエッグノッグ・パンチを作ってくれたのだ。口あたりがいいわりに、ラムとスパイスがきいていてぴりっとしていた。氷の彫刻のように見える比類のないウォーターフォードの鉢《はち》から、エッグノッグ・パンチをふるまわれ、パンチが減っていくにつれて、生気にあふれた会話の声の調子があがっていった。

わたしは撞球室《どうきゅうしつ》につづいている例の小さなドアの側のコーナーに立ち、部屋の中を見まわしていたが、ウォーターハウスとノーマン・ステットが本物のビーバーの山高帽と思われる帽子の中にカードを入れ、ベースボール・ゲームをしているのを見て仰天した。二人とも大はしゃぎで笑いこけている。

いくつものグループができ、メンバーが変わってべつのグループとなった。どんどん夜が更《ふ》けていく……ふだんならば、人々が玄関ドアからひっそりと退出していく時刻になったとき、ピーター・アンドリュースが煖炉の前に陣取った。手に種子の入った袋ぐらいの大きさの、なんのしるしもない封筒を持っている。アンドリュースは封も切らずに、その封筒を火の中に投げこんだ。たちまち、炎が虹《にじ》の七色に変わり――誓ってもいいがそれ以外の色もあった――踊りだし、またもとの黄色にもどった。椅《い》子《す》がいっせいにうしろに引かれた。アンドリュースの肩越しに、〝語る者ではなく、語られる話こそ〟と彫りこまれた、あのかなめ石が見えた。

スティーブンズはひっそりとわたしたちのあいだを歩きまわり、パンチのグラスを受け取ったり、引き換えにブランディの入った洋梨型《スニフター》のグラスを渡したりしていた。〝メリー・クリスマス〟、〝クリスマスおめでとう、スティーブンズ〟と低い声であいさつがかわされ、わたしは初めて、握手とともに金が渡されるのを見た――目立たないように、ここで十ドル札が渡されたかと思うと、五十ドル札らしきものがあちらで、また、別の椅子のところでは百ドル札が。わたしの目に狂いはない。

「ありがとうございます、マッキャロンさま……ヨハンセンさま……ビーグルマンさま……」静かな、上品なつぶやき。

ニューヨークに住むようになってから、もうずいぶんになるから、クリスマス・シーズンがチップの祝祭だということは、よく知っている。肉屋になにがし、ロウソク職人になにがし――ドアマンや管理人は言うにおよばず、火曜と金曜にやってくる掃除婦にもなにがしか。わたしと同じ階級の者で、この習慣を必要悪以外のなにものでもない、とみなしていない者にお目にかかったことはない……だが、その夜、わたしはそういう不満たらしい気持はこれっぽっちも感じなかった。金は快く、心をこめて手渡されていた……わたしはふいに、なんの理由もなく（二四九Bにいると、しばしばこういう思考形態にみまわれる）、ロンドンの静かで寒いクリスマスの朝、スクルージに呼びとめられた少年のことを思い出した。〝知ってるかって？　おれと同じぐらいでっかいあのガチョウを？〟するとスクルージは喜びのあまり気も狂わんばかりになって、くすくす笑いながらこう言う。〝いい子だ！　ほんとうにいい子だ！〟

と。

わたしは財布に手をやった。財布にはエレンの写真を入れてあるが、その裏に、まさかの用心にいつも五十ドル札を入れてある。スティーブンズがブランディのグラスを渡してくれたとき、わたしはその札をちゅうちょなく彼の手にすべりこませた……わたしは決して裕福ではないが。

「ハッピー・クリスマス、スティーブンズ」

「ありがとうございます。あなたさまにもそう言わせていただきます」

スティーブンズはブランディを配り終え、礼金を集めてしまうと、引き退《さ》がった。ピーター・アンドリュースの話が佳境に達したとき、そっと部屋の中をうかがってみると、スティーブンズが両開きのドアのわきに立っているのが見えた。堅苦しく静かに、ぼんやりとした人の形の影のように立っていた。

「ほとんどの方が知ってのとおり、ぼくは弁護士だ」アンドリュースはグラスからひとくちすすり、咳《せき》ばらいをしたあとにそう言うと、またひとくちすすった。「この二十二年間、パーク・アベニューに事務所をかまえている。だがその前は、ワシントンD・Cで働いている弁護士たちの事務所で、弁護士見習いをしていた。七月のある夜、ぼくはこの話とはなんの関係もない、ある訴訟事件の参考判例の索引作りを仕あげるために、居残りを命じられた。ところがそのとき、ある男がやってきたのだ――当時、議会にその人ありと知られた上院議員で、のちに大統領になろうかとした人だった。シャツは血で汚れ、目はぎょろぎょろととびださんばかり。

〝ジョーと話をしなくてはならん〟。その人はそう言った。ジョーというのは、ぼくの事務所の長、ジョセフ・ウッズのことで、ワシントンでもっとも有力な個人顧問弁護士のひとりであり、その上院議員の個人的に親しい友人でもあった。

〝何時間も前にお宅にお帰りになりました〟。ぼくは答えた。白状するが、ぼくはすっかりおびえていたんだ――上院議員ときたら、すさまじい自動車事故の現場か、ナイフの決闘の現場から直行してきた男のように見えたんだからな。そのうえ、彼の顔は、新聞の写真や〈ミート・ザ・プレス〉でしかお目にかかれないようなもので、血の筋がつき、片方の血ばしった目の下の頰《ほお》がぴくぴくとけいれんしていたんだ……それやこれやで、ぼくはいっそうおびえた。〝なんでしたら電話をかけて――〟。ぼくはこの思いがけない責任を、誰《だれ》か他の人に押しつけたくてたまらず、すでに電話に手を伸ばしかけていた。上院議員のうしろの方を見てみると、カーペットの上に血と泥《どろ》の足跡がついているではないか。〝今すぐジョーに話さなくてはならない〟。上院議員はぼくのことばなど耳に入らなかったように、くり返し言った。〝おれの車のトランクの中にあるものが入っている……バージニア・プレースでみつけたんだ。銃で撃ち、刺したのに、殺せないんだ。あれは人間じゃない。だから殺せないんだ〟。上院議員はくすくす笑いだし……やがて大声で笑いだし……しまいには絶叫しはじめた。やっとのことで、ぼくは電話でミスター・ウッズをつかまえ、ごしょうだから、できるだけ早く来てくれと懇願しているあいだも、上院議員は絶叫しつづけていた……」

ピーター・アンドリュースの話を再録するのが、わたしの目的ではない。実のところ、アンドリュースの話を公開していいものかどうか、わたしには確信がもてないのだ。それがなんとも身の毛のよだつような話だと言うにとどめておこう。その後数週間というもの、わたしは夢にうなされ、朝食の席でエレンにしげしげとみつめられ、夜中に突然〝首が！　土に埋めた首がまだしゃべっている！〟と叫ぶのは、いったいなぜなのかと訊《き》かれた。

〝夢のせいだろうな〟。わたしは答えた。〝目がさめてしまうと思い出せない類《たぐい》の夢さ〟。

だが、わたしはすぐに視線をコーヒー・カップに落としてしまい、エレンに嘘を見破られたなと思ったものだ。

＊　＊　＊

次の年の八月のある日、事務所の資料室で働いていると、インターフォンが鳴った。ジョージ・ウォーターハウスだった。よかったら彼のオフィスに来てくれという。行ってみると、ロバート・カードン、ヘンリー・エフィンガムもいた。一瞬、わたしはなにか愚かな、ばかげたまねをしてしまい、それを責められるにちがいないと思った。するとカードンがわたしの方に歩み寄り、こう言った。「ジョージがね、きみを下格パートナーにする時期がきたと言うんだよ。わたしたちも賛成だ」

「うちの事務所は世界でいちばん年をくった青年会議所みたいなものになるな」エフィンガムはにやっと笑った。「だが、デイビッド、これはきみが通らなければならないルートだ。運がよければ、クリスマスまでには、きみをわたしたちと同格のパートナーにできる」

その夜、悪夢は見なかった。エレンとわたしは外に食事に出かけ、すっかりいい気分になり、六年近くごぶさたしていたジャズ・スポットに行き、あの有名な青い目の黒人、デクスター・ゴードンのテナー・サックスに聞きほれ、午前二時までそこに腰をすえていた。

次の朝、目をさますと、二人とも胃がむかむか、頭はずきずきという状態だったうえ、なにがどうなったのか、まだしっかりとのみこめずにいた。信じられずにいたことのひとつはサラリーのことで、長いあいだ驚異的な昇給を期待しては棚《たな》あげになっていたのに、いっきょに年間八千ドルの増収となったのだ。

その秋、事務所の用で六週間コペンハーゲンに行き、帰ってくると、二四九Bの常連のひとりジョン・ハンラハンがガンで死んだと知った。不幸な境遇に取り残されたハンラハン夫人のために、金が集められた。わたしは金を計算し——現金ばかりだった——銀行支払いの小切手に換える役目をおおせつかった。弔慰金は総額一万ドル以上あった。わたしは小切手をスティーブンズに渡した。彼が郵便で送ったものと思う。

ハンラハン夫人のアーリンが、たまたまエレンの所属する演劇観賞会のメンバーだった関係で、しばらくしてから、アーリンが一万四百ドルの匿名《とくめい》の小切手を受け取ったという話をエレンに聞かされた。小切手の控えの部分に、簡潔であいまいなメッセージが書いてあったという。〝亡《な》くなったご主人ジョンの友人一同より〟と。

「この話、これまでに聞いたなかでも最高に不思議な話だと思わない？」エレンはわたしに訊いた。

「そうだね」わたしは答えた。「ベスト・テンのひとつに入るね。ところで、もう少しイチゴはないかい、エレン」

歳月が過ぎていった。わたしは二四九Bの階上の迷宮の部屋べやを探訪した――書斎、ときどき客がひと夜を過ごすベッドルーム（もっとも、なにかがすべるような音を聞いた――あるいは、聞いたような気がした――あとでは、わたしとしてはむしろ快適なホテルに部屋をとった方がいいと思っている）、狭いが設備のととのった運動室、それにサウナバス。また、建物の長さいっぱいを使った、細長い部屋があり、そこにはボウリングのレーンが二本つくってあった。

過ぎ去っていく歳月の中で、わたしは何度もエドワード・グレイ・セビルの小説を読み直し、『ノーバート・ローズン』という題のすばらしい詩を一編発見した――おそらく、エズラ・パウンドやウォーレス・スティーブンズに匹敵するものだろう。書架にある彼の本のうち、一冊のうしろのフラップによると、セビルは一九二四年に生まれ、アンツィオで死んでいる。全集はニューヨークおよびボストンにあるステッダム&サン社から出版されていた。

そんな年のある晴れた春の日の午後、わたしはニューヨーク市立図書館に出かけ、二十年間分の『リ《L》テラリー・マ《M》ーケット・プ《P》レース』の閲覧を申し出た。LMPは市のイエロー・ページ大の年間出版情報誌で、リファレンス・ルームの司書は、わたしを酔狂な男だと思ったらしい。だがわたしはものともせずにLMP二十年分を借り受け、一冊ずつていねいに検討していった。LMPには大小にかかわらず、国内すべての出版社（および、エージェント、編集者、ブック・クラブのスタッフ）が載っていると思っていたのだが、ステッダム＆サン社の名前は見あたらなかった。一年後――もしかすると二年後だったかもしれない――古い稀覯本《きこうぼん》を扱う古書商と話しこんだとき、ステッダム＆サン社の名前を出してみた。古書商はそんな名前は聞いたことがないと答えた。

スティーブンズに訊いてみようかという気になったが、彼の目に警告の色を見てとると、尋ねないまま、その質問を引っこめてしまった。

そして、その長い歳月のあいだに、多数の話が披露《ひろう》された。

スティーブンズのことばでいえば、〝物語〟だ。おもしろい物語、愛をみつけた物語に愛を失った物語、背筋がぞくぞくする物語。そう、戦争の物語さえいくつかあった。もっともそれは、エレンがほのめかすときに考えているような話とは、似ても似つかないものだった。

なかでもジェラルド・トーズマンの話はいちばんはっきり憶《おぼ》えている——第一次世界大戦が終わる四カ月前に、アメリカの作戦本部がドイツ軍の砲弾に直撃され、トーズマンひとりを除いて全員が死亡したという話だ。

その頃《ころ》、みんなはアメリカの将軍レイスラップ・カラザスを完全に気が狂っている、とみなしていた（カラザスは、一万八千人を上まわる戦闘犠牲者に対し、責任を負っていた——わたしたちがジュークボックスに二十五セント玉を使うようにむぞうさに、人の生命や四肢《しし》を使っていたのだ）。そのカラザス将軍が前線の地図を前に立っていたところを、砲弾が直撃した。ちょうどそのときカラザス将軍は、さらに狂気に満ちた側面攻撃の作戦に弁舌をふるっていた——それは、カラザス将軍がこれまでに成しとげてきた作戦同様、あるひとつの点においてのみ、成功の見こみのある作戦だった。すなわち、新しい未亡人を作りだすことにおいて、驚異的な成功をみるにちがいない、ということだ。

煙塵《えんじん》がおさまったとき、ジェラルド・トーズマンは目がくらみ、耳は聞こえず、鼻から耳から、両の目尻《めじり》から血を流しており、はねとばされた勢いで睾丸《こうがん》がはれあがっていた。ほんの一瞬前には参謀本部だった地獄の死体置き場から脱出しようとして、彼はカラザス将軍の死体にぶつかった。トーズマンは将軍の死体を見おろした……そして悲鳴をあげると同時に笑いだした。シェルショックで聞こえなくなっていた本人の耳には届かなかったが、トーズマンの声は軍医たちに届き、こっぱみじんとなった本部にまだ生存者がいるということがわかった。

カラザス将軍はばらばらになっていたわけではなかった……トーズマンの話では、遠い昔の戦争で兵士たちがばらばらになってしまうことは、考えられなかったという――腕をやられたり、足をやられたり、目をやられたり、ガスで肺をやられたりはする。将軍はばらばら死体になっていたわけではなかった。母親が見ればすぐに息子とわかるぐらいだった。だが地図は……。

……砲弾が炸裂《さくれつ》したときに、将軍が死の照準をつけていた地図は……。地図はなぜか、将軍の顔に刷りこまれてしまっていた。トーズマンは見るもおそろしい、いれずみの入ったデスマスクを目のあたりにしたのだ。レイスラップ・カラザスの突き出た眉《まゆ》びさしは、ブルターニュの石ころだらけの海岸。左の頰《ほお》の青い傷跡のように見えるのは、ラインの流れ。あごには、世界でも最高のワイン用のブドウが育つ丘陵地帯。絞首人の輪縄《わなわ》のようにくびの周囲をめぐっているザール川……そしてふくれあがった片方の目玉の上に印刷されていたのは、〈ベルサイユ〉という文字だった。

それは一九七×年のクリスマス・ストーリーだった。

他《ほか》の話もたくさん憶えているが、ここに紹介するにはふさわしくない。厳密に言えば、前出のトーズマンの話もそうなのだが……あれはわたしが二四九Bで聞いた〝最初のクリスマス・ストーリー〟だったため、どうしても紹介したいという誘惑に勝てなかったのだ。そして、今年の感謝祭のあとの木曜日に、スティーブンズが手をたたいてみんなの注意を惹《ひ》き、クリスマスには誰《だれ》が楽しませてくれるのかと訊《き》いたとき、エムリン・マッキャロンが大声で言った。「語るに足る話があるぞ。今話してしまうか、さもなければ永遠に話せまい。じきに神がわしの口を閉ざしておしまいになるだろうからな」

わたしが二四九Bに通うようになって何年にもなるが、マッキャロンの話はまだ一度も聞いたことがない。だからこそ、今夜は早々とタクシーを予約し、こんなにも寒さのきびしい、寒風吹きすさぶ夜に、あえて出てきた六人のために、スティーブンズがエッグノッグを運んでくれたときに、熱い期待に胸をたかならせていたのだろう。それはわたしだけにかぎらなかった。他の善良な面々の表情にも、同じ期待の色が見てとれた。

年寄りで、枯れていて、革のようなマッキャロンは、老人らしいごつごつした手に粉末の包みを持って、煖炉《だんろ》の傍《そば》の大きな椅子《いす》にすわった。マッキャロンが包みを火に投げこみ、わたしたちは炎が狂ったようにさまざまな色に変わったあと、またもとの黄色にもどるのを見守った。スティーブンズがブランディのグラスを渡してくれ、わたしたちは彼にクリスマスの心づけを渡した。この、毎年恒例の儀式で、一度だけ、渡す者の手から受ける者の手に心づけが移動するさい、小銭がちゃらつく音を聞いたことがある。また、ある年、煖炉の火で、一瞬、千ドル札が見えたこともある。どちらの場合にも、スティーブンズの礼を述べる声は、まったく同じ調子だった。低く、つつしみ深く、かつ、はっきりした口調。わたしがジョージ・ウォーターハウスに誘われて、初めてこの二四九Bを訪れてから、ほぼ十年の月日が流れた。その間、世間ではさまざまな変化があったが、ここではなにひとつ変化するものはなく、スティーブンズは一カ月、いや、ほんの一日たりとて、年をとったようには見えなかった。

スティーブンズが暗がりに引き退《さ》がり、炉床の薪《まき》から水分がしゅうしゅうと蒸発するかすかな音すら聞こえるほど、まったき静寂が訪れた。エムリン・マッキャロンは炎に見入り、わたしたちはマッキャロンの視線の先をたどった。今夜の炎はいちだんと激しく燃えあがっているようだ。炎をみつめていると、催眠術にかけられているような気分になってきた――わたしたちの先祖の穴居人たちは、北の寒い洞窟《どうくつ》の外を風が吹きすさび、吠《ほ》えたてると、炎をみつめて催眠状態になったことだろう。

炎に見入ったまま、わずかに前かがみになって、膝《ひざ》の上に肘《ひじ》をおき、組んだ両手を膝のあいだに垂らし、ようやくマッキャロンが話を始めた。

2　呼吸法

わしはもう八十歳に近い。つまり、今世紀とともに生まれたということだ。わしの生涯《しょうがい》は、マディソン・スクエア・ガーデンのほぼ真向かいに建っている建物と、結びついている。この、大きな灰色の監獄——『二都物語』に出てくるような——そっくりに見える建物は、きみたちもよく知ってのとおり、実際は病院だ。〈ハリエット・ホワイト記念病院〉。わしの父の最初の妻であり、セントラル・パークのシープ・メドウで、まだ本当に羊が草を食《は》んでいたころ、看護の実習をしていたハリエット・ホワイトの名にちなみ、そう命名された病院なんだよ。病院の前の庭には、そのご婦人の像が台座の上に立っているし、きみたちの中でそれを見たことのある人がいるとすれば、穏やかな表情が見いだせるはずの彼女の顔を、なぜ、かくもきびしい、断固とした表情が占めているのだろう、と不思議に思われたことだろう。像の台座に彫りこまれている銘文には、ラテン語のくだらない文章を取り除くと、こうある。〝苦痛なくして慰安はなし。ゆえに我ら、苦痛を通して救済を定義せり〟。カトーだよ、もし気に入ったのなら、お教えするが……いや、気に入らなくともな！

わしは一九〇〇年三月二十日、あの灰色の石造りの病院の中で生まれた。一九二六年には、インターンとして病院にもどった。医学の世界では、二十六歳というのはスタートを切るには年をくいすぎているが、わしは第一次世界大戦の終わりに、フランスでインターンを経験し、弾丸でずたずたにされた腹に、やはりずたずたになった内臓を押しこもうと努力したり、モルヒネを手に入れようと闇市《やみいち》をかけずりまわったりしていた。そういうモルヒネときたら、たいていが薄めてあるか、ときには危険なものだったりした。

つづく第二次世界大戦では、同世代の内科医たちと、外科医の基礎実習をみっちりやらされる運命にみまわれた。一九一九年から一九二八年にかけて、主要な医学校では、驚くほど落伍者《らくごしゃ》の数が少なく、記録をぬりかえたものだ。わしらは年を重ねていたし、経験もつんでいたし、めったなことでは動じなくもなっていた。だが、いっそう賢くなっていたか？　わしにはわからない……が、いっそうシニカルになっていたのは確かだ。現在の通俗医学小説に描かれているように、最初の解剖で気絶したり、嘔吐《おうと》するような、くだらない、ばかげたことは、あの当時はいっさいなかった。フランス北部のベローの森で、わが国の海兵隊がドイツ軍の侵攻を抑えたあとは、そんなことはなかった。ベローの森では、敵味方の中間地帯に腐るがままに置き去りにされた兵士たちの、ガスで膨張して破裂した腸の中で、ときどき母ネズミが、一腹の仔《こ》ネズミどもを産んでいた。わしらは全員、そこで、吐き気や失神とおさらばしたんだ。

ハリエット・ホワイト記念病院もまた、わしがインターンとして勤めはじめた年から九年目に、わしにとって大事件ともいえる出来事の舞台となった——今夜、きみたちに話したいと思っているのは、まさにその大事件の話なのだ。きっと、この話はクリスマスに語られるべき物語ではない、と言われるだろう。たとえ最後のシーンがクリスマス・イブで終わるにしても、な。そして、これは確かに恐ろしい話である一方、われら呪《のろ》われた、死すべき運命の種《しゅ》の驚くべき力を、あますところなく表わしているようにも思われてならない。この話の中に、わしはわれら人間の意志というものの驚異を見る……同様に、おそろしい黒い力を。

諸君、出産そのものは、大多数の人にとっていまわしいものだ。今日《こんにち》では、わが子の誕生に父親が立ち会うべきだという考えが流行しているが、この流行は、べつに罪悪感など感じる必要はないのに後ろめたさに悩む、多くの男性には有用だし（一部の女性は、したり顔で、また、先を見越した残酷さでもって、罪悪、ということばを使う）、まあ、おおむね、健全で、良性のもののように思われる。とはいえ、蒼白《そうはく》になってよろめきながら分娩室《ぶんべんしつ》から出てくる男たちを見たこともあるし、悲鳴と血に圧倒されて、女の子のように卒倒する男たちを見たこともある。そういえば、ある父親はりっぱにもちこたえていた……彼の健康そのものの息子が、この世に押し出されてくると、彼はヒステリックにわめきだしてしまったが。そのあかんぼうは目を開けていて、周囲を見まわしているような印象を与えておったのだよ……その目が父親に向けられたんだな。

諸君、出産はすばらしいものだが、わし自身は、そこに美を見いだしたことはない——どんなに想像力をたくましくしてみても、だ。わしは、出産は美しいというにはあまりにも獣性の強すぎるものだ、と信じている。女性の子宮はエンジンのようなものだ。妊娠すると、エンジンが始動する。初めはほとんど動かない……だが、妊娠サイクルが出産というクライマックスに近くなってくると、エンジンの回転がぐんぐんアップしていく。空ぶかしのささやきが、安定した走行のハム音に変わり、次に低いうなりとなり、最後にとどろきわたる、驚くような咆哮《ほうこう》となるのだ。いったんエンジンが回転しはじめると、これから母になろうという女性は誰《だれ》でも、自分の生命が抑えられたことを認識する。その先子どもが産まれ、ふたたびエンジンが停止するか、あるいは、エンジンの音がどんどん大きくなり、回転がどんどん速く激しくなって破裂してしまい、血と苦痛にまみれて自分が死ぬか、どちらかだということを理解するのだ。

諸君、これはわれわれが二千年近くものあいだ祝ってきたある誕生日の、前夜《イブ》にあったもうひとつの誕生の話だ。

＊　　＊　　＊

わしは一九二九年に一人前の医師として働きはじめた――なにごとにせよ、なにかを始めるには悪い年だった。わしは祖父になにがしかの金を貸してもらうことができたので、他《ほか》の多くの同僚よりは運がよかったが、それでも、その後四年以上、自分の才覚で生きのびていかなければならなかった。

一九三五年ごろになると、事態はわずかながら良くなった。わしは決まった患者しか診ないという基本方針を発展させ、数人の外来患者を、ホワイト記念病院から他の専門病院に紹介した。その年の春、わしは新しい患者と会った。この若い女性を、サンドラ・スタンスフィールドと呼ぶことにしよう——実際、この名前は彼女の本名とよく似ている。彼女は若く、白人で、二十八歳だと言った。診察が終わったあと、わしは彼女の本当の年は、彼女が言った年より、三つから五つは若いと推測した。髪はブロンド、ほっそりしていて、当時としては背が高い方だった——五フィート八インチはあっただろう。とても美人なのだが、態度にきびしいものがあり、近づきがたい感じだった。顔だちははっきりしていて端正だし、目には知性があった……くちびるは、マディソン・スクエア・ガーデンの向かいに立っているハリエット・ホワイトの像の、石のくちびると同じように、意志も強固にきりっと引きしまっていた。書類に本人が書きこんだ名前は、サンドラ・スタンスフィールドではなく、ジェーン・スミスだった。その後の検査の結果、彼女が妊娠二カ月であることが判明した。彼女の指に結婚指輪はなかった。

予備検査——妊娠検査の結果が出る前——のあと、看護婦のエラ・デビッドソンが言った。「昨日の女性ですけどね。ジェーン・スミス？　これが偽名じゃないとしたら、こんな名前、聞いたことがありませんよ」

わしは同意した。とはいえ、わしはむしろ、彼女に感心していたのだ。彼女はふつうの女のように、ためらったり、足をもじもじさせたり、顔をあからめたり、涙ぐんだり、そんなまねはいっさいしなかった。毅然《きぜん》として、しかもてきぱきしていた。偽名にしたことさえ、恥ずかしいからというより、もっと事務的な理由からだろうと思われた。たとえば〝ベティ・ラックルハウス〟という名を創作したり、〝タニーナ・ダービル〟という名前をでっちあげたりすることによって、本名らしく見せようという作意は、ぜんぜんなかった。彼女はこう言っているようだ――規則だから、書類に名前が必要なんですね。だから名前を書きました。でも、わたしの知らない男の職業倫理を信じるよりは、わたしはわたし自身を信じます。かまわないでしょう。

エラは鼻を鳴らし、二、三、私見を述べた――〝モダン・ガール〟とか〝実にずうずうしい〟とか――が、本当は心のやさしい女なので、彼女が書類のため以外の理由で、そういうことを言っているとは、わしは思わなかった。わしと同じく、エラも、新しい患者がどうであろうと、彼女がけわしい目つきの尻軽《しりがる》なあばずれではないことを、ちゃんと承知していた。いや、〈ジェーン・スミス〉はきわめてまじめな、きわめて意志の強い若い女性にすぎない――もしこの両方の形容詞を、〝すぎない〟という不適切なことばで表現できるものならば。それは不快な状況だし（きみたちも憶《おぼ》えているだろうが、こういう場合には〝苦境に立つ〟という言いまわしが使われたものだ。今日《こんにち》では多くの若い女性は人工流産で苦境を乗り切るらしいが）、彼女はできるかぎりたしなみと品位を保って、その状況を切りぬけるつもりだったのだろう。

初診の日から一週間後に、彼女は再診にやってきた。すばらしい日だった――本当に春がきたと実感できる最初の日だった。空気は甘く、空はやわらかなミルク色がかった青で、そよ風には香りがあった――自然がふたたび妊娠サイクルに入ったことを知らせるような、暖かく、なんとも言えない匂《にお》いだった。そういう日には、人は責任などというものからさっさと逃げ出し、愛《いと》しい人と向かいあってすわっていたいものだ――格子柄《こうしがら》のナプキンをかけたピクニック用の弁当を手に、その日にふさわしい、美しい袖無《そでな》しの服を着て、つばの広い、大きな白い帽子をかぶった当のご婦人とつれだって、コニー・アイランドか、ハドソン川の向こうのパリセイダースあたりへ行くのだ。

〈ジェーン・スミス〉の服には袖がついていたが、その日にふさわしく、美しかった。茶色の縁飾りのある白いリンネルのスマートな服だった。それに、茶色いパンプス、白い手袋、少しばかり流行遅れの釣鐘型《クローシュ》の帽子――これを見て初めて、わしは彼女が裕福ではないことを知った。

「妊娠ですよ」わしは言った。「そうではないか、と思っていらしたんじゃないんですか？」

泣くのなら今だろう、とわしは思った。

「ええ」みごとに平静を保っている。その日の地平線上に雨雲ひとつないように、彼女の目には涙のひとしずくも宿っていない。「わたし、ふだんはいつも周期がきちんとしていますから」

一瞬の沈黙。

「出産日はいつでございましょう？」ほとんど聞こえないぐらいのため息とともに、彼女は訊《き》いた。そのため息は、男にしろ女にしろ、重い荷をかつぐためにかがみこむ前に、ふっともらしてしまう、ひそやかな音だった。

「クリスマス・ベイビーになりますね。十二月十日と申しあげておきますが、前後二週間のずれはありえますから」

「わかりました」一瞬ためらってから、彼女はきっと顔をあげた。「先生に診ていただけます？　たとえ、わたしが結婚していなくても」

「ええ。ただし、条件がひとつあります」

彼女は眉《まゆ》をしかめた。とたんに、その顔はいつもよりいっそうハリエット・ホワイトの顔に似て見えた。二十三歳ぐらいの若い女のしかめっつらなら特にいやなものではないと思う人もいるだろうが、彼女の場合はちがった。彼女は帰りじたくを始めた。

彼女なら、別の医者のもとで、このきまりの悪い手順を、もう一度くり返さなければならないという事実におじけづき、思いとどまるということはあるまい。

「それで、それはどういうことでしょう？」完璧《かんぺき》に抑制された礼儀正しい口調だ。

今度はわしの方が、彼女のおちついた薄い茶色の目から視線をそらし、うつむきたくなったが、わしはしっかりと彼女の目をみつめた。「あなたの本名をお訊《き》きしたいんです。あなたがお望みなら、現金払いでもけっこうですし、デビッドソン看護婦に、ジェーン・スミス名義の領収書を書かせることもできます。ですが、今後七カ月あまり、ともにおつきあいをするのなら、わたしはあなたが一生を通じて応《こた》える名で、あなたと話をするようにしたいんです」

わしはひどく滑稽《こっけい》な短い演説を終えると、じっくり考えている彼女を見守った。そしてなぜか、彼女が立ちあがり、わしに時間をとらせたことに礼を言って、永久に立ち去ってしまうだろうと確信していた。そんなことになれば、がっかりだ。わしは彼女が好きだった。というより、彼女の問題に対するごまかしのない態度が好きだった。女たち百人のうち九十人は、愚にもつかぬ見苦しい嘘《うそ》を並べたて、体内の生きた時計におびえ、うまく対処するために無理のない計画をたてることがだんだん不可能になっていく状況を、深く恥じるだけだ。

今日《こんにち》の若い連中には、そういう愚かしい醜悪な気持など、とうてい信じられないだろう。今日では、人々はものわかりのいいところを示そうと懸命になってしまうあまり、結婚指輪をしていない妊婦は、指輪をしている妊婦の倍はよけいなおせっかいをやかれがちなのだ。諸君も状況がまったくちがっていた時代のことを憶えているだろう――正しさと偽善とが結びつき、みずから〝苦境に追いこまれた〟女性にとって、ひどく困難な状況を生み出していた時代のことを憶えているだろう。当時は結婚している妊婦は、神がそのためにこの世に自分をおつかわしになったのだ、という立場を認識し、義務を果たす誇りをもち、晴れやかに輝いておった。そういう世間の目から見れば、結婚せずにみごもっている女はあばずれであり、当の本人の目から見ても、あばずれとみなしがちだった。エラ・デビッドソンのことばを借りれば、そういう女たちは〝だらしがない〟のであって、あの時代あの社会においては、〝だらしのなさ〟というのはおいそれとは許されないことだった。そういう女たちはあかんぼうを産むために、こっそりとよその町や都会に逃れた。ある者は薬を飲むか、建物からとび降りた。またある者は汚ない手のもぐりの堕胎医のもとへ行くか、自分自身で始末しようとした。あのころ、わしは医師として、子宮に穴を開けられ出血多量で、わしの目の前で死んでいった女を四人見ている――ある女などは、ちり払い用のブラシの柄《え》に結びつけたドクター・ペッパーの空きびんの、ぎざぎざに割れたびんの口で子宮に穴があいていた。今はそんなことがあったとは、とても信じられないが、実際にあったのだ。本当にあったのだ。ひとくちに言って、健康な若い女が自分のいる場所を探すには、最悪の社会だった。

「わかりました」とうとう彼女は言った。「とても理にかなってますわ。わたしの名前はサンドラ・スタンスフィールドです」そして片手をさしだした。わしはむしろびっくりしながら、その手を取り握手した。そんなところをエラ・デビッドソンに見られなくてすんだのを、わしは喜んだ。たぶんエラはとやかく言ったりしないだろうが、次の一週間はさぞコーヒーが苦くなったことだろう。

ミス・スタンスフィールドはわしの、おそらくは困ったような顔にほほえみ、率直な目でわしをみつめた。「わたしたち、お友だちになれるといいですね、ドクター・マッキャロン。わたしには、今、友人が必要なんです。とてもおびえていますから」

「お気持はよくわかりますし、できるなら、わたしが友人になりましょう、ミス・スタンスフィールド。さしあたって、なにかしてあげられることがありますか?」

ミス・スタンスフィールドはバッグを開け、ダイム・ストアで売っているメモ帳とペンを取り出した。メモ帳を開き、ペンをかまえると、わしの顔を見あげた。一瞬、わしは堕胎医の名前と住所を尋ねられるのかと、ぞっとした。彼女は言った。「どんな食べ物がいちばんいいのか、お訊きしたいんです。つまり、おなかの子のために」

わしは大声で笑った。彼女は少しばかり驚いた目でわしを見た。

「すみません——あなたが実にその、ビジネスライクなかたなものだから」

「そうですわね。今はおなかの子はわたしの仕事の一部ですもの。そうじゃありませんか、ドクター・マッキャロン」

「そうです。もちろん、そのとおりです。妊娠なさった患者さん全員にさしあげている注意書きを取ってきます。それには食餌《しょくじ》療法、体重、飲酒、喫煙等、さまざまな問題が扱ってあります。どうか、お読みになっても笑わないでくださいよ。わたしが書いたものなので、笑われると気持が傷つきます」

わしは注意書きを取りに行った——実際は注意書きというよりは、小冊子と言っていいもので、のちに『妊娠および出産のための実用手引き』という本になった。当時の、いや、今もそうだが、当時のわしは、産科と婦人科に特に関心があった。あのころは上流階級のコネを数多くもっていないと、専門とする類《たぐい》のことではなかったのだが。たとえ産科婦人科を専門としても、確固とした医師として成りたつには、十年から十五年はかかっただろう。戦争があったせいで、わしはかなり年をくってから一人前の医者になったので、余分なことに時間をさく余裕はないと思っていた。一般医としてやっていきながら、多数の幸せな妊婦を診て、多数のあかんぼうをとりあげることにしようと、そう思っているだけで満足していた。そして、そのとおりにやってきた。最終的に勘定してみると、わしがとりあげたあかんぼうは、ざっと二千人を超える——五十の教室をいっぱいにするに足る数だ。

わしは一般医のどんな領域にも応用されている方法より、もっとスマートなあかんぼうのとりあげかたについて、たゆまず研究論文を読み、負けずについていった。それに、わしは独自の強固な意見、熱心な意見をもっていたので、当時の若い母親たちにごくふつうに押しつけられていた、古くさいたわごとを伝えるどころか、自分で手引きの小冊子を書いたのだ。そのたわごとを全部ここで披露《ひろう》していては、ひと晩かかってしまうから、そうはできないが、二つほど例をあげてみたい。

当時、流産や〝難産〟を避けるには、妊婦はできるだけ足を休め、決して長時間歩きつづけてはならないと言われていた。ところが、出産というのは非常に激しい労働であり、そういう忠告は、フットボール選手に大きな試合のときに疲れないように、その前はできるだけごろごろしているよう勧めるのと同じことなのだ！　また、多くのりっぱな医師たちが与えた信用のおける忠告の、もうひとつの例として、少し肥満ぎみの妊婦は煙草《たばこ》を喫《す》うこと、というのがあった……喫煙だぞ！　その根拠となるべき理論は、当時の煙草の広告に如実に表われていた。すなわち〈お菓子をつまむより、ラークを一本〉、というわけだ。二十世紀に入ったとき、同時に医学の夜明けがきた、理性の時代に入ったのだ、と考えている人々は、いつの日にか、どれほど恐ろしい医学がまかりとおることになるか、毛ほども予想していないだろう。考えておいた方がいい。きっと髪の毛がまっ白になることだろう。

わしがミス・スタンスフィールドに小冊子を渡すと、彼女は五分ばかり、完全にそちらに気をとられていた。わしはパイプに火をつける許しを乞《こ》うた。彼女は目もあげずに、うわのそらでどうぞ、と言った。ようやく顔をあげた彼女は、くちびるに小さな笑みをうかべていた。「急進的でいらっしゃいますのね、ドクター・マッキャロン」

「なぜまたそんなことを？　わたしが、妊婦に煙の充満した振動の激しい地下鉄に乗るのをやめて、歩いて用事をすませなさいと忠告しているからですか？」

「なんだかわかりませんが〝胎児期のビタミン〟とやらに……水泳の勧め……それに、呼吸運動！　呼吸運動って、なんでございますか？」

「それはあとで必要となります……いや、わたしは急進派ではありませんよ。とんでもない。ところで、次の患者さんをもう五分も待たせているんですが」

「まあ、ごめんなさい！」彼女は急いで立ちあがり、バッグにぶあつい小冊子を突っこんだ。

「あわてる必要はありません」

ミス・スタンスフィールドは軽いコートに腕を通し、例の率直な薄茶色の目でわしを見ると、こう言った。「ちがいますわね。ちっとも急進的じゃありませんわ。先生は本当にその……こちらをおちつかせてくださいます。慰められる？　このことばでいいのかしら？」

「そうありたいと思っていますよ。それはわたしの好きなことばだ。ミセス・デビッドソンに声をかけてくだされば、予約のスケジュールを教えてもらえます。来月初めにまたお目にかかりたいですな」

「お宅のミセス・デビッドソンは、わたしを良く思っていらっしゃいませんわ」

「いや、そんなことは絶対にありません」とは言ったものの、わしは決して嘘がうまくないため、彼女とわしのあいだに流れていた暖かいものが、急にどこかに消えてしまった。わしは彼女を診察室のドアまで送っていかなかった。「ミス・スタンスフィールド？」

彼女はひややかに、尋ねるようにふり向いた。

「あかちゃんを産むおつもりでしょうね？」

ミス・スタンスフィールドはじっとわしをみつめ、ついで微笑した——みごもった女性だけが知っているひそやかな微笑だった。「ええ」彼女はそう答え、帰っていった。

その日の残りは、毒ヅタにかぶれ、そっくり同じ症状を示している、そっくり同じ顔の一卵性双生児の手当てをしてやり、腫《は》れものを切開し、板金溶接工の目からかぎ形の金属片を取り除き、ガンと判明したいちばん古い患者のひとりを、ホワイト記念病院に紹介したりして過ぎていった。一日が終わるころには、サンドラ・スタンスフィールドのことはすっかり忘れていた。彼女のことを思い出したのは、エラ・デビッドソンがこう言ったからだった。「あの女性《ひと》は浮気女《うわき》なんかじゃありませんね」

わしは最後の患者のカルテから目をあげた。わしはカルテを見ながら、たいていの医者が自分の無力さを思い知らされたときに感じる役にも立たない嫌悪感《けんお》にさいなまれ、そういうカルテに押すゴム印——〝未収金〟とか〝苦痛多し〟とか〝患者移転〟とか、あるいは簡単に〝不治〟とある印——でも作った方がいいのではないかと考えていたところだった。ゴム印には毒薬のびんについているような、頭蓋骨《ずがいこつ》と大腿骨《だいたいこつ》二本をぶっちがいにしたしるしを入れようかとか。

「すまん、なんて言ったのかね？」

「先生のミス・ジェーン・スミスのことですよ。今朝の診察のあと、ひどく奇妙なことをしたんです」ミセス・デビッドソンの頭と口の組み合わせから言って、それが彼女にとって許容できる種類の奇妙なことだというのは明らかだった。

「で、どんなことかね？」

「わたしが予約カードを渡しますと、あのひとは費用が全部でいくらかかるかと訊きました。費用の全額です。分娩《ぶんべん》から入院の費用までいっさい含めて」

それは確かに奇妙なことだった。思い出してほしいが、これは一九三五年の話だし、ミス・スタンスフィールドはどこから見ても、自活している婦人だった。彼女はいい暮らしを、それもかなりいい暮らしをしていただろうか？　わしにはそうは思えない。彼女の服、靴《くつ》、手袋、どれもスマートだったが、宝石はひとつも身に着けていなかった――模造宝石さえも。それにあの帽子のことがある。あれはまちがいなく流行遅れの釣鐘型《つりがねがた》だった。

「そうしてさしあげたかい？」

ミセス・デビッドソンは、まるでわしが正気を失ってしまった、といわんばかりの目つきをした。「したか、ですって？　もちろん、いたしました！　あのひとは全額お払いになりましたよ。現金で」

　この最後の件、これがミセス・デビッドソンを驚かせたのだが（むろん、非常に喜ばしい驚きだが）、わしはぜんぜん驚かなかった。ジェーン・スミスの世界でできないことのひとつは、小切手を切ることなのだから。

「バッグから預金通帳を出し、それを開くと、きちんとお金を数えて、わたしの机の上にお置きになりました」ミセス・デビッドソンはつづけた。「そしてお金がはさんであったところに、領収証をはさみ、通帳をバッグにもどすと、さようならとおっしゃいました。いわゆる〝ごりっぱ〟なかたがたに、請求書の支払いをしていただこうと、わたしたちが苦労して駆けずりまわることを思えば、たいへん良いことです！」

　わしはなんらかの理由で、いささか残念な思いをしていた。そういうことをしたスタンスフィールドという女性に、また、現金払いに気をよくし、ひとりで悦にいっているミセス・デビッドソンに、そして、自分自身に対し、おもしろくなかった。当時も、そして現在に至るも、それがどういう理由《わけ》だったのか、明らかにできずにいる。なんだか知らないが、自分がいやにちっぽけに思えたのだ。

「だが、なにも今すぐに、入院の費用まで払うことはなかったんじゃないかね？」ことさらに言いたてるには、あまりにも瑣末《さまつ》なことだったが、そのときのわしには、自分の不快な気分と、半ば楽しんでいたともいえる挫折《ざせつ》感とを表現するのに、それしか思いつかなかったのだ。「つまるところ、彼女がどのぐらいの日数入院することになるか、誰《だれ》にもわからないんだから。それともきみは水晶玉でものぞいているのかね、エラ？」

「わたしがまったく同じことを申しますと、あのひとは通常分娩の場合の平均入院日数をお訊きになったんです。わたしは六日とお答えしました。いけませんでしたでしょうか、マッキャロン先生？」

わたしはいいと答えざるをえなかった。

「それで、あのひとは六日分前払いにしておいて、長引いたときは、差額を払うし、もし――」

「――もし短くなったら、こちらが金をお返しすればいい」わしはうんざりして、途中で口をはさんだ。内心で〝どっちにしろ、厄介《やっかい》な女だ！〟と思ったとたん、わしは笑いだしてしまった。彼女には気概《ガッツ》がある。それは否定できない。あらゆる気概がある。

ミセス・デビッドソンはめずらしく笑顔を見せた……老いぼれた今でも、わしはわが同胞の人類について、なんでも知っていると思いこみそうになるたびに、あのときのエラ・デビッドソンの笑顔を思い出しておるよ。その日まで、まさか、ミセス・デビッドソンのような女が、わしの知っているかぎりでも、もっとも〝堅苦しい〟女が、結婚せずに妊娠した娘のことを思って、好意的な笑顔を見せてくれることがあろうとは、生命《いのち》に賭《か》けて、考えられなかった。

「気概、ですって？　わたしにはわかりませんわ、先生。ですが、あのひとはご自分の意志というものが、よくわかっておいでです。確かにそうですとも」

一カ月たち、ミス・スタンスフィールドは予約時間ぴったりに姿を見せた。当時も現在もそれがニューヨークだと言える、驚くほど広い人の流れの中から、ひょっこりと現われてきたのだ。彼女は目のさめるようなブルーの服を着ていた。まったく同じ服が何ダースもぶらさがっているつるしの中から選んだものだと、ひと目でわかる服にもかかわらず、彼女はその服に独創性と、一種の愛情といえるものを与えるのに成功していた。しかし、パンプスは服とマッチしていなかった。一カ月前に見たときと同じ茶色の靴だった。

わしはていねいに彼女を診察し、すべて順調だとわかった。わしがそれを伝えると、彼女は喜んだ。「わたし、胎児期のビタミンをみつけましたわ、マッキャロン先生」

「ほう、それはすごい」

彼女の目がいたずらっぽく輝いている。「薬剤師に忠告されたんですよ」

「神よ、わたしを乳鉢《にゅうばち》と乳棒から救いたまえ」わたしがそう言うと、彼女は親指のつけ根のところを口に押しあて、くすくす笑った――子どもっぽいしぐさで、気取りのないところが、こちらの心をひきつける。「わたしはこれまでのところ、欲求不満の医師としか言いようのない薬剤師にしか、会ったことがありません。でなければ、共和党員か。胎児期ビタミンというのは新しいものですから、薬剤師たちは不信の念を抱いています。その薬剤師の忠告をきいたんですか?」

「いいえ、わたしは先生の忠告をとります。あなたがわたしの主治医ですもの」

「ありがとう」

「どういたしまして」今度はくすくす笑ったりせず、まっすぐにわしを見た。「マッキャロン先生、いつごろから目立ちはじめますでしょう?」

「八月までは目立たない、と思います。九月になったら、そうですね、ゆったりした服をお選びになればいい」

「ありがとうございました」彼女はバッグを取ったが、すぐには立とうとしなかった。なにか話をしたいのだ……が、どこから、あるいは、どういうふうに、切り出せばいいいのかわからずにいる。

「あなたは勤労女性、ですね?」

彼女はうなずいた。「ええ、働いています」

「勤務先をうかがってもかまいませんか? おいやなら――」

彼女は笑った――昼間と夜とがちがうように、くすくす笑いとはまったくちがう、暖かみもなければ、おかしがっているようすもない笑いだった。「デパートです。この街で未婚の女が働ける場所って、ほかにあります? 髪を染め、それをちいちゃなフィンガーウェーブで形をととのえた、太ったご婦人たちに、香水を売っています」

「いつまでつづけるつもりです?」

「微妙な状態に気づかれるまで。そうなったら、太ったご婦人たちの気を動転させないように、やめるつもりでいます。結婚指輪をしていないのにおなかが大きい女に応対されたのでは、ショックのあまり、ご婦人たちのせっかくちぢらせた髪の毛が、まっすぐに伸びてしまいかねませんものね」

まったく突然に、彼女の目に涙が光った。くちびるが震えだしたのを見て、わしはハンカチを探した。だが涙はこぼれなかった。――ひとつぶたりとも。一瞬こみあげた涙を、彼女はまばたきして隠してしまった。くちびるは固くひきしめられた……そして、また、やわらげられた。彼女は感情のコントロールを失うまいと決心し……それをやりとげたのだ。実にみごとな光景だった。

「すみません。先生はとてもご親切にしてくださいましたわ。そのご親切に、ありふれた身の上話で報いる気はありません」

彼女は立ちあがり、わしも立ちあがった。

「わたしは聞き手として悪くありませんよ。それに時間もあります。次の患者さんがキャンセルしてきましたのでね」

「いいえ、けっこうです。ありがたいんですけど、やめておきますわ」

「わかりました。だが、ちょっとお話があります」

「はい?」

「わたしは患者さんに、どんな患者さんにも、いずれお渡しすることになる請求書の、前払いはしていただかないことを方針としています。ですから、もし、あなたが……その、もし、お望みなら……いや、必要があれば……」わしは口ごもってしまい、最後は黙ってしまった。

「わたしはニューヨークに四年住んでいますのよ、マッキャロン先生。おまけに、生まれつきつましいんです。八月以降、あるいは九月以降、ふたたび働けるようになるまで、貯金で暮らしていかなければなりません。たいした額ではありませんから、ときどき、だいたい夜中ですけど、とても恐ろしくなります」

彼女は例のすばらしい薄茶色の目で、平静にわしを見た。「わたしにしてみれば、まず第一に、あかちゃんのための費用をお払いしておく方が、いいこと、安心できること、のような気がします。なににもまして。なぜなら、それであかちゃんがいつも心の中にいてくれることになりますし、支払いをあとまわしにすると、お金を使いたくなる誘惑が強くなるかもしれないからです」

「よくわかりました」わしは答えた。「でも、請求書を出す前に支払われた金だということを、わたしが承知しているのをどうぞ忘れないでください。必要になったら、ぜひ、そうおっしゃい」

「そしてまたミセス・デビッドソンにきつい目でにらまれるんですか？」彼女の目にいたずらっぽい光がもどっていた。「その必要はないと思います。それでは、先生——」

「できるだけ長く働くつもりですか？　ぎりぎり可能なときまで？」

「ええ。そうしなければなりませんから。なぜです？」

「だとすると、お帰りになる前に、あなたを少しおどかさなきゃならないんです」

彼女はわずかに目をみひらいた。「そんなことはやめてくださいな。わたしはもう充分におびえているんですよ」

「だからこそ、言わなくてはならないんです。もう一度すわってください、ミス・スタンスフィールド」彼女が突っ立ったままでいるので、わしは重ねて言った。「どうぞ」

彼女はすわった。しぶしぶと。

「あなたの立場は他にかえようがなく、どうにもたいへんなものです」わしはデスクの端に腰をおろして話しだした。「その状況に、あなたはみごとな品位をもって対処しておられる」

彼女はなにか言おうとしたが、わしは手で制して黙らせた。

「それはりっぱなことです。わたしはあなたに敬意を表します。しかし、あなたが経済的保証のことを不安に思うあまり、いろいろな点であかちゃんを痛めるのを、わたしは見たくない。前に、わたしのきびしい注意にもかかわらず、くる月もくる月もガードルに体を押しこみ、おなかがどんどん大きくなっていくにつれ、ますますきつく紐《ひも》を締めていた患者がいました。虚栄心の強い、愚かな、厄介きわまりない女で、そもそも、彼女があかんぼうを望んでいたとは、とても信じられません。今日《こんにち》、誰もが麻雀《マージャン》台を囲みながら話の種にしているような、例の潜在意識がどうこうという説の多くは、わたしには承諾しがたいものです。でも、承諾できるものなら、その患者──あるいは、彼女のごく一部──があかんぼうを殺そうとしていた、と言えるでしょう」

「で、そうなりましたの？」

「いや、そんなことはありません。しかし、あかんぼうは生まれつき、知恵遅れでした。どっちにしても、その子が生まれつきの知恵遅れだった可能性はありますし、そうでないと言っているのではないんです──なにが原因でそういうことになるのか、については、わたしたちにはほとんどなにもわかりません。だが、もしかすると彼女がその原因を作ったのかもしれない」

「おっしゃりたいことは、よくわかります」サンドラは低い声で言った。「先生はわたしが……あと一カ月か六週間か働けるようにと、体を締めつけたりするのは、やめてほしいとおっしゃりたいんですね。そういう考えが胸をよぎったことがあるのは、認めます。ええ……おどかしてくださって、ありがとうございました」

今度はわしは彼女をドアまで送った。預金通帳にどれぐらい、いや、いくらしか残っていないのか、どの程度までせっぱつまっているのか、訊《き》きたかった。それは彼女が答えるはずのない質問だった。それはよくわかっていた。ミス・スタンスフィールドは帰っていった。わしはそれから一カ月のあいだ、おりおり彼女のことを考えている自分に気づいたものだ。

ここでヨハンセンがマッキャロンの話をさえぎった。二人は古い友人同士であり、そのために話を聞いていた者全員の胸にうかんだ疑問を質問する権利が、ヨハンセンにあるのだろうとわたしは思った。

「きみは彼女を愛していたのかね、エムリン？　きみの話はそのことに、彼女の目と微笑にこめられていた感情《こころ》と、きみがときおり彼女のことを考えていた、という話に終始するのかい？」

わたしは話の腰を折られたマッキャロンがいらだっているだろうと思ったが、そうではなかった。「きみたちには疑問を口にする権利がある」マッキャロンはそう言うと、煖炉《だんろ》の火をみつめたまま、一瞬沈黙した。まどろんでしまったのではないか、と思われたほどだった。やがて乾いた薪《まき》の節こぶがはじけ、火花が渦《うず》巻《ま》き状に煙穴を昇っていった。マッキャロンはまずヨハンセンに、それからわたしたち全員に、つぎつぎに視線を向けた。

「いや、わしは彼女を愛していたのではない。わしが彼女について話したことは、恋におちた男が注意を向けることと同じように聞こえるだろう——目とか、服とか、笑顔とか」マッキャロンは持ち歩いている特別製のボルトのようなパイプ用ライターで、パイプに火をつけ、火皿《ひざら》が一面のおきになるまでライターの火を近づけていた。そしてボルト・ライターのふたをカチッと閉め、ジャケットのポケットにしまうと、ふんわりと煙を吐いた。煙は芳香の膜を作りながら、ゆっくりとマッキャロンの顔の周囲にただよった。

「わしは彼女に感心しておったんだ。かいつまんで言えばそうなる。しかも、その度合いは彼女が来るたびに強くなっていった。諸君のうち何人かは、境遇のせいで引き裂かれた恋愛話だと考えているだろう。それはまるっきり事実から遠い。半年ほどたったころ、ようやく彼女の身の上が少しわかったが、諸君もそれを聞けば、彼女自身が自分で言ったとおり、どの点から見てもごくありふれた話だとわかると思う。彼女もまた、他《ほか》の千人もの娘と同様、都会にあこがれて育った。小さな町の出身だ……。

……アイオワかネブラスカの。それともミネソタかもしれない——もうはっきりしたことは憶《おぼ》えていないんだ。彼女はハイ・スクール時代、演劇をやっていて、小さな町の公会堂で何度も舞台を踏んだ。地方の週報には、カウ・アンド・サイレージ短期大学《ジュニア・カレッジ》で英文学の学位を取った演劇評論家の、好意的な批評がのった。それで俳優としてのキャリアをつもうと、ニューヨークへ出てきたんだ。

彼女はその件に関しても実際的だった――ともかく、非実際的な野心が許すかぎりにおいて、実際的だった。ニューヨークへ出てきたのは、映画雑誌には説明がのっていない論点――ハリウッドに来た若い女は誰《だれ》でもスターになれる、あるときシュワッブのドラッグ・ストアでソーダ水をすすっていた女の子が、あくる日はクラーク・ゲーブルや、フレッド・マクマリーを相手に演じているかもしれない――を信じなかったからだと、わしに言った。ニューヨークに来たのは、その世界にうまくもぐりこむには、その方がより容易だと思ったからだった……彼女がトーキーよりも舞台の芝居の方に、興味をもっていたためだろう。

彼女は大きなデパートで香水を売る職を得て、演技教室に入った。頭がよくて、おそろしく度胸のある――彼女の意志は、徹頭徹尾、純粋の鋼《はがね》だ――娘だが、他のみんなと同じく、一個の人間だった。しかも、孤独だった。中西部の小さな町から出てきたばかりの、ひとりぼっちの娘にしか、孤独がどんなものであるかはわかるまい。ホームシックというやつは、つねにあいまい模糊《もこ》とした、ノスタルジーあふれる、美しいといってもいい感情であるとはかぎらない。どういうわけか、われわれはいつもそう心に描いてしまうけれども。それはおそろしく鋭い刃となり、比喩《ひゆ》的な意味においてのみ病気《シック》なのではなく、実際にそうなってしまうことがある。世間を見る目を変えてしまうこともできる。路上を往《い》きかう人々の顔が、冷淡に見えるばかりか醜悪に……敵意に満ちて見えることさえある。ホームシックというのは、本物の病いなのだ——慣れた土壌から根こぎにされた植物の痛み。

どんなに心意気がみごとで、どんなに度胸のあるミス・スタンスフィールドも、それは免れなかった。そのあとのことはごく自然な成りゆきであり、語る必要もない。演技教室に若い男がいた。二人はときどきいっしょに外出した。彼女は男を愛してはいなかったが、彼女には友人が必要だった。その男が友人とは言いがたく、しかもその先も友人にはなりえないとわかったころ、二つの事件がもちあがった。性に関《かか》わる事件だ。彼女は妊娠していることを知った。彼女が男にうちあけると、男は彼女を守り、〝道徳にかなったこと〟をすると言った。一週間後、男は住まいを引きはらい、転居先の住所も残さなかった。そのときに、彼女はわしの病院に来たのだ。

四カ月目に入ったとき、わしはミス・スタンスフィールドに〝呼吸法〟、現在ではラマーズ法とよばれている方法を教えた。諸君にもおわかりのとおり、当時、ムッシュー・ラマーズはまだ一般に知られていなかった。〈当時〉ということばが何度もくり返し出てきておるな。申しわけないが、しかたがないのだ——これまでに語ってきたこと、これから語ろうとしていることは、あいにく〈当時〉に起こったことなのだから。

というわけで……四十五年前の〈当時〉、アメリカの大きな病院の分娩室《ぶんべんしつ》を訪れると、どこに行っても、精神病院を訪れたときに耳にするような騒ぎが聞こえたものだ。泣きわめく女、死にたいと叫ぶ女、こんな苦しみには耐えられないと大声で訴える女、神よ罪を許したまえと絶叫する女、まさかそんなことばを知っていようとは、夫も父親も絶対に信じないような悪態や罵詈雑言《ばりぞうごん》を、つぎつぎに吐きちらしている女。重い陣痛にともなう緊張からくるうめき声は別として、世界じゅうの大多数の女性たちが、ほとんど沈黙のうちに出産をしているにもかかわらず、前に言ったような騒ぎは、すべて、一般に是認されたことだった。

たいへん言いにくいことだが、そういうヒステリーの一端は医師に責任がある。すでに出産を経験した友人や身内の者たちから、妊婦が聞かされる話もまた、ヒステリーの一因となった。疑ってはいかん。ある種の経験は害になると言われたら、それは害になるのだ。たいていの痛みは意識に存在するものであり、出産は耐えがたい苦痛をともなう、という情報を母親や、姉妹や、既婚の友人や、主治医から得て、その考えを脳裏に刻みこんでしまった女は、意識のうえで、多大な苦痛を感じる用意ができてしまっているのだ。

医師の看板をあげて六年にしかならなくても、わしは女たちが二面性をもつ問題になんとか対処しようと努力している姿を見るのに、慣れてきはじめていた。二面性のある問題というのは、妊娠して、新しい誕生を迎えるために計画をたてなければならないという事実ばかりではなく、死の影の谷に入りこんでしまったという事実——とにかく、大部分の者はこれを事実と見ていた——という問題だ。女たちはもし自分が死ぬようなことがあっても、夫ががんばっていけるように、いろいろな用事をきちんと片づけておく努力をしたものだ。

ここは産科の講義をする場所でもないし、そんな時間もないが、〈当時〉以前のずいぶん昔から、西部の各地域では、出産が非常に危険だったことは諸君も知っているだろう。一九〇〇年になったころ、医学処置に革命が起こり、妊娠出産にはるかに安全な処置がとられるようになったのだが、それを妊婦に伝える手間を惜しまなかった医者は、あきれるほど少なかった。理由なぞ、神にしかわかるまい。だが、その点をかんがみて、分娩室がベルビュー病院の九号棟《とう》のような騒ぎだったとしても、不思議ではなかろう? 分娩室には、ついに最終段階を迎えたかわいそうな女たちがいて、当時のビクトリア朝ふう礼儀作法のゆえに漠然《ばくぜん》としたことばでしか語られたことのない過程を、身をもって経験しているところなのだから。ここにいる女たちは、出産というエンジンが、ついにフル・パワーで回転しているのを経験しているところなのだから。女たちは、畏《おそ》れと驚きとにがっちり捕えられると、すぐさまそれを耐えがたい痛みと解釈し、余命いくばくもなくみじめな最期《さいご》をとげるのだと考えた。

妊娠出産に関する研究論文を読んでいくうちに、わしは沈黙の出産の原理と、呼吸法という概念とを発見した。悲鳴をあげると、胎児を押し出すのに使った方がいいエネルギーをむだにすることになり、呼吸亢進《こうしん》をうながしてしまい、呼吸亢進は母体にまったく必要のない緊急原則措置をとらせてしまう――アドレナリンが体内を駆けめぐり、呼吸と脈拍の数が増える。〝呼吸法〟は母親の注意力を近い将来の仕事に集中させ、母体自身の力を利用することによって、痛みにうまく対処する役割を果たせるものと思われた。

その方法は当時、インドやアフリカで広く用いられていた。アメリカでは、ショショーニ族、カイオワ族、ミクマク族などのインディアンが使っていた。エスキモーはいつでも使っていた。しかし、お察しのとおり、西部の医師たちは少しも関心を示さなかった。わしの同僚のひとり――知性も教養もある男――は、一九三一年の秋に、わしの妊娠出産に関する小冊子のタイプ原稿の〝呼吸法〟の個所全体に、赤線を引いて送り返してきた。欄外にもし彼が〝黒んぼ《ニガー》の迷信〟について知りたいと思ったら、新聞売り場に立ち寄り、『ウェイアード・テールズ』誌を買う、と書きこみがしてあった！

そう、わしは彼がほのめかしたように、小冊子からその個所を削除することはしなかったが、その方法を使った結果例をまぜることにした――それが最上だと言えよう。その方法を使ってすばらしい成功をおさめた女たちがいる。かと思えば、その考えの主旨を完璧《かんぺき》につかんでいるようでいながら、陣痛が強く激しくなってくると、とたんに訓練したことを完全に忘れてしまう女たちがいる。この場合は、たいてい、そんな方法のことなど聞いたこともなく、そんな方法が実際に効果があるとは信じられない善意の友人や身内の者たちによって、〝呼吸法〟の概念が根底からくつがえされ、けちをつけられていたことがわかった。

その方法は、二つの出産が特質においては一様ではないとはいえ、総体的にはかなりの程度似ている、という考えかたを基にしている。出産には四つの段階がある。妊娠陣痛、分娩陣痛、分娩、そして後産。妊娠陣痛では、腹部と骨盤付近の筋肉がかちんかちんに固くなる。六カ月目に入った妊婦にしばしば見られる症状だ。初めて妊娠した女性は、それを急激な腹痛などのように、ひどく悪い状態だと思いがちだが、本当は健康な証拠なのだ――筋肉痛のように痛むかもしれないが、それは強い物理的感覚にすぎない。〝呼吸法〟を用いている女性は、浅い呼吸をするようになり、陣痛が起こったときに、息を吸いこむのと吐き出すのを規則的に行なう。ディジー・ガレスピーばりにトランペットを吹くように、一回ごとの呼吸を小気味よく切るのだ。

分娩陣痛の場合は、苦痛をともなう収縮が十五分おきぐらいに始まったら、浅い呼吸を深い呼吸に変え、長く息を吸いこんで長く吐く――マラソン選手がラストスパートに入るとき、呼吸しているのと同じやりかただ。陣痛が激しくなればなるほど、吐いたり吸ったりを長くする。わしの小冊子ではこの段階を〝波に乗る〟と呼んでいる。われわれ自身とも深い関わりのある最終段階を、わしは〝機関車式〟と呼んだが、現在のラマーズ法の指導者は呼吸の〝汽車ポッポ〟段階と言っている。分娩室の陣痛はしばしば〝深くどんよりした〟と形容される痛みをともなう。胎児を押し出すために、母親の局部を不可避的に刺激するわけだ。諸君、ここで、すばらしくも不思議なエンジンが無条件に勢いを強めはじめる。子宮頸《けい》が全開する。胎児は出産のトンネルを通るという短い旅を始め、もし母親の足のあいだを正面からのぞいていれば、脈を打っている胎児の泉門が、外気と数インチしか離れていないところにあるのが見えるだろう。呼吸法を使っている母親は、ここで肺に空気をためないように、呼吸亢進を起こさないように、くちびるのあいだで短く切れのいい呼吸を始めるが、完全にコントロールされたやりかたであえぐことになる。それは子どもたちが蒸気機関車をまねするときにたてる、シュッポッ・シュッポッという音と本当によく似ている。

これはすべて体に有益な効果をもたらす——母親の体は緊急原則措置をとることもなく、酸素をたっぷりと保ち、母親本人も意識がしっかりしていて、注意をおこたらずにいられるし、質問したり答えたりもできれば、指示を受けることもできる。しかし、もちろん、〝呼吸法〟の精神面での結果の方が、もっとたいせつだろう。母親は自分が自分の子どもの誕生に積極的にかかわっていると感じる——その過程を導く役をになっているのだ。彼女はまさに経験の絶頂にあるのを感じている……そして苦痛の絶頂にあることも。

出産の全過程がまったく患者の精神状態にかかっている、ということは諸君にもおわかりいただけるだろう。〝呼吸法〟はきわめてもろく、きわめてデリケートな方法であり、もし失敗者が多数いるとすれば、こう説明したい。患者が医者に納得させてもらったことは、この野蛮な方法の話を聞いた患者の身内が、恐ろしげに両手をあげることによって、納得してもらえなくなるかもしれないことだ、と。

この観点から見れば、少なくともミス・スタンスフィールドは理想的な患者だった。いったん彼女が〝呼吸法〟を信じるようになれば、それを打ちあける友人も身内の者も、ひとりもいないからだ（しかしながら、公平を期して言えば、いったん彼女が心を決めれば、彼女の口からなにかを聞き出せる者がいるかどうか、わしには疑問だということをつけ加えておこう）。そして彼女は心からそれを信じるようになった。

「少しばかり自己催眠に似ているんじゃありません？」初めて真剣に話しあったとき、ミス・スタンスフィールドはそう訊いた。

わしはそれを認めた。うれしかった。「そのとおり！　しかし、それをトリックだとか、状況が思わしくなくなったときに、それを克服してくれるものだというふうに考えてはいけません」

「そんなこと、少しも考えていませんわ。とてもありがたく思っています。わたし、きっと根気づよく実行します、マッキャロン先生」ミス・スタンスフィールドのような女性のためにこそ、〝呼吸法〟が考案されたのだし、彼女がやると言った以上、それは真実以外のなにものでもあるまい。それまでこの方法をそれほど熱意をもって受け容《い》れた者はいなかった……が、むろん、〝呼吸法〟は彼女のいっぷう変わった気質と合っていたのだろう。世の中には従順な男女は何百万といるし、その中にはいやになるほどどりっぱな人々もいる。だが、我と我が生命《いのち》をみずからの手に握っていたくて、むずむずしている人もいる。ミス・スタンスフィールドはそのひとりだった。

彼女が〝呼吸法〟を全面的に受け容れたというのは……つまり、彼女が香水や化粧品を売っていたデパートでの最後の日の話が、それを証明していると思う。

八月下旬、彼女の職がついに失われる日がきた。ミス・スタンスフィールドは健康状態の良好な、ほっそりした若い女だし、当然ながら、それが初めての妊娠だった。そういう女性なら、五カ月か、あるいは六カ月に入ってさえ、〝目立たない〟ものだと言う医者もいる……それがある日、いっぺんにすべてがわかってしまうことになる、と。

九月一日、ミス・スタンスフィールドは毎月の診察を受けにきて、いたましい笑い声をあげ、〝呼吸法〟の別の利用法をみつけたと言った。

「どんな方法です?」わしは訊いた。

「ある人物に対し、めちゃくちゃに腹を立てているときに、十《とお》数えるよりずっと効果があるんです」薄茶色の目は踊っていた。「例の切れのいい浅い呼吸をやりはじめると、みんなに気が変になったのかという目で見られますけれど」

彼女は二つ返事でその話をしてくれた。前の月曜日に彼女はいつものように仕事に出かけた。わしが思うに、週末のあいだにほっそりした若い女から、一日でみごもっていると知れる若い女へと、急激な変化があったにちがいない——まったく、そういう変化ときたら、熱帯地方でいきなり暗くなるのとよく似ているのだから。あるいは、彼女の上司が、疑問がもはや疑問にとどまらない状態になった、と結論を出したのかもしれない。

「休憩時間にオフィスで会いたいんだけど」上司であるミセス・ケリーは冷たく言った。週末までは、ミセス・ケリーはミス・スタンスフィールドにとてもやさしかった。ハイ・スクールに通っている二人の子どもの写真を見せたり、ときどき料理の調理法《レシピ》を交換しあったりしていた。ミセス・ケリーは彼女にも〝すてきな青年〟に会ったか、としょっちゅう尋ねていた。その親しさとやさしさが、その日はすっかり消えてしまっていた。そして彼女は休憩時間にミセス・ケリーのオフィスへ入ったとたん、なにが待ち受けているかを知った。

「あんた、厄介《やっかい》なことになってるわね」かつて親切だった女は、そっけなく言った。

「ええ」ミス・スタンスフィールドは答えた。「そう言う人もいますわね」

ミセス・ケリーの頬《ほお》が古いレンガの色に変わった。「あたしに生意気な口をおききでないよ、お若いお嬢さん。あんたのおなかを見ると、せっかくのスマートさも半減してしまっているけどね」

ミス・スタンスフィールドの話を聞きながら、わしは目の前に二人の女の対決の場をありありと描くことができた——率直な薄茶色の目をひたとミセス・ケリーにすえたミス・スタンスフィールドは、おちつきはらっていて、目を伏せるとか、すすり泣くとか、みっともないまねをさらすのを断固として拒否している。彼女の方が上司よりも、はるかに厄介という概念を実感として理解していたものと思われる。上司の方には子どもが二人いて、理髪店を経営し、共和党に票を入れているりっぱな亭主《ていしゅ》がいるとはいえ。

「あんたね、あたしをだましたっていうのに、ちっとも恥ずかしくないみたいだね！」ミセス・ケリーはとんがった声で叫んだ。

「あなたをだましたことなんか、ありませんわ。今日まで一度もわたしが妊娠していることは話題に出なかったんですから」ミス・スタンスフィールドはけげんな目でミセス・ケリーを見た。「どうして、だました、なんて言えるんですか？」

「あたしはあんたを家に呼んでやったじゃないか！」ミセス・ケリーはわめいた。

「夕食をごちそうした……うちの息子たちも同席して」ミセス・ケリーは憎しみをこめた目でミス・スタンスフィールドをにらんだ。

ここに至り、ミス・スタンスフィールドは怒りを覚えはじめた。彼女の話では、それまで覚えたことのないほど激しい怒りだったそうだ。秘密が明るみに出たときに、どういう反応が示されるか見当がつかないわけではなかったが、諸君なら立証できるように、純理論的な仮説と、実際の教訓とのあいだの隔たりは、ときにはショックを覚えるほどはなはだしいものだ。

両手をしっかりと組み合わせ、ミス・スタンスフィールドは言った。「わたしがあなたの息子さんたちを誘惑しようとしたとか、誘惑するつもりだったとか、そういうことをほのめかしているのなら、そんな汚《けが》らわしい、いとわしい話、これまでに聞いたこともないと言いますわ」

ミセス・ケリーは平手打ちをくったように、顔をぐいとのけぞらせた。頬からレンガの色が消え、小さな赤い点が二つ残っているだけだった。ほんのりと花の香りのただよう部屋で、香水の見本品がちらばったデスクをはさみ、二人の女はにらみあっていた。実際よりひどく長く思われた一瞬だった、とミス・スタンスフィールドはわしに言った。

やがてミセス・ケリーはぐいと引き出しを開け、淡黄褐色《たんこうかっしょく》の小切手を一枚取り出した。小切手にはあざやかなピンク色の解雇付箋《ふせん》がついていた。歯をむきだし、ひとことひとことを嚙《か》みしめるように、ミセス・ケリーは言った。「この街ではね、何百人もの身持ちのいい娘が職を探しているんだよ。うちであんたのような淫売《いんばい》を雇っておく必要があるとは、とうてい考えられないね、おまえさん」

その、最後の、人をばかにした〝おまえさん〟という言いかたで、ミス・スタンスフィールドの怒りはいっきょに頂点に達した。一瞬後、ミセス・ケリーは彼女を見て、口をぽかんと開け、目をまん丸にみひらいた。彼女は両手を鋼鉄の鎖の環《わ》のようにがっちりと組み合わせ、くいしばった歯のあいだで〝機関車式〟呼吸を始めていたのだ(きつく握りしめた手には指の跡が残ったという。わしが九月一日に見たときには、もう薄れてはいたが、はっきりと見てとれた)。

たぶん、決しておもしろい話とは言えなかっただろうが、わしはその光景を想像すると、大声で笑いだしてしまい、ミス・スタンスフィールドもいっしょになって笑った。ミセス・デビッドソンがのぞきに来て——おそらく、笑気ガスにやられたのではないのかと確かめに来たのだろう——また引っこんだ。

「わたし、そうするよりほか、どうすればいいのか思いつかなかったんです」ミス・

スタンスフィールドはまだ笑いながら、涙のにじんだ目をハンカチでふいた。「だって、その瞬間、自分が手を伸ばして、デスクの上の香水の見本のびんを一本残らず払いのけ、むきだしのコンクリートの床に落としてしまいそうだってことが、わかっていたからなんです。そう思っただけではなく、本当に目に見えたんです。香水のびんが床に落ち、燻蒸《くんじょう》消毒が必要となるような、何種類もの香りの入りまじったすさまじい匂《にお》いが部屋いっぱいにたちこめる光景が見えました。

わたしはそうするつもりだったんです。どんなことがあっても、止められなかったでしょう。それが〝機関車式〟呼吸を始めたら、すべておさまってしまいました。わたしは小切手とピンクの付箋を受け取り、立ちあがってオフィスを出ました。もちろん、あの女《ひと》に礼を言うことはできませんでしたわ——まだ〝機関車式〟呼吸をしていましたから」

わしらはふたたび笑った。それがおさまると彼女はまじめになった。

「今となってはもうすべて過ぎたことですし、あの女《ひと》には少しばかり申しわけなく思うこともできます——そんなことを言うと、ひどく傲慢《ごうまん》に聞こえますか？」

「いや、決して。そう思えるとはみあげたお心だと思いますよ」

「マッキャロン先生、解雇手当でわたしが買ったもの、お見せしてもよろしいですか？」

「ええ、そうなさりたいのなら」

彼女はバッグを開け、小さな平たい箱を取り出した。「質屋さんで買ったんです。二ドルでした。そして、この悪夢のような日々の中で、わたしが恥ずかしさと、汚らわしさを感じたのは、これが初めてでした」

彼女は箱のふたを開け、中が見えるようにわしのデスクの上に置いた。それを見ても、わしは驚かなかった。それは飾りのない金の結婚指輪だった。

「わたしは必要なことをするつもりです。わたしが住んでいるのは、ミセス・ケリーならまちがいなく〝ちゃんとした下宿屋〟と呼ぶところです。女主人はこれまでずっと親切に、やさしくしてくれました……でも、ミセス・ケリーも親切でやさしかったんです。女主人にいつ出ていってほしいと言われるかもしれませんし、わたしがお家賃の差額や、入居するときに払った損害保証金のことを口にしたら、面と向かってあざけられるでしょうし」

「あなたね、そんなことは不法ですよ。法廷と弁護士が力になって——」

「法廷というのは男のかたたちのクラブですわ」ミス・スタンスフィールドははっきりと言った。「それに、わたしのような立場にある女の味方になってはくれないものです。お金は取りもどせるかもしれないし、取りもどせないかもしれません。どちらにしろ、費用とか、騒ぎとか……不愉快さ……を考えれば、四十七ドルかそこいらの金額には見合わないと思います。最初から、こんなこと、先生にお話しすべきではありませんでした。まだなにも起こっていないんですし、なにも起こらないかもしれないんですものね。でも、用心のために、わたし、今から実際的になるつもりなんです」

彼女は顔をあげ、目を輝かせてわしを見た。

「万一に備えて、わたし、ビレッジのとある場所に目をつけました。三階ですけど、清潔ですし、今の住まいより月に五ドルもお安いんです」箱から指輪を取り出す。「女主人に部屋を見せてもらうとき、これを指にはめていたんですよ」

ミス・スタンスフィールドは指輪を左手の薬指にはめた。嫌悪《けんお》のせいで小さく顔をしかめているのに、自分では気づいていないようだった。「こうして。これでわたしはミセス・スタンスフィールドです。夫はタクシーの運転手だったんですが、ピッツバーグ＝ニューヨークを走っているときに死にました。とてもみじめですわ。でもこれで、わたしは浮気《うわき》な淫売ではありませんし、わたしの子も私生児ではないんです」

彼女は目をあげた。ふたたび、その目に涙が宿っていた。見守っていると、片方の目から涙があふれ、頰をつたった。

「頼むよ」わしは心が痛み、デスク越しに手をのばして彼女の手を取った。冷たい、冷たい手だった。「泣かないでくれたまえ」

ミス・スタンスフィールドはわしの手の中で自分の手――左手――を返し、指輪に見入った。彼女は微笑した。胆汁か酢のように苦い微笑だったよ、諸君。また涙がこぼれた――たった一滴だけ。

「マッキャロン先生、魔法や奇跡の時代はとうに過ぎてしまったと、皮肉屋さんたちは言っていますわね。彼らが思いちがいをしているのがわかります。そうでしょう？質屋さんで二ドルの指輪を買ったら、その指輪がたちまち、父《てて》なし子も、みだらな女も、両方とも消し去ったんですから、それを魔法といわずになんというんでしょう？ちゃちな魔法……」

「ミス・スタンスフィールド……いや、サンドラ、もしわたしに……もし助けが必要なら、もしわたしにできることがあれば――」

彼女は手を引っこめた――わしが彼女の左手をではなく、右手を握っていたら、彼女は手を引っこめなかっただろう。さきほど言ったとおり、わしは彼女を愛していたわけではなかったが、その瞬間は愛していたのかもしれない。彼女に恋をする寸前までいっていたのだから。もしわしが偽《にせ》の結婚指輪をはめた左手のかわりに、右手を握っていたら、彼女がもう少しわしの手に彼女の手をゆだねたままにして、わしの手のぬくもりでその手を温めさせてくれていたら、もしかすると、わしは彼女を愛してしまったかもしれない。

「あなたは心のやさしい、いいかたですし、わたしとわたしのあかちゃんのために、とてもよくしてくださいました……それに先生の〝呼吸法〟は、このいやらしい指輪よりも、はるかにすばらしい魔法ですわ。結局、わたしが故意に破壊に及んだ罪で監獄に入れられるところを救ってくれたんですもの。そうでしょう?」

それからしばらくして彼女は帰り、わしはフィフス・アベニューに向かって歩いていく彼女を、窓から見送った。ああ、わしはそのとき、心から彼女に感嘆したものだ! あまりにもかよわく、あまりにも若く、明らかにみごもっているとわかる彼女――だが、おずおずしたところも、自信のなさそうなところも、これっぽかしもなかった。彼女はこせこせと通りを歩いたりはしていなかった。歩道のどこをとっても、自分の場所があるのだというように歩いていた。

彼女の姿が見えなくなると、わしはデスクにもどった。その途中、壁の医師の免状の横にかけてある額縁入りの写真が目にとまった。とたんに体じゅうに震えが走った。わしの肌《はだ》――特に額と手の甲――には、冷たい鳥肌が立った。生まれて初めて、気味の悪い屍衣《しい》にくるまれるように、息もつまるほどの恐怖に襲われ、ふと気づくと空気を求めてはああえいでいたのだ。諸君、それは幕あいにもたらされた予知というものだった。そういうことが起こり得るのか否《いな》か、議論にひと役かう気はない。わしは起こりうると知っている。なぜなら、この身に起こったからだ。たった一度、あの暑い九月初めの日の午後に。もう二度と起こらないことを神に祈ろう。

その写真は、わしが医学校を卒業した日に、母が撮ってくれたものだった。わしがホワイト記念病院を背に、両手をうしろにまわし、パリセイダース公園で、一日有効の乗り物パスをもらった少年のように、にこにこ笑っている。わしの左側にはハリエット・ホワイトの像が写っている。写真はハリエット・ホワイトの向こうずねの半ばぐらいのところで切れていたが、台座と、あのいっぷう変わった冷酷な銘文——苦痛なくして慰安なし。ゆえに我ら、苦痛を通して救済を定義せり——は、はっきりと写っていた。わしがその写真を見たその日から四カ月もたたないうちに、その、わしの父の最初の妻の像の下で、銘文の真下で、サンドラ・スタンスフィールドがあかんぼうを産むために、病院についたとたん、信じられない事故にあい、命を落としたのだ。

その秋、ミス・スタンスフィールドは出産の現場にわしが立ち会わないことに関して、いくぶんかの不安を訴えた――わしはクリスマス休暇を取り、病院には出ないつもりだったのだ。彼女は〝呼吸法〟を用いたいという彼女の意志を無視して、全身麻酔や局部麻酔を使おうとする医師にあたるのではないか、と懸念《けねん》していた。

わしは彼女にできるだけの手を尽くすと請けあった。わしにはニューヨークを離れなければならない理由もなかったし、休暇中に訪ねなければならない家族もいなかった。母は二年前に亡《な》くなっていたので、カリフォルニアに独身のおばがいるだけだった……それにわしは汽車と相性が悪い。わしはミス・スタンスフィールドにそう言った。

「お寂しくありません？」彼女は訊《き》いた。

「ときにはね。ふだんはとても忙しいし。さあ、これを」わしは自宅の電話番号をカードにメモして、彼女に渡した。「出産陣痛が始まったとき、応答電話だったら、こっちに電話をください」

「まあ、そんな――」

「あなたは〝呼吸法〟を使いたいんですか？　それとも、あなたを狂人あつかいし、〝機関車式〟呼吸を始めたとたん、エーテルをかがせるような医者にかかりたいんですか？」

彼女はちょっと顔をほころばせた。「わかりました。よくわかりました」

しかし秋が深まり、サード・アベニューの肉屋が〝若くて汁気の多い七面鳥〟一ポンドいくら、と広告を始めるようになると、ミス・スタンスフィールドの気持が少しもおちついていないことが明らかになった。彼女はとうとう、わしが会ったときから住んでいた下宿を引きはらうよう言われ、ビレッジに引っ越した。しかしそれは、少なくとも彼女にとっては、とてもいいことだったとわかった。仕事らしきものさえみつかったのだ。かなり裕福な収入のある盲目の婦人が、軽い家事をしたり、ときにはジーン・ストラットン・ポーターや、パール・バックの本を朗読してもらうために、彼女を雇ってくれたのだ。その婦人はミス・スタンスフィールドの住む建物の、一階の住人だった。ミス・スタンスフィールドは、ほとんどの健康な女性なら、妊娠後期の三カ月にはそうなるとおり、花が開いたように美しくバラ色に見えた。だがその顔には影があった。わしが訊けば、彼女もしぶりながらも答えただろう……一度、彼女がなにも答えなかったとき、カルテから目をあげると、わしの医師免状の隣にかけてある額縁入りの写真をみつめている彼女の目に、奇妙な、夢を見るような表情がうかんでいるのに気づいたことがある。わしはあのときの戦慄《せんりつ》を思い出した……そのときの彼女の返事は、わしの質問とはなんの関係もない彼女の返事は、少しもわしの気分を軽くしてはくれなかった。

「わたし、感じるんですよ、マッキャロン先生。ときどき、わたしは死ぬ運命にあるんだって、強く感じるんです」

なんというばかげた、通俗的なことばだ！　それなのに、それなのにだよ、諸君、わしのくちびるまで昇ってきたのは、こういう返事だったのだ。〝ええ、わたしもそう感じています〟とな。もちろん、わしはそのことばをのみこんだ。そういうことを言うような医者は、すぐさま医療器具や医学書を売りに出し、もっと割のいい仕事か、大工仕事にでも将来を託した方がいい。

わしは彼女に、そういうふうに感じる妊婦は彼女が初めてではないし、また、最後でもないだろうと言った。事実、そういう感情はごく一般的なもので、医師たちは冗談半分に〝死の影の谷〟症候群と名づけているぐらいだ、とも言った。そのことに関しては、もうすでに話をしただろう？

ミス・スタンスフィールドは真剣にうなずいた。その日の彼女がいかに若く見え、腹がどんなに大きく見えたか、今でも思い出せる。「そのことは承知していますわ。それはわたしも感じています。でも、この感じは、それとはまったく別のものなんです。この感じは……なにかがふいに立ちはだかるような、そんな感じなんです。それよりうまく表現できません。ばかげていますが、どうしてもその感じを振り切ることができないんです」

「振り切ろうとしなくてはいけません」わしは言った。「それはよくない――」

しかし彼女はわしのことばなどうわの空だった。また壁の写真をみつめていた。

「どなたですの？」

「エムリン・マッキャロン」わしは冗談めかして言おうとした。が、異常なほど弱々しく聞こえた。「独立戦争以前のもので、彼がとても若いころのものですよ」

「いいえ、もちろん先生だとわかりますわ。それに女性。スカートの裾《すそ》と靴《くつ》だけでは、女性としかわかりませんね。あのかたはどなた？」

「名前はハリエット・ホワイト」わしは内心でこう考えていた。そしてそれが、きみが子どもを産みに行ったときに、最初に出会う顔になるのだよ（ふたたび戦慄に襲われた――おそろしい、形のない恐怖）。ハリエット・ホワイトの石の顔に出会うことになるのだよ。

「像の台座にはなんと書いてあるんですか？」そう尋ねた彼女の目は、まだ夢見るようで、恍惚《こうこつ》としているといってもいいぐらいだった。

「わかりません」わしは嘘《うそ》をついた。「わたしのラテン語はお粗末なものでしてね」

その夜、わしは生涯《しょうがい》最悪の夢を見た——あまりの恐怖に目がさめたが、もしわしが結婚していたら、きっとかわいそうな妻を死ぬほどこわがらせていただろう。

夢の中で、わしが診察室のドアを開けると、ミス・スタンスフィールドがいた。彼女は茶色のパンプス、茶色の縁飾りのあるスマートな白いリンネルの服、それにいくぶん流行遅れの釣鐘《つりがね》型《がた》の帽子を身に着けていた。しかしその帽子は、彼女の胸のあたりにあった。なぜなら彼女は自分の首を両手でかかえていたからだ。白いリンネルには血のしみや筋がついていた。首からは血が噴きだし、天井を汚していた。

そして彼女の目——あのすばらしい薄茶色の目——が開き、それがわしをひたと見すえた。

「死ぬ運命でしたわ」彼女の首はわしにそう言った。「運命なんです。わたしは死ぬ運命だったんです。苦痛なくして慰安なし。ちゃちな魔法ですが、わたしたちにはそれしかありません」

そのとたん、わしは悲鳴をあげ、目がさめた。

彼女の予定日の十二月十日がきて、過ぎてしまった。わしは十二月十七日に彼女を診察し、あかんぼうが一九三五年以内に生まれるのはほぼ確実だし、クリスマス以降まで彼あるいは彼女が生まれてこないとは、とても思えない、とミス・スタンスフィールドに言った。彼女はこれをじつにいさぎよく受け容《い》れた。その秋、彼女にまつわりついていた影を、すっかり振り切ってしまったように見えた。本を朗読し、軽い家事をしてもらうために彼女を雇った盲目の婦人、ミセス・ギブスは、ミス・スタンスフィールドに好意を寄せた。自分の友人たちに、最近夫に先立たれ、微妙な立場にあるにもかかわらず、断固としたけなげさで将来に立ち向かっている勇気ある若い未亡人のことを話して聞かせたほど、好意を寄せていた。盲目の婦人の友人たちのうち何人かは、ミス・スタンスフィールドが子どもを産んだあとも、彼女を雇うのかどうかに関心を示した。

「わたしもその点を話しあってみるつもりです」ミス・スタンスフィールドはわしに言った。「子どものために。でも、わたしがちゃんと歩けるようになり、なにか安定したお仕事をみつけることができるようになるまでのことですわ。ときどき、こういう状態――起こってしまったいろいろのこと――の中で最悪なのは、自分の人を見る目が変わってしまったことだと思います。ときどき、自分で自分を〝あんなにやさしい老婦人をだましているのを承知のうえで、よくもまあ、夜眠れるものだ〟と責めるんですが、〝もし彼女が真実を知れば、他の人々同様、彼女もわたしにドアを指さすだろう〟とも思うんです。どちらにしても、わたしは嘘をついているのですから、ときどきその重みが胸にこたえます」

その日、帰りぎわに、彼女はバッグから小さな、はなやかな包み紙につつまれたものを取り出し、恥ずかしそうにわしのデスクの上をすべらせて寄こした。「メリー・クリスマス、マッキャロン先生」

「こんなこと、しなくてもよかったのに——」わしはそう言いながら、引き出しを開け、用意しておいた包みを取り出した。「だが、わたしもご同様だから——」

一瞬、彼女は驚いた目でわしを見た……そしてわしらはいっしょに声をあげて笑った。彼女がくれたのは、医術の象徴である二匹の蛇《へび》が巻きつき、頂に双翼のある杖《つえ》がついた銀のネクタイ留めだった。わしが彼女に贈ったのは、彼女の子どもの写真を保存しておくためのアルバムだった。わしはそのネクタイ留めをまだ持っている。諸君がごらんのとおり、今夜も着けてきた。アルバムがどうなったかは、わしには言えない。

わしは彼女をドアまで送った。ドアまでいくと彼女はわしの方を向き、肩に手を置いて爪先立《つまさきだ》つと、わしの口にキスをした。彼女のくちびるはひんやりとして、引きしまっていた。情熱的なキスではなく、軽くやさしいものだったが、姉妹やおばさんのキスともちがっていた。

「もう一度ありがとうと言わせていただきますわ、マッキャロン先生」彼女はちょっと息を切らしながら言った。頰《ほお》は紅潮し、薄茶色の目がきらきら輝いていた。「本当にありがとうございました」

わしは笑った――いささかぎごちない笑いだった。「なんだかこれっきり二度と会えないみたいな言いかたですね、サンドラ」彼女のクリスチャン・ネームを呼んだのは、それが二度目で、かつ、最後となった。

「あら、またお会いしますとも」彼女は言った。「それはちっとも疑っていませんわ」そして彼女は正しかった――わしらは二人とも、最後に会うのがどんなに恐ろしい状況のもとかということは予知できなかった。

サンドラ・スタンスフィールドの陣痛は、クリスマス・イブの午後六時過ぎに始まった。そのころには、朝からずっと降っていた雪がみぞれに変わっていた。二時間もたたないうちに、彼女は分娩《ぶんべん》陣痛に入ったが、そのときには街は凍りつき、危険な状態になっていた。

盲目の婦人、ミセス・ギブスは一階に広々とした住居をもっている。六時半に、用心深く階段を降りてきたミス・スタンスフィールドは、ミセス・ギブスのドアをノックし、招じ入れられると、タクシーを呼ぶのに電話を使わせてもらえないかと頼んだ。

「あかちゃんなの?」ミセス・ギブスはもうそわそわしはじめた。

「ええ。陣痛は始まったばかりですけど、天気がこんなですもの。タクシーで行くにも時間がかかりそうですから」

ミス・スタンスフィールドは電話でタクシーを呼ぶと、わしにも連絡をとった。時刻は六時四十分、陣痛は二十五分間隔だった。彼女はわしにも、天気がよくないのですべて早目にしたのだとくり返した。「わたし、イエロー・タクシーの後部座席で子どもを産むのはいやですわ」その声は異様なほどおちついていた。

タクシーが来るのが遅く、ミス・スタンスフィールドの陣痛は、わしが言っておいたより速く進行していた——しかし、前に言ったとおり、特性という点においては、二つと同じ出産はないのだ。客が臨月の女性だと見てとると、タクシーの運転手は客を助けてすべりやすい階段を降ろしてやり、「気をつけて、奥さん」を連発した。ミス・スタンスフィールドは新たな痛みに襲われるたびに、深く息を吸ったり吐いたりするのに気をとられていて、うなずくだけだった。街灯にも、タクシーの屋根にも、みぞれが音をたてて降っている。タクシーの黄色いライトに照らされ、みぞれは大きく拡大されて見えた。ミセス・ギブスがのちに話してくれたところでは、〝かわいそうな、かわいいサンドラ〟よりも、若い運転手の方がずっと神経質に気をつかっていたし、おそらく、それがあの事故の一因となったのではないか、ということだった。

さらにもうひとつの原因として、〝呼吸法〟それ自体があげられるだろう。

すべりやすい道路を、客を乗せて車を走らせながら、運転手は小さな事故の現場をゆっくりと通りすぎ、渋滞気味の交差点をじりじりと進み、のろのろと病院に近づいていった。あの事故で、運転手は致命的な傷を負わずにすみ、わしは病院で運転手と話した。彼が言うには、後部座席から聞こえてくる規則正しい深呼吸の音のせいで、神経がたかぶってしまったそうだ。バック・ミラーから目を離さず、彼女が「死にかけてんだか、生きてんだか」確かめていた。もし彼女がふつうの陣痛に苦しむ女のように、ときどき元気のいい叫び声をあげていたら、運転手もそれほど不安を感じずにすんだはずだと言った。運転手が一、二度だいじょうぶかと声をかけると、彼女はうなずくだけで、〝波に乗って〟深い呼吸をくり返していたという。

病院まであと二、三ブロックというところまで来て、彼女は陣痛の絶頂段階を迎えたにちがいない。タクシーに乗ってから、もう一時間たっていた——どの車ものろのろ運転だったからだ――が、初めてみごもった女性にとっては、異常なほど速い進行だった。運転手は彼女の呼吸が変わったのに気づいた。「先生、お客さんは暑い日の犬みてえに、ハアハアあえぎだしたんでさ」運転手はそう言った。彼女は〝機関車式〟呼吸を始めたのだ。

と、ほぼ同時に、運転手はのろのろ進んでいく車の流れに、ぽかりと開いた空間をみつけ、急いでそこに車を割りこませた。ホワイト記念病院に通じる道が開けたのだ。あと三ブロック足らず。「あの女の像が見えやしたよ」運転手は言った。一刻も早く、あえいでいる身重の女客を降ろしたくて、運転手はふたたびアクセルを踏みこみ、車はぐんと前にとびだし、タイヤはほとんど摩擦のない氷の上をスピンした。

わしは歩いて病院へ向かった。車の走行状態がどれほど悪化するかについて過小評価していたという理由だけのために、偶然、タクシーの到着といっしょになった。わしとしては、彼女はとっくに病院に入り、書類にすべて署名を終えた合法的患者として、準備万端ととのい、おちついて陣痛に対処しているものと思っていた。病院の石段をのぼりかけたとき、掃除夫がまだ石炭の燃えがらをまいていない凍りついた個所に、いきなりヘッドライトのまぶしい明りが反射するのが見えた。わしがふり向いたとたん、あれが起こり、わしはそれをこの目で見るはめとなった。

救急病棟《びょうとう》から救急車が一台、サイレンを鳴らして走り出したところへ、ミス・スタンスフィールドの乗ったタクシーが、病院めざしてまっしぐらに走ってきた。タクシーはブレーキをかけるにはスピードが出すぎていた。運転手はパニックに襲われ、ブレーキをかけるというより、満身の力をこめて踏んづけた。タクシーは横すべりし、横だおしに倒れはじめた。救急車の屋根の回転灯が移動する光条を投げかけ、血の色の光がその光景を照らしだし、グロテスクなその光の一条が、サンドラ・スタンスフィールドの顔をいろどった。その一瞬のミス・スタンスフィールドの顔は、わしが夢の中で見た顔だった。血にまみれ、目を開いた、切断された首と同じだった。

わしは彼女の名を叫び、いっぺんに二段ずつ階段を駆けおり、足をすべらせてはいつくばった。肘《ひじ》にしびれるような痛みを感じたが、どうやら黒い鞄《かばん》を取り落とさずにすんだ。わしはうつぶせに倒れ、肘も痛んでいたが、顔だけあげてその後の成りゆきを見さだめた。

救急車はブレーキをかけ、これもまた尻《しり》を振りはじめた。後部が立像の台座にぶちあたった。後部の扉《とびら》がぱっと開く。ありがたいことに空っぽのストレッチャーが舌のようにひょろっと飛びだし、路上に逆さまに落ちて車輪が空まわりしている。歩道にいた若い女が悲鳴をあげ、二台の車が接近しだしたと同時に逃げようとした。二歩歩いたところで足がすべり、女は腹ばいに倒れた。女の手からバッグが飛び、ピンボール・ゲームの球のように、凍りついた歩道をすーっとすべっていった。

タクシーは完全に向きを変え、今度はうしろに走っていた。運転手がはっきり見えた。運転手はぶつけあいをする小型電気自動車に乗った子どものように、必死になってハンドルを回している。救急車はハリエット・ホワイトの像にぶつかり、反動でななめに飛びだし……タクシーの横腹に激突した。タクシーは一度小さく円を描いてスピンし、すさまじい勢いで像の台座に衝突した。そのときまで明りがともっていた〈無線で連絡〉と文字の入った黄色いライトが、爆弾のように破裂した。タクシーの左側面はティッシュ・ペーパーのようにくしゃくしゃになっていた。一瞬後、わしはそれが左側面だけではないことに気づいた。タクシーが立像に激突した勢いがあまりにもすさまじかったため、車は二つに断ち割られていたのだ。つるつるすべる氷の上に、ガラスの破片がダイヤモンドのように散らばっている。そしてわしの患者は、まっぷたつになったタクシーの右側の窓から、縫いぐるみの人形のように投げ出されていた。

わしは自覚もないまま立ちあがった。凍《い》てついた階段を駆けおり、また足をすべらせ、手すりにつかまって踏みとどまると、ふたたび走りだした。わしはミス・スタンスフィールドがハリエット・ホワイトの怯気《おじけ》を催させる立像のうすぼんやりした影の中に横たわっていること、そこから二十フィート離れたところで、横転してとまっている救急車の回転灯があいかわらず、間欠的に夜を赤く染めていることしか気づかなかった。ミス・スタンスフィールドの姿には、なんともいえず違和感を抱かせるものがあったが、わしはなにやら重いものにけつまずいて、またもやばったり倒れそうになるまで、その違和感がなんであるかわからなかった。理解していたとはとても思えない。わしが蹴《け》とばしてしまったもの――それは若い女のバッグのように、ころがるというよりはすうーっとすべっていった。すうーっとすべっていったそれには、髪の毛――血だらけになり、ガラスの破片で光っていたが、ブロンドだとわかった――が垂れさがっていたために、ようやくなんだかわかった。彼女は事故で首を切断されていた。わしが凍てついた溝《みぞ》に蹴りこんでしまったのは、彼女の首だったのだ。

今度は全身がしびれるような感じに襲われながら、わしは彼女の体を引っくり返した。そうしたとたん、それを見たとたん、わしは悲鳴をあげようとしたと思う。悲鳴をあげようとしても、声は出てこなかった。まるっきり声が出せなかったからだ。諸君、わかるかね、彼女はまだ呼吸をしていたのだよ。彼女の胸は速く、軽く、浅い呼吸をつづけ、上下に波うっていた。はだけたコートに、血に染まった服に、氷がぱらぱらと落ちていた。そしてわしの耳には、高く、細い、笛のような音が聞こえた。それはまるで、沸騰点《ふっとうてん》に達しきれないやかんのように、高まったり、低くなったりしていた。それは切断された気管に、吸いこまれ、また吐き出されている空気の音だった。もはやくちびるにことばを綴《つづ》ってもらえない声帯の、むきだしの声門を通る空気がかすかな悲鳴をあげていたのだ。

わしは逃げだしたかったが、その力がなかった。彼女の傍《そば》の氷の上に膝《ひざ》をつき、片手で口をおおった。そしてすぐに、彼女の下半身からなまなましい血がにじみでているのに気づいた……下半身がうごめいていることにも。わしはふいに、まだ子どもを救うチャンスがあると、狂おしい気持で確信した。

わしは彼女の服の裾《すそ》を腰までまくりあげながら、げらげら笑いはじめたと思う。狂っていたのだと思う。彼女の体はまだ温かかった。わしはそれを憶《おぼ》えている。その下腹部が、呼吸につれて波うっていたのを憶えている。救急車の看護人が酔っぱらいのようによろめきながら、頭の片側を手でおさえてこちらへやってきた。指のあいだから血が流れている。

わしは手を動かしながら、まだ笑っていた。わしの手は完璧《かんぺき》にふくらんだ腹を探っていた。

看護人はとびだしそうな目で、サンドラ・スタンスフィールドの首のない死体をみつめていた。その死体が呼吸をつづけているのに彼が気づいたかどうか、わしは知らない。おそらく彼はそれを単なる神経のせいだと思っただろう——最後の反射作用のようなものだと。そんな判断しかできないとしたら、長いあいだ、救急車の運転手をつとめてこられなかっただろう。ニワトリは首を切られたあとも、しばらくのあいだ歩きまわるが、もし人間が首を切られたら、一、二度、体がひきつるだけだ。

「ぼんやり見ていないで、毛布を持ってきてくれ」わしは看護人にどなった。

看護人はふらふらと歩きだしたが、救急車に向かっていたのではなかった。タイムズ・スクエアの方に向かっていたらしい。そしてあっさりと夜の街に消えていった。その男がどうなったか、わしは知らない。わしは死んだ女の方を、いや、死んでいるとは言えない女の方を向き、一瞬ためらったあと、自分のオーバーをぬいだ。そして彼女の尻を持ちあげ、オーバーを敷いた。彼女の首なし死体が、〝機関車式〟呼吸をするたびに、笛のような呼吸音が聞こえた。諸君、わしは今でも、ときどきその音を聞くよ。夢の中でな。

どうか承知しておいてほしいのだが、今までに話したことはすべて、きわめて短い時間に起こった——わしにはかなり長い時間のように思えたが、それはわしの知覚が、熱を発しそうなほど急激にたかまっていたからだ。ようやく、なにごとが起こったのかと病院から人々が走りでてきたが、わしの背後に来た女は、道路の端に切断された首がころがっているのを見たとたん、悲鳴をあげた。

わしはころんだときに黒い鞄を放さなかったことを神に感謝しつつ、乱暴に鞄を開け、刃の短いメスを取り出した。メスで彼女の下着を切り裂き、はぎ取った。今度は救急車の運転手が近づいてきた――が、わしと彼女の側《そば》十五フィートのところまでくると、それっきり一歩も前に進まなくなった。わしは毛布がほしかったので、彼の方をちらりと見た。そしてこの男もまた頼みにならないとわかった。彼は呼吸をしている死体をじっとみつめていたが、その目はまん丸にみひらかれ、そのままでは眼窩《がんか》から目玉がころがりだし、視神経だけでつながった目玉がグロテスクなヨーヨーのように、ぶらぶら揺れるにちがいないと思えるほどだった。男はへたへたとその場にひざまずき、両手を組み合わせて高くあげた。祈ろうとしたのだ。それは確かだ。看護人の方はありえないことを見ているのが信じられなかったらしいが、この男は理解していた。しかし、祈ろうとした瞬間、この男は気を失ってしまった。

その夜、わしは鞄の中に鉗子《かんし》を入れてあった。なぜ入れたのかはわからない。名は明かせないが、ある医者がその悪魔の器具で、新生児のこめかみから脳に達する穴をあけてしまったのを見てから、三年というもの、わしはそういう器具は使わずにきたからだ。そのあかんぼうはすぐに死んだ。遺体は〝始末〟され、死亡証明書には死産と記された。

しかし、いかなる理由でか、その夜、わしは鉗子を持っていた。

ミス・スタンスフィールドの体が硬直し、腹が引きしまり、やわらかい肉から石へと変化した。そして胎児の頭が出てきた。わしは胎児の頭部を凝視した。それは血にまみれ、膜におおわれ、脈を打っていた。脈を打っている。すると、まだ生きているということだ。まちがいなく生きていた。

石がふたたび肉にもどった。胎児の頭頂部が引っこんで見えなくなった。そのとき、わしの背後で声がした。「先生、なにをいたしましょう」

声の主は中年の看護婦で、たいていの場合、われわれの仕事の中心的支えとなってくれるタイプの女性だった。看護婦の顔はミルクのように白く、呼吸をつづけている不気味な死体を見おろしているその顔には、恐怖と迷信的な畏怖《いふ》のようなものが表われていたが、ショックに打ちのめされてぼうっとしている、というところはみじんも見られず、困難かつ危険な仕事を手伝ってもらえそうだった。

「すぐに毛布を持ってきてほしい」わしはぶっきらぼうに言った。「まだチャンスがある、と思う」看護婦の背後の病院の階段には、二十人以上の人々が立っていたが、誰《だれ》ひとりとして近づいてこようとはしなかった。その連中はどの程度わかっていたのか。それを知るすべはない。ただ、その後数日というもの、みんなはわしを避け（ある者はずっとそうだった）、その看護婦を含めて、誰もわしに話しかけてこようとはしなかった。

看護婦は病院にもどろうとした。

「きみ！」わしはどなった。「そんな時間はない。救急車から取ってきたまえ。すぐにもあかんぼうが生まれそうだ」

看護婦はクレープ・ゴムの底の白い靴《くつ》を、半溶けの氷にすべらせ、向きを変えた。わしはミス・スタンスフィールドの方に注意をもどした。

〝機関車式〟呼吸は速度が遅くなるどころか、速くなりはじめていた……そして彼女の体はふたたび硬直し、収縮した。ふたたび胎児の頭部が現われた。また引っこむかと思ったが、引っこまなかった。すんなりと少しずつ押し出されている。結局鉗子の必要はなかった。あかんぼうは無事にわしの手の中に生まれ出てきた。わしは彼――性別はまちがえようもなく男の子だった――の血まみれの裸の体に、みぞれがあたるのを見た。暗く凍てつく夜気が、母親から与えられた最後の熱を奪い、彼の体から蒸気がたちのぼるのを見た。彼の血に汚れたこぶしが、弱々しく動いた。あかんぼうはかぼそい、むせぶような産声《うぶごえ》をあげた。

「看護婦！」わしはがなった。「さっさと尻《けつ》を運んでこい！」まったく許しがたいことばづかいだったが、その一瞬、わしはフランスの戦場にもどり、まもなく頭上を砲弾が無慈悲なみぞれのような音をたててとびはじめるのを覚悟していた。機関銃が地獄の連発音をたてるだろう。暗闇《くらやみ》からドイツ兵が姿を現わし、こけつ、まろびつし、呪《のろ》いのことばを吐きちらしながら、泥《どろ》と硝煙の中で死んでいくだろう。わしはねじれ倒れていく幾人もの人間を見ながら、ちゃちな魔法だ、と思っていた。だが、サンドラ、きみは正しい、われわれにはそれしかないのだと。諸君、そのときわしは生まれて初めて、茫然《ぼうぜん》自失に近い状態に陥っていたんだ。

「看護婦、ごしょうだ！」

ふたたびあかんぼうが泣いた――なんというかぼそい、絶え入りそうな声！ それ以上泣こうとはしなかった。彼の肌《はだ》から蒸気がたちのぼり、リボン状に薄れていった。わしは血と、甘く湿った胎盤の匂《にお》いとにつつまれたあかんぼうの顔に、口を近づけた。そしてあかんぼうの口に息を吹きこみ、彼が息を吹き返してヒクッという音をたてるのを聞いた。そのとき、毛布をかかえた看護婦に気づいた。わしは手をのばした。

看護婦は毛布を渡そうとして、なにを思ったか、その手を引っこめた。「先生、それ……あの……化け物じゃありません？　化け物みたいなものなんでしょう？」

「毛布をくれ」わしは言った。「さっさとくれないと、あんたの尻《しり》の穴を肩甲骨のところまで蹴りあげてやるぞ」

「はい、先生」看護婦は完璧な穏やかさを保ってそう答え（諸君、理解しようとつとめるのではなく、あっさり理解してしまえる女性たちに、われわれは感謝しなければならんよ）、わしに毛布を渡した。わしはあかんぼうを毛布でくるみ、彼を看護婦に渡した。

「きみ、もしその子を落っことしたら、その袖章《そでしょう》を食わせられるはめになるんだからな」

「はい、先生」

「ちゃちな魔法にすぎないがね、きみ、これが神の与えたもうたすべてなんだ」

「はい、先生」

わしはあかんぼうを抱いた看護婦が、なかば走るように病院にもどるのを見送り、階段に集まっていた人垣《ひとがき》が道を開けるのを見守った。それからわしは立ちあがり、死体から離れた。それはあかんぼうがそうだったように、息をひゅっと吸いこんでは、とめ……吸いこんでは、とめ……呼吸をくり返していた。

わしはあとずさりした。なにかにけつまずいた。くるりと向き直ると、彼女の首だった。わしは自分以外のなにものかの指図にしたがい、片膝《かたひざ》をついて、首をこちらに向けた。目は開いていた——つねに生気と気概にあふれていた率直な薄茶色の目。その目には依然として気概があふれていた。諸君、彼女はわしをみつめていたのだよ。

彼女は歯をくいしばり、くちびるはわずかに開いていた。そのくちびると歯のあいだから〝機関車式〟の呼吸にあわせ、せわしく息がもれていた。彼女の目が動いた。わしをもっとよく見ようと、眼球がほんの少し左へ動いたのだ。くちびるが開いた。それはことばを綴《つづ》った。ありがとう、マッキャロン先生、と。

諸君、わしにはその声が聞こえたが、それは彼女のくちびるから発せられたものではなかった。声は二十フィート離れたところから聞こえたのだ。彼女の声帯から。彼女のくちびるも舌も歯も、われわれがことばをつむぎだすときに使うすべての器官は、わしの目の前にあったのに、そこからは声にならない音しか発せられなかった。しかし、その音はきちんと三つの単語を発したのだ。ありがとう、マッキャロン、せんせい。

「どういたしまして、ミス・スタンスフィールド」わしは答えた。「ぼうやだよ」

ふたたび彼女のくちびるが動き、わしの背後から、はかない、ぼんやりとした音が聞こえてきた。〝ぼうや……〟。

彼女の目は焦点を失い、気概の色も失《う》せた。それはわしのうしろのなにかを、おそらくはみぞれの降る黒い夜空を、ながめていた。そしてその目が閉じた。彼女はふたたび〝機関車式〟呼吸を始めた……と、静かにそれをやめた。すべてが終わった。看護婦はその一部を見たし、救急車の運転手も気を失う前に一部を見たはずだし、見物人たちもうすうす気づいていたかもしれない。だが、もう終わった。確かに終わった。その場には悲惨な事故の残骸《ざんがい》がのこっているにすぎない……そして生まれたばかりのあかんぼうと。

　わしはハリエット・ホワイトの立像を見あげた。彼女はすっくとそこに立ち、特に留意すべきことなどなにひとつ起こらなかったかのように、サンドラ・スタンスフィールドが示したようなきびしく、人知を越えた気概など、なにほどでもない……いや、すべてを意味するのはただひとつのことであり、ただひとつのことがなににもまして重要なのだから、そういう気概などかえって悪いだけだ、と言わんばかりに、冷たくマディソン・スクエア・ガーデンの方をみつめていた。

　思い出してみると、わしはそのとき、彼女の首の前のぬかるみに膝をついたまま、声を殺して泣いたようだ。インターンと二人の看護婦に助けられて立ちあがり、病院につれていかれたときも、泣いていた。

マッキャロンのパイプの火はとっくに消えていた。

マッキャロンが例のボルト・ライターでパイプにふたたび火をつけているあいだ、わたしたちは声ひとつなく、息をこらして沈黙していた。外では風がうなり、うめいている。マッキャロンはライターの火を消し、目をあげた。わたしたちがじっと動かずにいるのを見て、ちょっと驚いたようだ。

「それだけだよ」マッキャロンは言った。「それでおしまい！　きみたちはいったいなにを待っているのかね？　炎の馬車か？」鼻を鳴らし、一瞬考えこんだようだ。「わしはポケット・マネーから彼女の埋葬費を出した。知ってのとおり、彼女には他《ほか》に誰ひとり身寄りがなかったからな」かすかに微笑する。「そう……わしの看護婦のエラ・デビッドソンがいたな。デビッドソンはなけなしの金をはたいて、二十五ドル出すと言ってきかなかった。しかし、あのデビッドソンがなにか言い出したとなると

――」マッキャロンは肩をすくめ、声を出して短く笑った。

「あの、あなたは反射作用ではなかったと確信なさっているんですね？」わたしは自

分でも気づかないうちに、そう質問していた。「心から確信して――」

「心から確信しとるよ」マッキャロンは冷静に答えた。「最初の収縮はそうだったかもしれない。だが、彼女の出産が終了するまで、数秒間ではなく、数分間かかったのだ。わしはときどき、必要なら、彼女はもっと長く保《も》ちこたえただろうと考える。そうでなかったことを神に感謝するよ」

「あかんぼうはどうなった？」ヨハンセンが訊《き》いた。

マッキャロンはパイプをふかした。「養子になった。今日《こんにち》でさえ、養子の記録ができるだけ秘密にされているのは、きみたちにもご理解いただけるだろう」

「うん。だが、あかんぼうはどうなったんだね？」ヨハンセンは重ねて訊き、マッキャロンはふきげんに笑った。

「そっとしておけんのか？」マッキャロンはヨハンセンに言った。

ヨハンセンはくびを振った。「わが身に悲しみがふりかからないかぎり、放《ほう》っておくことを学べない者もいるんだ。そのあかんぼうはどうなった？」

「今まで話を聞いてくれれば、その子の身にどんなことが起こるか知る権利も関心も、わしにあったというのは、きみたちにもわかるだろう。いや、あると思ったと言っても、同じことだ。わしはずっと、その子の人生をことこまかに見守ってきたし、今もそうしている。当時、若い夫婦がいた――ハリソンというのは本名ではないが、まあ、そんなような名前だ。二人はメイン州に住んでいた。彼らには子どもが恵まれないとわかっていた。その二人がその子を養子にして、名前を……うん、ジョンというのがぴったりだな、どうだ？　ジョンなら、きみたちのお気に召すだろう？」

マッキャロンはパイプをふかしたが、また火が消えてしまっていた。わたしは背後にかすかにスティーブンズの気配を感じ、どこかにしまってあるわたしたちのコートが、すぐにも取り出される用意のあることがわかった。じきに、わたしたちはコートに腕を通し……それぞれの暮らしにもどる。マッキャロンが言ったとおり、彼の話は他の年の話を圧倒していた。

「あの夜わしがとりあげた子どもは、今はわが国でも一、二を争うもっともりっぱな私立大学で、英文学部の学部長を務めている」マッキャロンは言った。「まだ四十五歳にはなっていない。若いもんだ。彼にとっては尚早だが、彼がその大学の学長になる日がきっとくる。わしはそれをこれっぽっちも疑っとらん。彼は頭がよくて、知性があって、魅力的だ。

一度、わしは口実をもうけ、私学職員クラブで彼と夕食をともにすることができた。その席には四人いた。わしはほとんどしゃべらなかったので、とっくりと彼を観察できた。彼には母親ゆずりの気概があったよ……。……そして母親ゆずりの薄茶色の目をしておった」

3　クラブ

いつものように、スティーブンズがコートを持ち、ひとりひとりに最高のメリー・クリスマスを祈りつつ、みんなの気前のよさに感謝しながら見送ってくれた。わたしはうまく最後になるようにもくろんだ。そしてわたしが質問をしても、スティーブンズは少しも驚いた顔をしなかった。

「もしきみさえよかったら、ひとつ尋ねたいことがあるんだが」

スティーブンズはかすかに微笑した。「よろしゅうございますよ。クリスマスは質問にはもってこいの日でございますから」

わたしたちが立っている廊下の、ずっと奥の方——そちらへはまだ行ったことがない——で、グランドファーザー・クロックが時をきざむ音が、過ぎていく年の音が、かっきりと聞こえた。古い革と、オイルを塗った木材の匂《にお》いと、その二つの匂いよりずっとかすかだが、スティーブンズのアフターシェーブ・ローションの匂いとを、嗅《か》ぎわけることができた。

「ですが、ご忠告申しあげておかなければなりますまい」スティーブンズは外でうなっている風が、急に強くなったようなようすで、つけ加えた。「あまり深くお訊《き》きにならない方がよろしいですよ。あなたさまが今後もこちらへおいでになりたいとお思いならば」

「深く訊きすぎると、閉め出されてしまうのかい？」〝閉め出される〟というのは、わたしが本当に使いたいことばではなかったが、口に出せるかぎりでは、それが近い表現だった。

「いいえ」スティーブンズはつねと変わらず、低く丁重な声で答えた。「みなさま、単に踏みとどまる方をお選びになるだけです」

わたしは背筋に冷たいものが走るのを感じながら、スティーブンズの目を見返した──なんだか、目に見えない、大きくて冷たい手が背中に押しあてられたような感じだった。わたしはいつかの夜、二階から聞こえた奇妙な、すべるような音のことを思い出し、これまでにも一度ならず考えたことだが、ここには正確にいくつ部屋があるのだろうと思った。

「それでもご質問がおありでしたら、ミスター・アドリー、お尋ねになった方がよろしいでしょう。もう夜も更《ふ》けて――」

「そしてきみにはこれから長い列車の旅が待っているんだね？」わたしはそう言ったが、スティーブンズは冷静にわたしを見ているだけだった。「わかったよ。あのね、ここの図書室に、他《ほか》ではみつからない本があるんだ――ニューヨーク市立図書館にもないし、わたしがチェックしている稀覯本《きこうぼん》専門の古書商のカタログにもないし、出版年鑑にもない。あのスモール・ルームにあるビリヤード台は、ノールとある。そんなブランドは聞いたことがないので、国際貿易委員会《I・T・C》に電話をしてみた。ノールは二つあった――ひとつはクロス・カントリー・スキーのメーカーで、もうひとつは木製の台所用品のメーカーだった。それに、ロング・ルームにはシーフロント・ジュークボックスがあるね。I・T・Cにはシーバーグの名はあったが、シーフロントはなかったんだ」

「ご質問はなんでしょうか、ミスター・アドリー」

スティーブンズの声はいつものように穏やかだったが、その目には、急におそろしいものが宿った……いや。真実を語るなら、おそろしいものは彼の目の中に見えたのではない。わたしを取りまく空気にそれを感じたのだ。左手の廊下の奥から聞こえてくるカチカチという規則正しい音は、もはやグランドファーザー・クロックの振子の音ではなかった。それは処刑台に連行される死刑囚を見守っている死刑執行人の、床を踏み鳴らす足音だった。オイルと革の匂いは、きつく、脅威を覚えさせる匂いに変わり、あらたな突風が吹きこんできたとき、わたしは一瞬、正面玄関のドアが35ストリートに面して開いたのではなく、外には狂気のクラーク・アシュトン・スミスの描いた風景が広がっているにちがいないと思った。二つの太陽が陰惨な赤い光を投げかけ、不毛の地平線上には、まがりくねったいじけた木々がシルエット状に浮きあがっている風景。

スティーブンズはわたしがなにを訊くつもりか、知っているのだ。彼の灰色の目にそれが読みとれる。

そういう物はすべてどこから来たのか？　わたしはそう訊くつもりだった。うん、きみがどこから来たのかは、よくわかっているよ、スティーブンズ。そのなまりはX次元のものではなく、純粋にブルックリンのものだ。だがきみはどこへ行こうとしているのかね？　きみの目の中に時間を超越した光を宿し、きみの顔に時間を超越した表情を与えたのは、いったいなんなのだい？　スティーブンズ、そして――

――そして、この瞬間、わたしたちが存在しているここは、いったいどこなのだ？

　スティーブンズはわたしの質問を待っている。

　わたしは口を開いた。出てきた質問は「階上にはたくさん部屋があるのかい？」だった。

「ええ、ございます」スティーブンズはわたしの目をみつめたまま答えた。「それはもうたくさん。迷ってしまうほどでございます。事実、何人ものかたが迷子になりました。ときには何マイルも歩いていらっしゃるかたも、お見受けするようでございます。部屋から部屋へ、廊下から廊下へ」

「そして入り口や出口もね」

　スティーブンズの眉《まゆ》がわずかにあがった。「そうです。入り口や出口も」

　彼は待ったが、わたしはもう充分に訊いた、と思った——わたしは狂気に駆りたてられるごく寸前まで行っていたようだ。

「ありがとう、スティーブンズ」

「どういたしまして」スティーブンズはわたしのコートを広げ、わたしはそれに腕を通した。「もっと物語が聞けるかな？」

「ここには、いつも物語がございます」

それはしばらく前のことで、そのときから現在に至るまでのあいだに、わたしの記憶が改良されたわけではない（わたしぐらいの年になると、その反対のことの方が、よりありそうなことなのだ）が、スティーブンズが樫《かし》のドアを広く開けてくれたときに、わたしの体の内をつらぬいた恐怖は、はっきりと憶《おぼ》えている――わたしがあの異星の風景を見ることになる、というぞっとするような確信をもったせいだ。一時間か、十時間か、あるいは一万年か、いつのまにか言語に絶する暗い凍結の時間がもたらされ、二つの太陽の血のような光に照らしだされた、ひび割れ、地獄に似た風景を見ることになると確信したせいだ。説明はできないが、そういう世界が存在すると言っておこう――サンドラ・スタンスフィールドの切断された首が呼吸をつづけていたと、エムリン・マッキャロンが確信しているように、わたしもそういう世界があると確信する。わたしはドアが開き、スティーブンズにその世界に押し出され、わたしの背後でドアがぴしゃんと閉じてしまう……それも永久に閉じてしまうと、その永遠とも思える瞬間に信じたのだ。

だが、目の前にそんな世界はなく、見えるのは35ストリートと、縁石の側《そば》にとまって羽根飾りのように排気ガスを吐きだしている無線タクシーだけだった。わたしは心底、虚脱しそうなほど安堵《あんど》感を覚えた。

「はい、いつも物語がございますとも」スティーブンズはくり返した。「おやすみなさいませ」

いつも物語はある。

実際、そのとおりだった。そしていつかある日、また別の話をお聞かせできるだろう。

解　説

山田順子

本書は『Different Seasons』（バイキング社刊）に収録されている中編四作のうち、二作を訳出したものです。ハードカバーで五二七ページの分厚い原書には、タイトル（それぞれの季節）どおり、春夏秋冬を背景にした作品が順番に入っているのですが、翻訳では一冊におさまらないこと、また、本書に入っている『スタンド・バイ・ミー』が映画化され、四月中旬（一九八七年）に日本で公開されることなど、諸々《もろもろ》の事情により、秋冬編が先に刊行される運びとなったことをお断わりしておきます。もちろん、春夏編もこの文庫で刊行される予定ですので、どうぞお楽しみに。

スティーヴン・キングといえば、〈モダン・ホラーの旗手〉、〈ベスト・セラーのホラー作家〉としてはなばなしい活躍をしていますが、本書をお読みになったかたは、これまでの『キャリー』や『シャイニング』、『呪《のろ》われた町』などのホラー作品と、いささか趣向がちがうのにお気づきになったかと思われます。作者自身が〝はじめに〟

で語っているとおり、この中編集にはホラーでなく、ふつうの小説として書かれた作品ばかりがおさめられているからです。とはいえ、そこはキング、ふつうの小説でもやっぱり、ひと味もふた味もちがいます。

さて、秋といっても晩夏に近い背景の『スタンド・バイ・ミー』(原題『The Body』)は、十二歳の悪ガキ仲間、四人の少年が行方不明になった同い年の少年の死体を探しにいく話です。十二歳の九月といえば、アメリカでは小学校高学年（日本の中学校にあたる）の新学期が始まる季節です。十三歳から《サーティーン》ティーンエイジャーと呼ばれる年代に入る少年たちにとっては、思春期の洗礼を受ける時期でもあります。本書の四人の少年たちも、傍目《はため》にはくったくがなく、精いっぱい背伸びをして一人前の顔はしているものの、四人ともそれぞれに、はや、人生の重荷を背負っているのです。家庭と学校と生まれ育ったわが町だけが全世界だった少年たちは、〝死体探し〟というスリルに満ちた目的をもって、町を離れ、一泊二日の短い探究の旅へ出かけます。『キャリー』が恐怖に満ちた青春小説であるとすれば、これは一種の成長物語といえるでしょう。

そしてこの作品では、三十四歳の作家である、わたし、ゴードン・ラチャンスが語り手となり、過去の思い出をつづっていくという形式をとっています。このゴードンにキング本人の姿が重なって見えるため、キングの半自伝的作品と受けとることもできるでしょう。作中にゴードンの初期の作品として、短編が二本紹介されていますが、これはキング自身の若き日の習作だそうです。少年の日のゴードン・ラチャンスは、一家の花形であった兄が事故で死に、その傷手《いたで》から立ち直れずにいる両親のもとで、〈見えない子ども〉の悲しみをかみしめているもの静かな子ですが、映画では大きなうるんだ目が印象的なウィル・ウィートンが好演しています。ウィル・ウィートンは『ハンボーン』や『スターファイター』など、多数の映画に出演したキャリアがあります。また、成人したゴーディを、七八年『グッバイ・ガール』でアカデミー主演男優賞をとったリチャード・ドレイファスが演じ、短い出番ながら貫禄《かんろく》を見せています。

父親はアル中、兄は不良、幼い弟妹が何人もいるという、恵まれない家庭に育ったクリス・チェンバーズは、決してそういう暗さを見せず、四人の中でもリーダー格の存在。これを演じたリバー・フェニックスは、ジョー・ダンテ監督の『エクスプローラーズ』でデビュー。ピーター・ウェア監督の『モスキート・コースト』でハリソン・フォードの息子役を演じ、話題となりました。

四人の少年たちの中で、いちばん性格が激しいテディ・デュシャン。彼は第二次大戦の英雄だった父親を心から敬慕し、今は戦争神経症で心を病んでしまった父親の悪口を言う相手には、くってかかっていきます。幼児のころ、狂った父親にレンジの火で両方の耳を焼かれ、補聴器なしでは暮らせないのですが。これをスピルバーグの『グレムリン』、『グーニーズ』でおなじみのコーリー・フェルドマンが演じています。ぐずで、のろまで、臆病《おくびょう》なバーン・テシオ。四人の中でいちばん鈍《とろ》いこの少年を、ジェリー・オコネルが憎めないキャラクターとして演じています。

監督はロブ・ライナー。コメディアンでもあり、脚本家でもあり、監督としても有名なカール・ライナーの息子で、彼自身も俳優と監督の二役をこなしています。この映画にはなつかしい曲がたくさん出てきますが、主題曲〈スタンド・バイ・ミー〉はベン・E・キングの六一年の大ヒット曲をモチーフにしたもの。この映画のおかげで、二十五年ぶりに全米シングル・チャートのトップ・テン入りを果たしたそうです。

冬の物語である『マンハッタンの奇譚《きたん》クラブ』（原題『The Breathing Method』）は、『スタンド・バイ・ミー』とはがらりと趣きが変わり、昔なつかしい〝幻想と怪奇〟のにおいが濃厚です。ニューヨーク、35ストリート二四九Bの褐色《かっしょく》砂岩の建物にある古色蒼然《こしょくそうぜん》たるクラブ。このいっぷう変わったクラブでは、メンバーたちによって、さまざまな物語がかたられています。イギリスの〝クリスマスには物語を〟の伝統を守り、年に一度のこの夜には、メンバーたちのとっておきの話が聞けるのです。さて、ある年のクリスマス・シーズンに、八十歳になる老医師マッキャロンが語ったとっておきの話とは……。語られる話自体もさることながら、このクラブ自体の雰囲気《ふんいき》もなかなか。

ともあれ、スティーヴン・キングのふつうの小説、堪能《たんのう》していただければなによりです。

（一九八七年二月）

S・キング
永井淳訳
キャリー
狂信的な母を持つ風変りな娘——周囲の残酷な悪意に対抗するキャリーの精神は、やがてバランスを崩して……。超心理学の恐怖小説。

S・キング
浅倉久志他訳
幸運の25セント硬貨
ホテルの部屋に置かれていた25セント硬貨。それが幸運を招くとは……意外な結末ばかりの全七篇。全米百万部突破の傑作短篇集!

S・キング
浅倉久志訳
ゴールデンボーイ
——恐怖の四季 春夏編——
ナチ戦犯の老人が昔犯した罪に心を奪われた少年は、その詳細を聞くうちに、しだいに明るさを失い、悪夢に悩まされるようになった。

S・キング
白石朗他訳
第四解剖室
私は死んでいない。だが解剖用大鋏は迫ってくる……切り刻まれる恐怖を描く表題作ほかO・ヘンリ賞受賞作を収録した最新短篇集!

G・G＝マルケス
野谷文昭訳
予告された殺人の記録
閉鎖的な田舎町で三十年ほど前に起きた幻想とも見紛う事件。その凝縮された時空に共同体の崩壊過程を重層的に捉えた、熟成の中篇。

K・グリムウッド
杉山高之訳
リプレイ
世界幻想文学大賞受賞
ジェフは43歳で死んだ。気がつくと彼は18歳——人生をもう一度やり直せたら、という窮極の夢を実現した男の、意外な、意外な人生。

スタンド・バイ・ミー

—恐怖の四季　秋冬編—

新潮文庫　キ－3－5

昭和六十二年三月二十五日　発行
平成二十二年九月十日　四十八刷改版
令和元年五月三十日　五十五刷

訳者　山《やま》田《だ》順《じゅん》子《こ》

発行者　佐藤隆信
発行所　株式会社 新潮社
郵便番号　一六二―八七一一
東京都新宿区矢来町七一
電話　編集部(〇三)三二六六―五四四〇
読者係(〇三)三二六六―五一一一
http://www.shinchosha.co.jp
価格はカバーに表示してあります。

印刷・錦明印刷株式会社　製本・株式会社植木製本所

ISBN978-4-10-219305-1 C0197